Découvrir le Mac pour LES NULS

2e ÉDITION

Découvrir le Mac pour LES NULS

2e ÉDITION

David Pogue

Découvrir le Mac Pour les Nuls 2e édition
Titre de l'édition originale : Mac For Dummies
Publié par
Wiley Publishing, Inc.
909 Third Avenue
New york, NY 10022

Collection dirigée par Jean-Pierre Cano
Traduction : Paul Durand-Degranges
Édition : Pierre Chauvot
Maquette et illustration : Stéphane Angot

Edition française publiée en accord avec Wiley Publishing, Inc.
©2009 par Éditions First
Éditions First
60 rue Mazarine
75006 Paris
Tél. : 01 45 49 60 00
Fax : 01 45 49 60 01
e-mail : firstinfo@efirst.com
ISBN : 978-2-7540-1079-5
Dépôt légal : 1e trimestre 2009
Imprimé en France

Sommaire

Deuxième partie : Mener des actions élémentaires................ 113

Quatrième partie : Découvrir les principaux logiciels 295

Sixième partie : Connaître les matériels..................................421

Septième partie : Les dix commandements 449

Introduction

Vous débarquez dans le monde Macintosh ? Vous êtes un vieux de la vieille ? Qu'importe. Ce livre a pour ambition d'être un outil efficace entre toutes les mains, néophytes ou expertes.

À propos de cet ouvrage

Nous avons résolument opté pour la modernité et décidé d'axer cet ouvrage sur la toute pimpante version 10.5 Leopard du système d'exploitation d'Apple.

Mac OS X s'inscrit parfaitement dans la philosophie de la firme à la pomme. C'est un outil élégant et puissant, basé sur le langage Unix, une source d'inspiration qui lui garantit une stabilité supplémentaire. De fait, sous l'apparence séduisante de l'interface Aqua se cache un moteur robuste fondé sur Unix, lequel offre un niveau de fiabilité et de performance jamais atteint.

La plupart des chapitres de ce livre sont consacrés à l'étude de Mac OS 10.5 :

- La première partie décrit son environnement et son interface (Bureau, menus, fenêtres, icônes, Dock et accès à l'aide).
- La deuxième vous explique comment, sous Mac OS X, mener des actions de base telles que l'enregistrement, l'ouverture et l'impression. Elle décrit également en détail les différentes techniques de gestion des fichiers, des dossiers et des disques.

- La troisième, enfin, va plus loin : elle détaille les principaux composants du Système, plus concrètement ses dossiers Applications et Utilitaires. Elle passe ensuite en revue les paramétrages auxquels vous avez accès (les Préférences Système). Puis, elle vous aide à comprendre l'architecture des comptes utilisateurs et à découvrir leurs subtilités. Finalement, elle vous explique comment faire tourner ceux de vos programmes pour lesquels la version optimisée Mac OS X n'est pas encore disponible.

C'est donc à un véritable voyage initiatique Mac OS X que nous vous convions.

Nous faisons ensuite une large part, dans la quatrième partie, aux programmes iWork et Word. Rappelez-vous : dans un premier temps, le Mac s'est imposé comme outil bureautique et de gestion. Les programmes qui avaient du succès à l'époque en ont toujours, car les besoins subsistent : traitements de texte, tableurs. Dans cette optique, nous avons résolu de vous présenter un intégré, iWork, un traitement de texte, l'incontournable Word de Microsoft ainsi qu'un tableur Excel de Microsoft.

Est venue ensuite l'époque d'Internet et de la communication tous azimuts. Cette tendance perdure ; c'est la raison pour laquelle nous avons consacré à Internet toute la cinquième partie de ce livre.

Mais nous voici déjà au seuil d'une nouvelle ère, celle de l'ordinateur personnel "intégrateur numérique". De fait, les fabricants commercialisent à tout va caméscopes, appareils photo numériques, téléphones portables, assistants personnels et autres baladeurs MP3. Ces formidables outils communicants ont fait de nous des individus numériques qui ont souvent bien du mal à gérer ces flux énormes d'informations en tous genres. C'est ici que le Mac, allié indéfectible, trouve une fois de plus sa place, s'imposant en véritable chef d'orchestre de ce "digital lifestyle" dont Steve Jobs, en visionnaire averti, a eu la prémonition.

Certes, plusieurs de ces appareils sont parfaitement capables de fonctionner seuls. Mais le Mac, transformé pour l'occasion en port d'attache de ces périphériques à vocation nomade, trouve là un nouveau souffle.

Comment, en effet, transférer ses CD sur baladeur MP3, sauvegarder, en lieu sûr, le répertoire de son téléphone mobile, récupérer des données numériques éparses (comme des photos ou des séquences filmées) pour les intégrer à des réalisations multimédias faites maison ?

Le Mac a toutes les ressources techniques nécessaires pour assumer avec brio ce rôle de point de référence, de centralisateur de données numériques textuelles, sonores et visuelles.

Côté logiciel, tout est prêt ; les Chapitres 19 et 20 vous décrivent d'ailleurs deux applications classiques : iMovie pour la vidéo numérique et iPhotos pour la gestion des photos.

Côté matériel, les Mac développent les puissances requises, les imprimantes se perfectionnent, les périphériques se multiplient. Toute la sixième partie de cet ouvrage fait le point sur cet aspect des choses.

Enfin, nous terminons par les désormais classiques "dix commandements", section dans laquelle nous regroupons notamment des techniques d'optimisation ainsi que des conseils pour les situations apparemment (mais apparemment seulement) désespérées.

Nous avons cherché, en toute circonstance, à adopter un langage clair et concis, nous appliquant à décrire les procédures le plus simplement et le plus précisément possible. Nous espérons avoir atteint notre but.

Conventions

Familiarisez-vous dès à présent avec les quelques conventions utilisées dans cet ouvrage et grâce auxquelles vous naviguerez plus aisément parmi les différentes sections qui le constituent :

- Lorsque nous vous engageons à sélectionner une commande dans un menu, nous nous exprimons comme suit : "Choisissez Fichier/Ouvrir", ce qui, en clair, signifie "Déroulez le menu Fichier et validez-y la commande Ouvrir".
- Nous affichons en gras les caractères que vous êtes censé taper au clavier.
- Il arrive que des phrases entières apparaissent en gras. Il s'agit, en général, des différentes étapes d'une procédure. Dans ce cas, nous présentons en maigre les caractères que vous êtes censé saisir.
- Les adresses Web et autres éléments qui s'affichent à l'écran apparaissent dans une police différente de celle du texte courant.
- Lorsque nous évoquons la touche ⌘, nous faisons référence à cette touche identifiée tout à la fois par une pomme et par un trèfle, implantée à gauche (et à droite) de la barre d'espacement.
- La touche Option, pour sa part, est ancrée à gauche (et à droite) de la touche ⌘ ; elle porte la mention Alt.
- Nous faisons régulièrement référence au menu Pomme ; il s'agit du menu situé à l'extrémité gauche de la barre des menus et symbolisé par une… pomme !
- Enfin, quand nous vous signalons qu'il existe pour telle ou telle action ou commande un équivalent ou raccourci clavier, nous vous indiquons de la manière suivante les touches qui le constituent : "⌘ + Z", par exemple, signifie que vous devez enfoncer la touche ⌘ et la maintenir dans cette position tandis que vous activez la touche Z ; vous pouvez ensuite relâcher ces deux touches simultanément.

Icônes

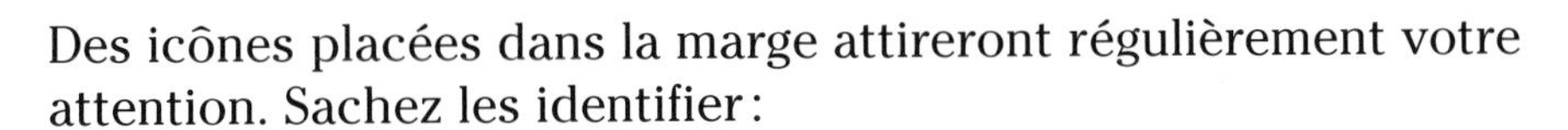

Des icônes placées dans la marge attireront régulièrement votre attention. Sachez les identifier :

Astuce qui vous permettra, dans bien des circonstances, d'économiser un temps précieux.

Point à prendre impérativement en considération.

Réflexion d'ordre technique qui vous aidera à comprendre le pourquoi des choses. Toujours intéressant.

Vous avez envie de savoir d'emblée ce qui a changé ? Suivez ces icônes à la trace !

Et maintenant, que faisons-nous ?

Vous aimez faire les choses dans l'ordre ? Installez-vous confortablement et entamez votre lecture au Chapitre 1.

Vous préférez vagabonder et vous informer directement sur tel ou tel sujet ? Bondissez sans plus attendre sur la section qui vous intéresse.

Dans un cas comme dans l'autre, nous vous souhaitons une excellente lecture.

Première partie

Faire connaissance avec Mac OS X

"Pensez-vous ma chère Irma qu'après Jaguar, Panther, Tiger et Leopard, ils vont nous faire le coup du rhynocéros ?"

Dans cette partie...

Avant de partir à la découverte des fonctionnalités inédites de Mac OS X, vous devez apprendre à mener les actions de base que sont la mise en route de l'ordinateur, le contrôle des éléments de l'environnement et l'appel à l'aide.

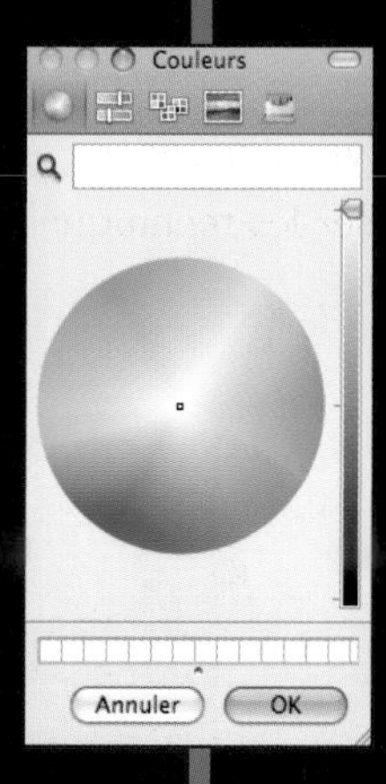

Vous devez ensuite découvrir en détail les différents éléments qui constituent son interface novatrice. Nous décrirons, dans l'ordre, le Bureau, les menus, les fenêtres, les icônes et le Dock.

Prenez donc votre mal en patience et faites les choses avec méthode, une fois n'étant pas coutume.

Chapitre 1

Découvrir l'environnement

Dans ce chapitre :

- Installer.
- Allumer.
- Décomposer la séquence de démarrage.
- Trouver ses repères.
- Découvrir l'interface.
- Maîtriser les techniques souris.
- Éteindre.

Mac OS X n'est pas encore installé sur votre poste de travail ? Commencez donc par cette étape incontournable.

Apprenez ensuite à mettre la machine en action et à suivre pas à pas les différentes étapes de sa mise en route.

Découvrez alors l'interface du système opératoire.

Terminez par l'apprentissage des techniques souris. Car, si vous ne maîtrisez pas ces quelques manipulations de base, vous n'irez pas bien loin.

Finalement, éteignez la machine et vaquez à d'autres occupations.

Allumer

Pour accéder à votre Mac, vous devez d'abord l'allumer.

Ici, une seule règle: consultez le manuel que vous avez reçu avec votre ordinateur afin de localiser le bouton de mise en service.

Apple, en fait, a cherché à simplifier la vie des utilisateurs, dotant ses appareils de boutons et d'interrupteurs implantés sur la face avant, sur la paroi latérale, sur l'arrière de l'unité centrale, voire sur le clavier ou même sur l'écran.

Conclusion: les dispositifs sont si nombreux que nous ne pouvons les commenter tous sous peine de consacrer à ce sujet un chapitre entier.

Installer

En général, Mac OS X est installé d'origine sur votre ordinateur. Cette section n'a donc, apparemment, aucune raison d'être.

Il vous arrivera toutefois de devoir réinstaller un système propre quand votre environnement se sera déstabilisé, pour une raison ou pour une autre. Il se peut que votre disque dur souffre de problèmes graves que seul un reformatage peut résoudre, ou bien que l'un ou l'autre des fichiers essentiels du système ait été endommagé, renommé, voire carrément supprimé.

S'il vous est déjà arrivé de devoir procéder à ce type de réinstallation, vous en connaissez d'emblée les inconvénients. En effet, si l'opération préserve a priori le contenu de vos dossiers Départ et Documents, elle fait fi de la plupart des Préférences Système que vous aviez patiemment configurées, vous obligeant ainsi à reprendre cette personnalisation depuis zéro. Mais qu'importe si la réinstallation résout les problèmes qui entravaient l'exploitation normale de votre Macintosh ?

Par le passé, on vous conseillait d'être prudent et de réaliser un backup complet de votre disque dur à l'époque où tout tournait comme sur des roulettes. Vous pouviez ainsi réinstaller depuis ce support plutôt que depuis le CD original de Mac OS X, et retrouver les choses telles que vous les aviez laissées.

La fenêtre de paramétrage de l'installation de Leopard propose une option intitulée Conserver les utilisateurs et les réglages de réseau, qui vous permet, une fois l'installation achevée, de redémarrer immédiatement dans votre environnement familier. Vous retrouvez donc votre petit chez vous : votre fond d'écran, votre Dock, vos connexions réseau ainsi que toutes les préférences définies pour vos applications.

Avant de réinstaller un système propre, assurez-vous que vous avez tout tenté pour résoudre les problèmes dont souffre votre ordinateur ; voyez à ce propos le Chapitre 27, intitulé "Réagir dans les situations désespérées". Ne réinstallez qu'en dernier recours.

Choisir les modalités

Deux scénarios sont possibles :

- **Installer Mac OS X 10.5 sur Mac OS X 10.4** : Il est envisageable d'installer Leopard par-dessus Panther. C'est d'ailleurs la première possibilité que vous propose l'installateur. Mais cette installation est plus longue ; elle présente en outre l'inconvénient de prendre comme base un système qui n'est sans doute plus tout à fait propre, même si Mac OS X ne se pollue pas aussi facilement que les versions précédentes du système d'exploitation.

- **Installer Mac OS X 10.5 à partir de zéro** : La procédure crée un nouveau système qu'elle place à côté de l'ancien, ce dernier (ainsi que son dossier Départ) étant alors archivé automatiquement dans un dossier dénommé Ancien système, dont le contenu intégral reste accessible. C'est sans doute la meilleure solution tant il nous paraît préférable de repartir sur de bonnes bases. D'autant que vous avez la possibilité, comme nous l'évoquions plus haut, de préserver toutes vos préférences ainsi que vos paramètres système et réseau.

Les configurations compatibles Mac OS X doivent présenter les caractéristiques suivantes : Au moins 9 Go d'espace disque disponible ou 12 Go ; processeur Intel ou un Mac basé sur PowerPC avec un processeur G4 ou G5 à 867 MHz ou plus ; un moniteur intégré ou un moniteur connecté à une carte vidéo Apple gérée par votre ordinateur ; un lecteur de DVD ; au moins 512 Mo de RAM. (Pour en savoir plus, rendez-vous sur le site Web d'Apple, à l'adresse `www.apple.com/fr/macosx/`.)

Lancer l'installation

Pourquoi tergiverser ? Allez-y ! Commencez par allumer la machine (consultez si nécessaire la section précédente "Allumer"), puis suivez les étapes de la procédure décrite ci-dessous :

1. **Introduisez le Install DVD dans le lecteur ad hoc, puis faites redémarrer la machine. Pendant le redémarrage, maintenez enfoncée la touche C.**

   Ce faisant, vous obligez le Mac à "booter", c'est-à-dire à démarrer depuis le DVD. Quand la procédure de démarrage prend fin, le programme d'installation se déclenche automatiquement.

   Si vous lancez l'installation sans redémarrer (c'est-à-dire en double-cliquant sur l'icône Installation Mac OS X), le programme se charge de vous proposer une fenêtre dotée d'un bouton… Redémarrer. Vous n'y échapperez pas.

2. **Une première fenêtre vous est proposée. Choisissez-y une langue, puis cliquez sur la flèche pour continuer.**

3. **L'écran Bienvenue s'affiche ; cliquez sur Continuer.**

4. **Prenez connaissance du contrat de licence, puis cliquez sur Accepter pour accepter les termes de l'accord de licence du logiciel.**

5. **Dans la fenêtre intitulée Sélectionnez un volume de destination, cliquez sur l'icône du disque sur lequel vous désirez installer Mac OS X.**

6. **(Facultatif) Cliquez sur Options.**

   La fenêtre qui vous est alors soumise propose plusieurs options :

   • **Mettre à niveau Mac OS X** : À utiliser si une version de Mac OS X est déjà installée sur le disque que vous venez de désigner et que vous souhaitez la mettre à jour. Rassurez-vous : les dossiers Départ et autres fichiers personnels seront préservés.

   • **Archiver et installer** : Pour déplacer tous les éléments Système de votre version courante de Mac OS X vers un dossier intitulé Système antérieur. Installe ensuite la nouvelle version. À noter que le dossier Système antérieur n'est pas bootable.

     L'option annexe Conserver les utilisateurs et les réglages réseau vous permet d'importer les comptes utilisateurs, leurs dossiers Départ et leurs réglages réseau tout en maintenant l'archivage des anciens fichiers dans le dossier Système antérieur.

     Si vous activez cette option, l'Assistant Réglages (voir ci-dessous) sera ignoré.

- **Effacer et installer**: Pour effacer complètement le contenu du disque que vous venez de désigner et installer une copie complète.

Ce faisant, vous effacez complètement le contenu du disque. N'utilisez donc cette option que si vous avez, au préalable, fait un backup complet de vos données.

Dans le menu local Formater le disque, optez pour Mac OS étendu (journalisé).

7. **Quand vous avez défini ces options, cliquez sur OK pour revenir dans la fenêtre précédente; cliquez sur Continuer pour poursuivre la procédure.**

   Vous pouvez ici choisir entre une installation standard et une installation personnalisée (via le bouton Personnaliser en bas à gauche). La première copie tous les fichiers Mac OS X sur le disque que vous avez choisi; la seconde n'installe que les fichiers que vous spécifiez, outre les systèmes de base incontournables.

   Optez pour une installation standard.

8. **Cliquez sur Installer.**

   Et patientez. Quand l'installation se termine, la machine redémarre spontanément. L'Assistant Réglages prend la main (voir la section suivante).

Dialoguer avec l'Assistant Réglages

Comme vous venez de l'apprendre, quand l'installation se déroule avec succès, elle vous laisse, en fin de course, en tête à tête avec l'Assistant Réglages.

Celui-ci prend la main et engage la conversation:

1. **Il vous propose d'abord son écran d'accueil. Désignez-y votre pays, puis cliquez sur Continuer.**

Si ce pays ne figure pas dans la liste, activez l'option Tout afficher pour accéder à d'autres choix.

2. **Il affiche ensuite sa fenêtre de personnalisation des réglages. Sélectionnez un clavier, puis cliquez sur Continuer.**

   Si nécessaire, utilisez l'option Tout afficher pour répertorier d'autres claviers.

3. **Si vous possédez déjà un Mac, vous pouvez transférer des informations. Cliquez sur Continuer.**

   Si vous avez choisi de transférer des informations, l'Assistant affiche des écrans supplémentaires en fonction du type de transfert sélectionné.

   Vous avez la possibilité de transférer les informations par la suite à l'aide de l'utilitaire Assistant Migration.

4. **Une fenêtre apparaît qui vous permet de saisir vos identifiants Apple. Saisissez les informations, puis cliquez sur Continuer.**

   Il s'agit des identifiants que vous utilisez sur Apple Store. Vous n'êtes pas obligé d'indiquer ces informations, même si vous possédez un identifiant.

5. **Apparaît alors la fenêtre d'enregistrement. Remplissez ses cases (nom, adresse, numéro de téléphone, etc.), puis cliquez sur Continuer.**

6. **Répondez aux questions supplémentaires, puis cliquez sur Continuer.**

7. **Dans la fenêtre Créer un compte, entrez, dans les cases correspondantes, votre nom, votre nom abrégé, votre mot de passe, sa confirmation ainsi qu'un indice qui vous permettra de retrouver facilement cette clé d'accès; cliquez ensuite sur Continuer.**

Sachez que toutes ces cases sont dotées d'une notice explicative, au cas où vous ne comprendriez pas très bien ce qu'on attend de vous.

Sachez aussi que ce premier compte bénéficiera automatiquement du statut d'administrateur du Mac (voir le Chapitre 15, consacré au partage).

8. **Sélectionnez une image pour le compte en utilisant l'éventuelle caméra intégrée à votre ordinateur ou en sélectionnant une image dans la bibliothèque ; cliquez ensuite sur Continuer.**

9. **La fenêtre suivante vous propose de vous abonner à MobileMe. Effectuez une sélection puis cliquez sur Continuer.**

   Par défaut, l'assistant vous propose de vous abonner pour 99 euros par mois.

10. **Si vous avez choisi de ne pas vous abonner, l'assistant vous propose d'essayer gratuitement MobileMe pendant 60 jours. Faites votre choix, puis cliquez sur Continuer.**

11. **Dans cette dernière fenêtre, cliquez sur Continuer.**

    L'Assistant s'éclipse ; le Bureau s'affiche. Vous avez mené à bien l'installation de Mac OS X. Bravo !

Décomposer la séquence de démarrage

Lorsque vous poussez sur le bouton dont il vient d'être question, vous déclenchez une série d'événements qui aboutissent normalement au chargement de Mac OS X et à l'affichage du Bureau.

En effet, dès activation de ce bouton, le Mac se met en branle : il teste sa RAM (Random Access Memory ou mémoire vive), ses disques, ses ports, ses connexions… Si tout va bien, il démarre et vous propose le traditionnel logo gris et une roue indiquant la progression qui vous tient informé des différentes opérations que l'ordinateur exécute avant d'être 100 % opérationnel.

Il se peut qu'à un stade donné de sa mise en service le Mac vous demande d'introduire votre nom et votre mot de passe. Il le fera si le poste a été configuré pour plusieurs utilisateurs et si l'ouverture automatique de session a été inhibée (voyez à ce sujet le Chapitre 15 et sa section "Paramétrer l'ouverture de session"). Dans ce cas, exécutez-vous.

Il se peut que, pour une raison ou pour une autre, la machine ne puisse mener à son terme la procédure de démarrage. Lisez le Chapitre 27 pour savoir quel comportement adopter.

Trouver ses repères

Si tout se déroule comme prévu, vous parvenez enfin au Bureau, véritable tour de contrôle de votre Macintosh. D'emblée, vous isolez plusieurs éléments dans cet environnement : en haut, la barre des menus ; à droite, l'icône du disque dur ; en bas, le Dock. Nous détaillerons ces éléments dans les chapitres suivants.

Le look général porte le nom d'*interface Aqua* (appelé aussi *Illuminous*). Cette interface est évoluée (menus transparents, ombres portées calculées en temps réel, déplacement des fenêtres pleines…).

Vous voulez être sûr que vous évoluez bien sous Mac OS X version 10.5 ? Choisissez À propos de ce Mac dans le menu Pomme (Figure 1.1).

Figure 1.1 : Vous voilà rassuré !

Maîtriser les techniques souris

Vous trépignez d'impatience ? Vous souhaitez agir ? Patience. Il vous faut d'abord apprendre à maîtriser ce périphérique incontournable qu'est la souris.

En réalité, la souris sert tout le temps. Ou pratiquement. Détaillons les manipulations possibles :

- **Pointer** : Pointer, c'est désigner avant d'agir. Posez votre main sur votre souris, puis faites-la glisser jusqu'à amener le pointeur sur l'objet sur lequel vous désirez agir ; il peut s'agir d'un titre de menu (que vous voulez dérouler), d'une icône (que vous voulez ouvrir), d'un bouton (que vous voulez activer).
- **Cliquer** : Enfoncez une fois le bouton de votre souris avec votre index (à moins qu'il ne s'agisse de la nouvelle souris optique d'Apple, auquel cas c'est la structure tout entière que vous enfoncez puisque cette souris est dépourvue de bouton). Vous cliquerez pour dérouler les menus, activer les icônes ou valider les boutons présélectionnés. Certains modèles de souris (dont le nouveau modèle d'Apple) comportent un bouton droit qui permet d'effectuer un clic droit. Lorsque vous utilisez une souris à bouton unique (ou un Macbook), vous effectuez le clic droit en appuyant sur la touche Ctrl et en cliquant (Ctrl + clic). Dans cet ouvrage, il est donc question de Ctrl + clic et non de clic droit.
- **Double-cliquer** : Il s'agit d'enfoncer le bouton de la souris deux fois consécutivement. Prenez garde : si le laps de temps qui s'écoule entre le premier et le second clic est trop long, le système interprète votre action comme deux simples clics successifs. Double-cliquez pour ouvrir un dossier, pour lancer un programme, pour accéder à un document.

- **Cliquer-glisser** : L'opération s'effectue en deux temps : d'abord cliquer, ensuite glisser. Imaginons que, depuis votre traitement de texte, vous souhaitiez sélectionner une portion de votre document. Cliquez à l'endroit où la sélection doit démarrer, enfoncez le bouton de la souris et maintenez-le dans cette position, puis faites glisser jusqu'à l'endroit où la sélection doit prendre fin. Relâchez alors le bouton de votre souris.

Éteindre

Vous avez terminé votre travail ? Éteignez donc la machine.

Éteindre carrément

Pour mettre fin à votre séance de travail, invoquez la commande Éteindre du menu Pomme.

Cette commande éteint la machine purement et simplement. Si vous souhaitez mettre un terme à votre séance de travail, mais laisser le Mac actif pour qu'un autre utilisateur puisse y avoir accès, c'est la commande Pomme/Fermer la session (votre nom) qu'il faut invoquer. Son équivalent clavier : ⌘ + Majuscule + Q. (L'aspect multi-utilisateur du Mac est traité au Chapitre 15.)

Évitez en toute circonstance de mettre votre Macintosh hors circuit sans transiter par cette commande, sauf lorsque vous ne pouvez vraiment pas faire autrement : l'écran se fige, le système se plante, toute action devient impossible.

Si cela vous arrive, sachez qu'au redémarrage la machine tentera, pendant la procédure de mise en service, de réparer les dégâts causés par votre extinction non conforme.

D'une manière générale :

- **Ne débranchez pas le Mac pendant qu'il tourne.** Commencez par quitter tous les programmes qui sont actifs. Invoquez ensuite la commande Éteindre, comme nous venons de vous apprendre à le faire. Ne mettez l'ordinateur hors circuit en tirant la prise que si vous ne pouvez vraiment pas agir autrement.
- **Éteignez-le en cas d'orage.** Il existe des dispositifs spéciaux (appelés "parasurtenseurs") qui sont destinés à encaisser toute surcharge éventuelle. Ne leur faites toutefois pas aveuglément confiance : seuls les modèles haut de gamme offrent toutes les garanties suffisantes.
- **Ne le bousculez pas.** Toute secousse imposée au Mac pendant que son disque, en constante rotation, lit ou écrit des données risque de provoquer des dommages irréparables.
- **Faites des copies de sauvegarde.** N'hésitez pas à faire des backups : ça peut toujours servir (croyez-en notre expérience). Reportez-vous au Chapitre 11 pour savoir comment procéder (section "Faire des backups").

Mettre en veille

Si vous n'abandonnez votre Mac que pour quelques heures, inutile de l'éteindre : il suffit de le mettre en veille.

Utilisez à cette fin la commande Suspendre l'activité du menu Pomme. La machine se met en veille, l'écran s'éteint et le voyant de mise sous tension peut clignoter pour indiquer l'état de mise en veille.

Trois éléments sont ici paramétrables : le choix de l'image qui s'affiche pendant l'inactivité, le délai au-delà duquel le Mac suspend automatiquement son action et, finalement, les coins depuis lesquels vous pouvez activer ou désactiver la mise en veille.

Voyons cela en détail.

1. **Choisissez Pomme/Préférences Système ou activez l'icône correspondante du Dock.**

   La fenêtre Préférences Système s'affiche.

2. **Dans la rubrique Personnel, cliquez une fois sur Bureau et économiseur d'écran.**

   Dans cette fenêtre, un seul clic suffit exceptionnellement à activer les icônes.

   La fenêtre Bureau et économiseur d'écran s'affiche ; activez si nécessaire son onglet Économiseur d'écran (Figure 1.2).

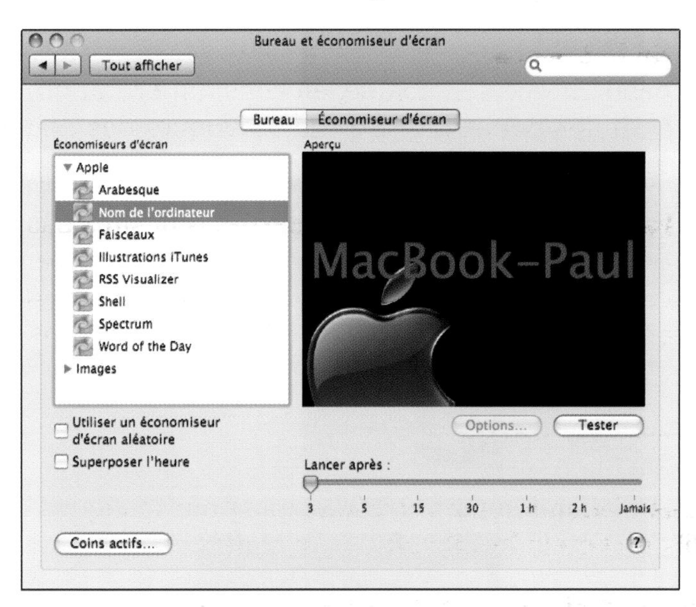

Figure 1.2 : Il y en a pour tous les goûts.

3. **Sélectionnez un économiseur dans la liste de gauche.**

   La case Aperçu vous en donne un… aperçu !

   TRUC

   Vous n'êtes pas limité aux options prédéfinies de la liste. Les commandes MobileMe et RSS, Dossier Images et Choisir un dossier vous ouvrent des tas de possibilités.

4. **Cliquez sur Tester pour voir l'économiseur en action.**

   Pour interrompre le test, activez n'importe quelle touche de votre clavier.

5. **Faites glisser le curseur Lancer après pour fixer le délai au terme duquel l'économiseur entrera en action.**

L'option Utiliser un économiseur d'écran aléatoire laisse au Mac le choix du protecteur, qu'il sélectionne alors de manière aléatoire chaque fois que la fonction est déclenchée.

Quel que soit l'économiseur d'écran sélectionné, vous pouvez cocher la case Superposer l'heure pour afficher l'heure sur l'écran lorsque l'économiseur d'écran est activé.

6. **Cliquez sur Coins actifs.**

   Une fenêtre s'affiche (Figure 1.3), qui vous permet de définir le ou les coins dans lesquels le pointeur activera ou désactivera l'économiseur d'écran.

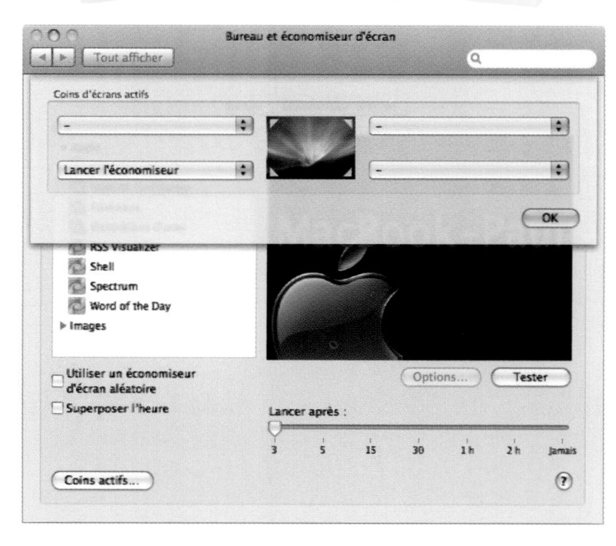

Figure 1.3 : Fixez les coins.

Si, après avoir activé un coin, vous cliquez de nouveau dans sa case, la coche est remplacée par un signe – (moins), ce qui signifie que le pointeur placé à cet endroit désactivera l'économiseur. Un clic supplémentaire restitue l'état initial du coin, c'est-à-dire effet nul sur l'économiseur.

7. **Cliquez sur OK pour regagner la fenêtre précédente.**

8. **Quittez les préférences système en cliquant dans la case de fermeture de la fenêtre.**

Chapitre 2

Le Bureau

Dans ce chapitre :

- Se repérer.
- Modifier l'arrière-plan.

D'une manière générale, c'est ici que tout commence et que tout finit. C'est l'endroit où vous vous trouvez avant d'être allé où que ce soit ; c'est aussi celui où vous échouez quand vous quittez vos programmes.

C'est le véritable centre névralgique de votre environnement : vous y gérez vos fichiers, y stockez vos documents, y lancez vos programmes, y paramétrez vos outils, etc.

Se repérer

Détaillons ses composants (Figure 2.1) :

En réalité, ce Bureau est constitué de divers éléments ; apprenez à les identifier :

- **Le Bureau proprement dit** : C'est l'arrière-plan de votre écran, la zone qui s'étend derrière les éventuelles fenêtres ouvertes ainsi que le Dock.

- **La barre des menus** : Les *menus* sont des ensembles de commandes grâce auxquels vous menez des actions. Ils sont traités dans le chapitre suivant.
- **Les fenêtres** : Si vous cliquez deux fois sur l'icône de votre disque dur, identifiée par exemple par la mention Macintosh HD, l'icône s'ouvre en fenêtre. Voyez à ce propos le Chapitre 4.
- **Le Dock** : C'est l'outil de navigation simplifiée du Finder. Grâce à lui, vous accédez directement aux icônes les plus sollicitées (dossiers, documents, programmes) sans devoir ouvrir des fenêtres. L'avant-dernier chapitre de cette première partie lui est consacré.

Figure 2.1 : Le Bureau de Mac OS X tel qu'il s'affiche au démarrage.

Modifier l'arrière-plan

L'arrière-plan Aurora activé par défaut ne vous plaît pas ? Aucun problème : sélectionnez-en un autre.

1. **Choisissez Pomme/Préférences Système ou activez l'icône correspondante du Dock.**

   La fenêtre Préférences Système s'affiche.

2. **Dans la rubrique Personnel, cliquez une fois sur Bureau et économiseur d'écran.**

   Nous vous rappelons que dans cette fenêtre un seul clic suffit exceptionnellement à activer les icônes.

3. **Activez, si nécessaire, l'onglet Bureau (Figure 2.2).**

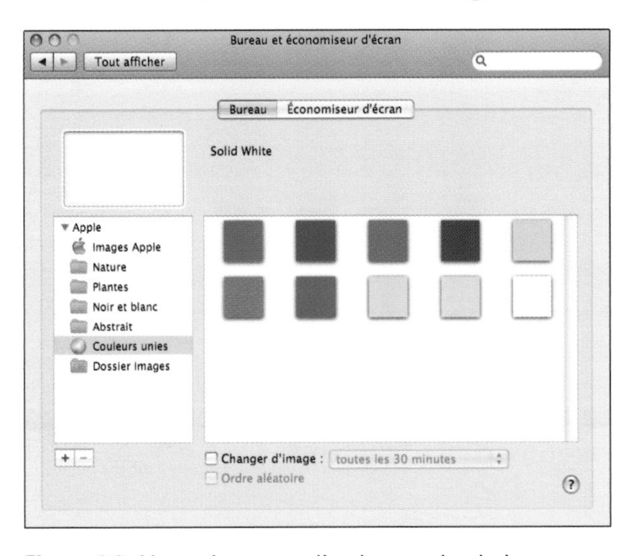

Figure 2.2 : Vous n'avez que l'embarras du choix.

4. **Dans la liste de gauche, choisissez une catégorie d'arrière-plans prédéfinis et faites votre choix à droite, cliquez sur Dossier images (pour accéder au contenu de votre dossier Images) et faites votre choix à droite, ou cliquez**

sur Albums iPhoto (pour accéder à vos photos) et sélectionnez l'image de votre choix (Figure 2.3).

Les fonds proposés sont organisés à l'aide de dossiers, dans lesquels les images sont regroupées par type, auxquels vous pouvez ajouter les vôtres.

Figure 2.3 : Tout votre disque est à votre disposition.

5. **Quittez la préférence système en cliquant dans la case de fermeture de la fenêtre.**

Chapitre 3

Les menus

Dans ce chapitre :

- Dérouler les menus.
- Examiner leur contenu.
- Détailler les menus du Finder.
- Jouer à la chaise musicale.

Les menus sont regroupés dans le haut de l'écran, dans une barre appelée… *barre des menus*. Apprenez à les piloter efficacement.

Dérouler les menus

Les menus de Mac OS X sont *déroulants*, puisqu'ils se déroulent à la manière d'un store vénitien dès que vous désignez leur intitulé à l'aide du pointeur de votre souris (Figure 3.1).

Fichier

Nouvelle fenêtre Finder	⌘N
Nouveau dossier	⇧⌘N
Nouveau dossier intelligent	⌥⌘N
Nouveau dossier à graver	
Ouvrir	⌘O
Ouvrir avec	▶
Imprimer	
Fermer la fenêtre	⌘W
Lire les informations	⌘I
Compression	
Dupliquer	⌘D
Créer un alias	⌘L
Coup d'œil sur « Macintosh »	⌘Y
Afficher l'original	⌘R
Ajouter aux favoris	⇧⌘T
Placer dans la Corbeille	⌘⌫
Éjecter « Macintosh »	⌘E
Graver « Macintosh » sur le disque...	
Rechercher par nom...	⇧⌘F
Étiquette :	

Figure 3.1 : Le menu Fichier n'a plus de secret pour vous.

Une fois déroulés, les menus restent déroulés tant que vous ne choisissez pas une commande ou ne cliquez pas en dehors de la zone qui les définit. Ils se referment lorsque vous sélectionnez un article ou lorsque vous maintenez votre souris enfoncée trop longtemps sans prendre de décision (15 secondes environ). Pratique, non ?

Les menus dits contextuels

En marge des menus principaux, il existe des menus dits "contextuels", qui se déroulent dans la fenêtre, à l'emplacement du pointeur.

Ces menus sont ainsi nommés parce qu'ils ont la particularité de n'apparaître que quand vous cliquez à un endroit précis et de ne proposer que les commandes directement en relation avec la tâche en cours.

Ils peuvent se manifester dans une fenêtre, sous une icône, sur le Bureau lorsque vous opérez un Ctrl + clic. La Figure 3.2 montre le menu contextuel qui s'affiche lorsque vous Ctrl + cliquez sur une icône de document.

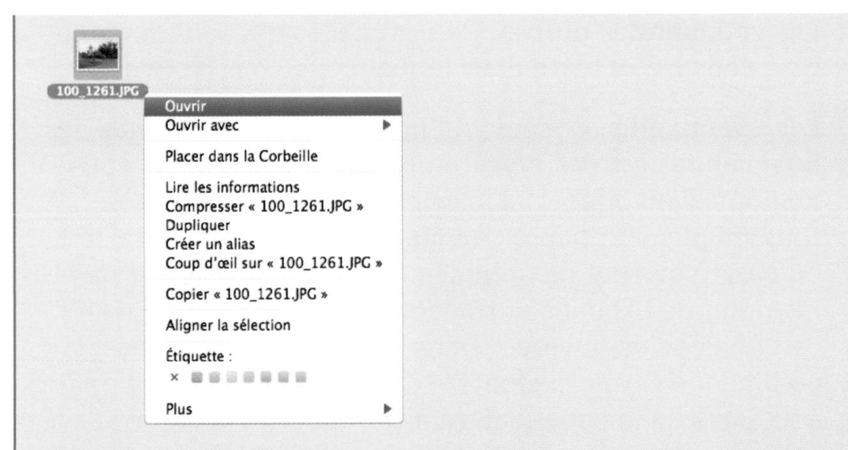

Figure 3.2 : Le menu contextuel ne propose que des articles en rapport direct avec l'élément sélectionné.

La plupart des applications proposent également ce type de menu. Aussi n'hésitez pas à Ctrl + cliquer sur tout ce qui bouge ! Le plus souvent, un menu contextuel se déroulera, vous dispensant de voyager jusqu'à la barre des menus principale pour valider une commande.

Examiner leur contenu

La fonction des menus est de regrouper des commandes. Mais toutes ces commandes ne présentent pas forcément le même aspect. Voyons de quoi il retourne.

Les commandes

Certains articles apparaissent parfois en noir, d'autres en grisé, quelques-uns avec une coche, la plupart sans ; ils sont parfois suivis d'une indication clavier et sont généralement séparés les uns des autres par des séparateurs. Dans quelques cas, ils sont dotés, à droite, d'un petit triangle noir.

Qu'est-ce que tout cela signifie *exactement* ?

- **Les commandes noires** : Ce sont celles qui sont disponibles dans le contexte dans lequel vous vous trouvez.
- **Les commandes grisées** : À l'inverse des précédentes, les commandes grisées ou estompées sont celles que vous ne pouvez invoquer dans les circonstances actuelles, tout simplement parce que les conditions de leur mise en œuvre ne sont pas réunies. Ainsi, si vous n'avez pas introduit de CD dans votre lecteur, la commande Éjecter est grisée ; c'est logique ! Dans le même ordre d'idées, la commande Fermer la fenêtre du menu Fichier n'est pas accessible si aucune fenêtre n'est ouverte. Logique aussi.
- **La commande cochée** : La coche signale que la commande correspondante est active. Ainsi, si dans votre traitement de texte la commande Règles est cochée, cela signifie que les règles sont affichées.
- **Le raccourci clavier** : La mention en regard d'une commande d'une indication clavier signifie que cette commande peut être activée directement depuis le clavier, sans passer par le menu, grâce à la combinaison de touches indiquée. On parle de *raccourci* ou d'*équivalent* clavier. Les raccourcis clavier sont en général composés des touches ⌘, Option et/ou Majuscule combinée(s) à une lettre quelconque.

Bien que ces menus affichent la lettre en majuscule, c'est une minuscule que vous devez saisir. Donc, lorsque vous lisez dans un menu que l'équivalent de la commande qui vous intéresse est ⌘ + P, c'est ⌘ + p qu'il vous faut taper. Ce n'est que lorsque la touche Majuscule est expressément indiquée dans la combinaison que vous devez l'activer depuis votre clavier. Ainsi, l'équivalent de la commande Nouveau dossier du menu Fichier est ⌘ + Majuscule + N. Seule exception : le raccourci ⌘ + ? de l'accès à l'aide ; ici, vous n'obtiendrez le point d'interrogation qu'en recourant à cette touche Majuscule.

- **Les séparateurs** : Ce sont des traits horizontaux qui, dans un menu, mettent en évidence l'appartenance de commandes de même nature à des groupes différents.

- **Le triangle noir** : Un triangle noir orienté vers la droite, placé en regard de l'intitulé d'une commande, vous prévient d'emblée que vous aurez une seconde sélection à opérer. De fait, ce triangle est un indicateur de sous-menu : lorsque vous positionnerez votre pointeur sur la commande principale, ce triangle provoquera l'affichage d'une liste complémentaire d'options parmi lesquelles vous devrez faire un choix.

Vous souhaitez valider une commande ? Rien de plus simple : faites glisser le pointeur de votre souris jusqu'à ce que la commande souhaitée apparaisse contrastée, puis relâchez le bouton.

La commande s'exécute, sauf si son intitulé est suivi de trois points de suspension. Ces points signifient que le programme est incapable d'exécuter la commande sans un complément d'informations qu'il va solliciter via une fenêtre particulière qu'on appelle *zone* ou *boîte de dialogue*. Lisez la suite pour en savoir plus à ce sujet.

Les boîtes de dialogue

Il s'agit de fenêtres particulières par le biais desquelles le programme actif vous enjoint de fournir des informations complémentaires sans lesquelles il ne peut obéir à votre ordre (Figure 3.3). En somme, un endroit où vous dialoguez avec l'application.

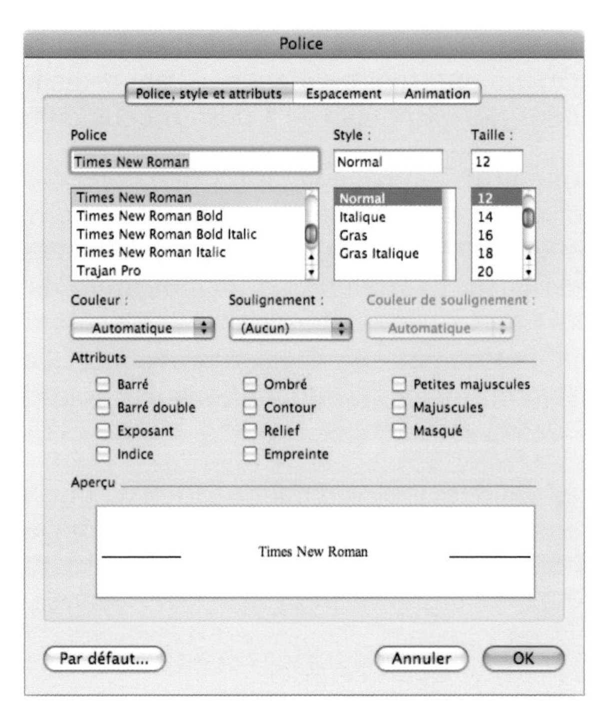

Figure 3.3: Un exemple représentatif: la fenêtre Format/Police de Word.

Ces boîtes peuvent abriter différents types d'éléments:

- **Des onglets:** Ils servent à présenter des groupes d'options. Ainsi, la fenêtre que vous avez sous les yeux compte trois onglets: Police, style et attributs, Espacement et Animation.

- **Des rubriques:** Elles servent à présenter des sous-groupes d'options; elles sont généralement délimitées par un cadre. Ainsi, l'onglet Police, style et attributs de la commande Police propose huit rubriques: Police, Style de police, Taille, Couleur, Soulignement, Couleur de soulignement, Attributs et Aperçu.

- **Des listes déroulantes:** Ce sont des listes où chaque entrée représente une option; vous ne pouvez donc faire qu'un seul choix. Si la liste est particulièrement longue, elle peut être équipée d'une barre de défilement et d'un ascenseur ou bien d'une double flèche, éléments qui vous permettent de naviguer aisément parmi les valeurs de la liste. Dans notre exemple, les listes Police, Style de police et Taille sont des listes déroulantes.

- **Des menus locaux:** Ce sont également des listes d'options où un seul choix est autorisé, mais à la différence des précédentes leur contenu n'est visible que si vous les déroulez grâce à leur indicateur (un triangle orienté vers la droite ou vers le bas). Ce déroulement "à la demande" les rend plus compacts que les listes. Dans notre exemple, Couleur, Soulignement et Couleur de soulignement sont des menus locaux.

- **Des boutons radio:** Troisième variante d'un choix d'options qui s'excluent mutuellement, ces boutons se présentent sous la forme de petits cercles, noirs si l'option est active et blancs si elle ne l'est pas. La fenêtre Police ne propose pas de boutons radio.

- **Des cases à cocher:** Ces cases se différencient des listes déroulantes, des menus locaux et des boutons radio par le fait qu'elles proposent normalement des options cumulables. Ainsi, vous pourriez cocher, dans la rubrique Attributs de notre exemple, les options Barré, Exposant et Majuscules afin de produire des caractères qui présenteraient ces trois caractéristiques.

Les exceptions confirment la règle: Exposant et Indice sont mutuellement exclusifs! Il en va de même de Barré et de Barré double, ou encore de Majuscules et de Petites majuscules.

Pour activer un bouton radio ou une case à cocher, vous pouvez, certes, cliquer dans le cercle ou dans le carré, mais vous pouvez aussi cliquer carrément sur l'intitulé de l'option. Pratique, non?

- **Des cases d'édition** : Ce sont des zones dans lesquelles vous pouvez introduire une instruction sous forme de texte. Ainsi, plutôt que de sélectionner une taille dans la liste déroulante Taille, vous pouvez entrer directement le corps souhaité dans la case correspondante. Parfois, ces cases sont équipées de flèches de défilement qui vous permettent de choisir une valeur dans une liste prédéfinie ; il s'agit là d'une espèce de compromis entre la liste déroulante et la case d'édition.

  Il arrive que ces cases soient dotées, à gauche, d'un bouton radio. Dans ce cas, vous n'avez accès à la case que si le bouton est coché.

- **Des cases Aperçu ou Exemple :** Beaucoup de boîtes de dialogue sont équipées d'une case Aperçu ou d'une case Exemple ; celle-ci a pour fonction de schématiser, dans la mesure du possible, les effets de vos choix sur l'esquisse d'un texte ou d'un dessin.

- **Des boutons de commande :** Ces boutons servent à déclencher des actions. Les deux plus classiques sont OK et Annuler (ou Fermer). Le premier ferme la fenêtre en validant les nouveaux attributs ; le second la ferme en ignorant ces modifications ou en les neutralisant. Dans tous les cas, un des boutons est présenté en bleu et clignote posément : il représente le choix par défaut. En d'autres termes, pour activer ce bouton, vous pouvez vous contenter d'enfoncer la touche Entrée ou Retour de votre clavier. Le bouton Annuler, pour sa part, est systématiquement couplé à la touche Échappement, encore appelée Escape ou Esc.

Parfois, le bouton qui valide le changement ne s'intitule pas OK, mais porte un nom plus évocateur de l'action qu'il déclenche comme Ouvrir ou Enregistrer.

Les messages d'alerte

Les messages d'alerte sont des fenêtres particulières que le Mac vous adresse pour signaler une anomalie, la saisie d'une valeur incorrecte, une opération impossible à effectuer, ou encore une action qui ne pourra être annulée ultérieurement (Figure 3.4).

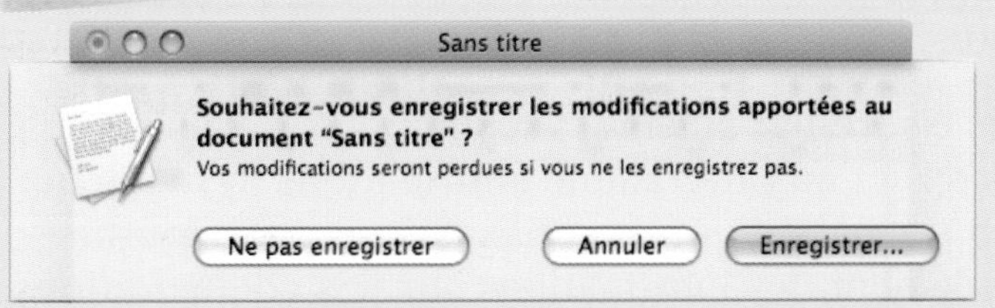

Figure 3.4 : La machine vous rappelle que vous n'avez pas enregistré les modifications apportées au document.

Ces messages comportent des boutons qui vous demandent d'accuser réception de l'avertissement, vous proposent d'annuler l'opération en cours ou sollicitent des instructions complémentaires. Ils se gèrent comme les boutons de commande d'une boîte de dialogue classique.

Détailler les menus du Finder

Les menus du Finder sont au nombre de 8. Nous vous proposons dans cette section d'en commenter brièvement les principaux articles. Il est évident que chaque commande sera développée en temps utile dans sa section propre.

Le menu Pomme

Le menu Pomme propose une série de commandes, toujours disponibles quelle que soit l'application active.

De haut en bas, ces commandes sont :

- **À propos de ce Mac** : Vous savez déjà que cette commande vous indique quelle version de Mac OS vous exploitez, et vous renseigne également sur le type de processeur et sur la quantité de mémoire vive dont est équipé votre ordinateur.

  Elle vous assure par ailleurs, via son bouton Plus d'infos, un accès direct au programme Informations Système qui dresse en un instant votre profil système, vous fournissant rapidement des informations sur vos configurations matérielle et logicielle, des données qui vous aideront, le cas échéant, à répondre valablement aux questions d'une hotline.

- **Mise à jour de logiciels** : Assure un accès immédiat au programme Mise à jour de logiciels (Chapitre 14).
- **Logiciels Mac OS X** : Lance Safari et vous transporte vers le site Web d'Apple.
- **Préférences Système** : Ouvre la fenêtre des préférences du système (que nous traitons en détail au Chapitre 14).
- **Dock** : Contrôle les options relatives au Dock (voir le Chapitre 6).
- **Éléments récents** : Assure un accès rapide aux programmes et documents que vous avez exploités récemment. Mac OS 10.5 vous permet, en intervenant au niveau des Préférences générales (Pomme/Préférences Système/Personnel/Apparence), de spécifier le nombre d'éléments récents (documents, applications et serveurs) que vous souhaitez voir figurer dans ce sous-menu.
- **Forcer à quitter** : Permet de quitter un programme qui se comporte de manière bizarre ou se plante carrément. Lorsque vous validez cette commande (ou son équivalent clavier ⌘ + Option + Échappement), une fenêtre s'affiche ;

elle s'intitule Forcer des applications à quitter et vous permet de désigner l'application concernée (Figure 3.5).

Cette commande est commentée en détail au Chapitre 27, à la section "Un programme se bloque".

Figure 3.5 : Quittez, grâce à cette commande, un programme au comportement erratique.

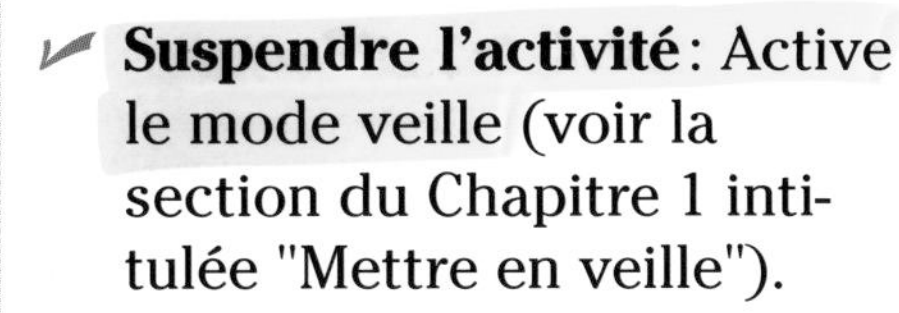

- **Suspendre l'activité** : Active le mode veille (voir la section du Chapitre 1 intitulée "Mettre en veille").
- **Redémarrer** : Fait redémarrer le Macintosh, ce qui revient à éteindre la machine puis à la rallumer.
- **Éteindre** : Met le Mac hors circuit.
- **Fermer la session…** : Mac OS X est *multi-utilisateur*. Aussi a-t-il prévu d'origine que plusieurs personnes puissent exploiter un même poste. Dans ces conditions, cette commande permet à un utilisateur de céder sa place à un autre, sans imposer au préalable un redémarrage de la machine. Concrètement, lorsqu'un utilisateur, identifié par un nom d'utilisateur et par un mot de passe, valide cette commande, cela signifie qu'il quitte la scène ; le suivant peut prendre le relais après s'être identifié. (Le partage du Mac fait l'objet du Chapitre 15.)

Le menu Finder

Ainsi baptisé parce qu'il regroupe des commandes qui contrôlent en grande partie le Finder, ce menu offre des capacités qui vont bien au-delà de cette banale gestion.

Les commandes de ce menu Finder sont particulièrement efficaces :

- **À propos du Finder** : Vous renseigne sur la version du Finder qui équipe votre Mac. Intérêt limité au niveau du Finder, mais, dès que vous évoluez dans un programme quelconque, cette même fenêtre vous en indique également la version. Plus utile !
- **Préférences** : Gère la façon dont le Bureau s'affiche et réagit. Les principales options de cette fenêtre sont commentées dans leurs sections respectives.
- **Vider la Corbeille** : Supprime les éléments que vous avez jetés à la Corbeille.

Quand vous expédiez un élément à la Corbeille, contrairement à ce que vous croyez, il n'est pas physiquement détruit. Seules sont effacées les entrées correspondantes dans la table d'allocation. En d'autres termes, les éléments ainsi éliminés peuvent être récupérés à condition de disposer des bons outils (style Norton Utilities) et de savoir les manier. Pour vous débarrasser définitivement d'un élément et brouiller ainsi les pistes de manière irrévocable, utilisez plutôt la commande suivante.

- **Vider la Corbeille en mode sécurisé** : Introduite avec Panther, cette commande offre un second niveau d'utilisation de la Corbeille. Invoquez-la pour rendre vos données illisibles. Certes, la procédure est plus longue puisque le Système réécrit, à l'ancien emplacement du fichier, une suite de zéros et de uns, mais la sécurité est à ce prix : les données deviennent totalement inexploitables.
- **Services** : Certains programmes fournissent des "services" grâce auxquels vous pouvez expédier des éléments d'une application vers une autre. C'est notamment le cas de Mail, qui fournit un service vous permettant d'introduire, dans un message, une illustration provenant d'un logiciel

graphique. La mise en œuvre de la commande est simple : vous commencez par sélectionner l'élément concerné, puis choisissez un service dans ce menu Services.

- **Masquer Finder** : Masque le Finder (ou l'éventuelle autre application courante) ainsi que toutes les éventuelles fenêtres ouvertes qui s'y trouvent. Pour le réafficher, choisissez Tout afficher dans le même menu ou activez, par simple clic, l'icône Finder du Dock. Cette commande est efficace : elle vous dégage la vue instantanément, vous dispensant de fermer ou de réduire les fenêtres qui vous gâchent le paysage.
- **Masquer les autres** : Cet article opère à l'opposé de la commande précédente, puisqu'il masque toutes les fenêtres de tous les programmes ouverts, exception faite du programme actif.
- **Tout afficher** : Produit l'effet inverse des commandes de masquage.

Dès que vous lancez un programme, le menu Finder disparaît ; il est remplacé par un menu qui porte le nom du programme en question. L'accès à certaines commandes du Finder est malgré tout préservé.

Dès que vous vous trouvez dans un programme, une commande supplémentaire fait son apparition dans ce menu : c'est la commande Quitter. Elle vous permet de mettre le programme en question hors service et de regagner le Bureau.

Le menu Fichier

Sont regroupées ici la plupart des commandes qui assurent la gestion des fichiers et des dossiers. Bien que cet aspect des choses soit traité au Chapitre 11, découvrez déjà, à ce stade, l'utilité des principaux articles de ce menu.

- **Nouvelle fenêtre Finder (⌘ + N)** : Ouvre une nouvelle fenêtre Finder, une opération nécessaire si vous souhaitez copier ou déplacer des éléments d'un dossier à un autre.
- **Nouveau dossier (⌘ + Majuscule + N)** : Crée, dans la fenêtre active, un nouveau dossier sans nom. Si aucune fenêtre n'est ouverte, ce nouveau dossier est créé sur le Bureau.

- **Nouveau dossier intelligent (Option + ⌘ + N)** : Crée un dossier de recherche que vous utilisez pour trouver rapidement des éléments que vous recherchez régulièrement sur votre système.
- **Nouveau dossier à graver** : Crée un dossier dans lequel vous placez les fichiers que vous souhaitez graver sur un CD-ROM ou un DVD-ROM. Lorsque vous faites glisser un fichier dans le dossier à graver, vous placez un alias et vous ne déplacez pas ou ne copiez pas le fichier lui-même.
- **Ouvrir (⌘ + O)** : Ouvre l'élément sélectionné ; il peut s'agir d'une fenêtre, d'un dossier, d'un programme ou d'un document.
- **Ouvrir avec** : Ouvre l'élément sélectionné avec une autre application que celle prédéfinie. À noter que cette commande est grisée si l'icône sélectionnée n'est pas celle d'un document. À noter également que vous retrouvez cette commande dans le menu contextuel auquel vous accédez après un Ctrl + clic sur une icône de fichier ainsi que dans le menu Action.

Si vous activez la touche Option tandis que ce menu est déroulé (ou juste avant de le dérouler) alors qu'une icône de document est active, la commande s'intitule Toujours ouvrir avec. Elle vous permet, comme son nom l'indique, de modifier de manière définitive l'application par défaut du document sélectionné. Vous obtiendrez le même accès via le menu contextuel ou Action si vous déroulez d'abord ce menu, puis activez ensuite la touche Option.

- **Fermer la fenêtre (⌘ + W)**: Ferme la fenêtre active.

Si vous enfoncez la touche Option, puis déroulez le menu Fichier, vous verrez que la commande Fermer la fenêtre a été remplacée par une commande intitulée Tout fermer (⌘ + Option + W), qui vous permet en une seule opération de fermer toutes les fenêtres ouvertes (nous y reviendrons dans le chapitre suivant, consacré aux fenêtres).

- **Lire les informations (⌘ + I)**: Ouvre une fenêtre qui fournit des informations relatives à l'élément sélectionné à l'appel de la commande. (Pour en savoir plus à ce sujet, voyez la section "Obtenir des infos" du Chapitre 5.)

Si vous activez la touche Option avant de dérouler le menu, la commande Lire les informations cède sa place à un nouvel article, Afficher l'inspecteur (⌘ + Option + I). Les données sont identiques; la seule différence est que l'inspecteur affiche des informations concernant n'importe quelle icône sélectionnée au niveau du Finder. Donc, une fois qu'il est ouvert, cliquez, en arrière-plan, sur toutes les icônes qui vous intéressent: la fenêtre d'infos est spontanément mise à jour.

- **Comprimer**: Apple a intégré au Finder le format de compression universel sur PC, le fameux. *zip*. Il en a en outre rendu l'implémentation transparente: il vous suffit, en effet, de sélectionner un fichier ou un dossier, puis de valider cette commande depuis le menu Fichier. L'archive est créée instantanément et placée à côté de l'original. Mieux, il est possible d'opérer une sélection multiple avant d'invoquer la commande, auquel cas celle-ci produit une archive unique, qui réunit l'ensemble des éléments sélectionnés.

- **Dupliquer (⌘ + D)**: Reproduit l'élément sélectionné, reprend le nom de l'original et y ajoute la mention "copie", et stocke ce duplicata dans la même fenêtre que l'original. Vous pouvez tout dupliquer, sauf les disques.

Il est impossible de dupliquer un disque entier sur lui-même. Vous pouvez toutefois réaliser une copie complète d'un disque (appelons-le Disque 1) vers un autre disque (Disque 2) : faites simplement glisser l'icône Disque 1 sur l'icône Disque 2. Le contenu de Disque 1 sera copié sur Disque 2 ; il y apparaîtra sous la forme d'un dossier intitulé *Disque 1*.

- **Créer un alias (⌘ + L)** : Crée un alias de l'élément sélectionné et le stocke dans le même dossier que l'original. Les alias sont traités dans la section "Découvrir les alias" du Chapitre 5.

- **Coup d'œil (⌘ + Y)** : Un nouvel utilitaire de Leopard permet d'afficher rapidement le contenu d'un fichier sans ouvrir l'application utilisée pour le créer ou le visualiser. Il est ainsi possible, par exemple, d'afficher le contenu d'un PDF sans attendre l'ouverture d'Adobe Acrobat.

  Si vous enfoncez la touche Option, la commande Coup d'œil devient Diaporama et permet d'obtenir rapidement un diaporama des fichiers sélectionnés.

- **Afficher l'original (⌘ + R)** : Localise l'original d'un alias. Sélectionnez l'alias dont vous ne parvenez pas à trouver l'original, puis validez cette commande et le tour est joué. (Voyez également au Chapitre 5 la section intitulée "Découvrir les alias".)

- **Ajouter à la barre latérale (⌘ + T)** : Crée un alias de l'élément sélectionné et l'archive dans la barre latérale. Vous pouvez, depuis cette barre, naviguer très rapidement parmi toutes les ressources disponibles (Chapitre 4).

- **Placer dans la Corbeille (⌘ + Retour arrière)** : Transfère l'élément sélectionné vers la Corbeille où il séjourne jusqu'à ce que vous activiez la commande Vider la Corbeille du menu Finder ou du menu contextuel auquel vous avez accès dès que vous laissez stationner votre pointeur sur l'icône de la Corbeille placée dans le Dock.

- **Éjecter (⌘ + E)** : Éjecte le disque sélectionné.
- **Graver sur le disque** : Permet de graver directement des CD de données depuis le Bureau si votre ordinateur dispose de cette fonctionnalité. Nous y reviendrons dans le Chapitre 11, à la section "Graver un CD".
- **Rechercher (⌘ + F)** : Recherche un fichier ou un dossier (voir "Rechercher un fichier ou un dossier" dans le Chapitre 11).

- **Etiquette** : Leopard permet de classer des fichiers en leur attribuant des étiquettes en couleurs.

Le menu Édition

Les commandes du menu Édition sont quasiment universelles : elles se retrouvent telles quelles dans la plupart des applications Macintosh où elles bénéficient des mêmes équivalents clavier.

- **Annuler/Rétablir (⌘ + Z)** : Annuler annule la dernière action en date. Imaginons que vous changiez le nom d'un dossier, puis invoquiez cette commande ; son action consiste alors à rétablir le nom précédent. Autre exemple : vous effacez une portion de texte depuis votre traitement de texte, puis choisissez Annuler : la commande restitue le texte. Dès qu'elle a agi, elle change d'ailleurs de nom et s'intitule alors Rétablir : Rétablir annule l'effet d'Annuler. Retour à la case départ, en quelque sorte.

En général, Annuler ne peut annuler que la dernière action réalisée. Ainsi, si vous effacez une phrase, tapez un caractère, puis choisissez Annuler, c'est la saisie du caractère qui est annulée, pas l'effacement. De plus en plus de programmes proposent malgré tout un Annuler cumulatif : vous pouvez remonter l'historique de vos actions et décider d'annuler un ensemble d'opérations à partir d'une étape donnée. Génial !

- **Couper (⌘ + X)** : Supprime une sélection et la transfère vers le Presse-papiers.
- **Copier (⌘ + C)** : Copie une sélection et la transfère vers le Presse-papiers.

Le *Presse-papiers* est une mémoire temporaire dans laquelle le Système stocke l'élément que vous coupez ou que vous copiez, qu'il s'agisse d'un texte, d'une image, d'une colonne de chiffres prélevée dans votre tableur, etc. Par "temporaire", entendez "volatile", c'est-à-dire que l'élément stocké dans le Presse-papiers n'y sera préservé que tant que vous ne validerez pas de nouveau les commandes Couper ou Copier, car dans ces conditions la nouvelle sélection remplace la précédente selon le principe bien connu du clou qui chasse l'autre. Sachez en outre que le contenu du Presse-papiers est également perdu lorsque, à la suite d'un plantage, vous êtes contraint de relancer une application ou de faire redémarrer la machine.

- **Coller (⌘ + V)** : Colle le contenu du Presse-papiers au niveau du point d'insertion ou le substitue à une éventuelle sélection.

Coller ne vide pas le Presse-papiers ; son contenu, au contraire, est préservé dans les conditions énoncées ci-dessus. Vous pouvez donc coller l'élément stocké dans le Presse-papiers à plusieurs reprises, à plusieurs endroits différents.

- **Tout sélectionner (⌘ + A)** : Au Finder, sélectionne toutes les icônes de l'éventuelle fenêtre active ; sinon, sélectionne toutes les icônes du Bureau. Dans un programme, sélectionne en général tout le document (le texte dans un traitement de texte, les dessins dans un logiciel graphique, les valeurs dans une feuille de calcul…).

- **Afficher le Presse-papiers**: Provoque l'affichage d'une fenêtre qui indique le type d'élément stocké dans le Presse-papiers, texte, image ou son.

- **Caractères spéciaux**: Ouvre la Palette de caractères (Figure 3.6), depuis laquelle vous avez accès à des symboles mathématiques, des flèches, des croix et autres symboles divers. Sélectionnez le caractère de votre choix, puis cliquez sur Insérer pour l'introduire dans le document au niveau du point d'insertion.

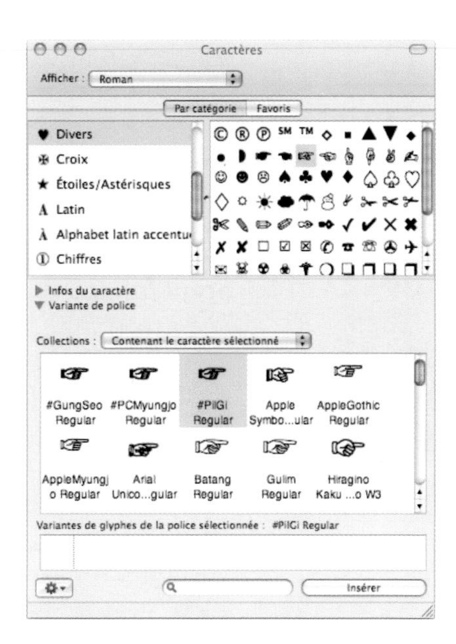

Figure 3.6 : Accès direct à la palette !

Le menu Présentation

Les commandes de ce menu contrôlent la manière dont s'affichent les fenêtres et les icônes. Vous en apprendrez plus à ce sujet dans les deux chapitres suivants, mais sachez d'emblée identifier ces articles :

- **Par icônes** (Option + ⌘ + 1) : C'est le mode de présentation le plus classique. Ce n'est pas pour autant le plus ergonomique : les icônes prennent beaucoup de place et vous empêchent d'avoir une vue d'ensemble du contenu d'une fenêtre.

- **Par liste** (Option + ⌘ + 2) : Plus compacte, la présentation par liste vous permet de déplacer des éléments d'un dossier à un autre en un seul mouvement de souris, sans vous obliger à ouvrir plusieurs fenêtres, comme c'est le cas des autres modes.

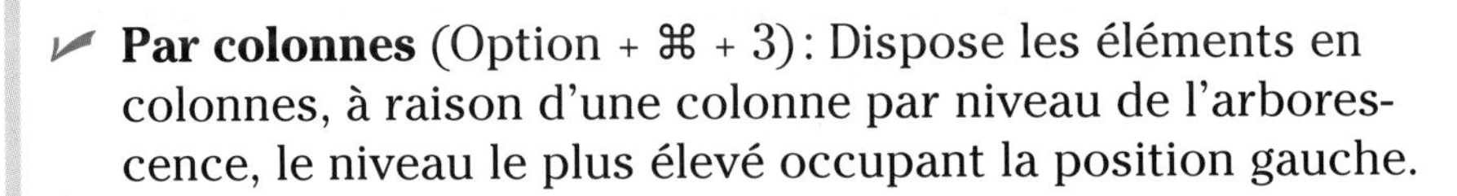

- **Par colonnes** (Option + ⌘ + 3) : Dispose les éléments en colonnes, à raison d'une colonne par niveau de l'arborescence, le niveau le plus élevé occupant la position gauche.

- **Sous forme de Coverflow** (Option + ⌘ + 4) : Coverflow, apparu dans iTunes, permettait de présenter les pochettes des albums. Le Finder possède maintenant ce mode de présentation. Les fichiers et les dossiers sont présentés comme en mode par liste et une zone au-dessus de la liste affiche un aperçu du fichier grâce à la fonction Coup d'œil.
- **Aligner** : Uniquement disponible au niveau du Bureau ou dans les fenêtres lorsque le mode Par icônes est actif, cette commande aligne les éléments sur une grille invisible. Ne l'utilisez pas si vous préférez disposer vos icônes comme bon vous semble : son activation risquerait de bouleverser complètement votre agencement.
- **Garder ranger par :** Réorganise les icônes par nom, date de modification, date de création, taille, type ou étiquette. Comme Aligner, Garder ranger par n'est disponible que dans les fenêtres pour lesquelles le mode Par icônes est activé.

- **Afficher/Masquer la barre du chemin d'accès** : Permet d'afficher, en bas de la zone de contenu (au-dessus de la barre d'état), le chemin d'accès du dossier affiché.
- **Masquer/Afficher la barre d'état** : Selon le cas, masque ou affiche la barre d'état de la fenêtre courante. Il s'agit d'une barre qui, dans les fenêtres Finder, court dans la partie inférieure de la fenêtre et vous renseigne sur son contenu ainsi que sur l'espace disponible sur votre disque dur.
- **Masquer/Afficher la barre d'outils (Option + ⌘ + T)** : Selon le cas, masque ou affiche la barre d'outils des fenêtres du Finder, cette rangée de boutons qui court le

long du bord supérieur de ces fenêtres. Vous obtiendrez le même résultat en cliquant sur le bouton gris ovale placé à l'extrémité droite de cette barre. Attention : ce bouton masque non seulement la barre d'outils mais également la barre latérale. Les icônes de cette barre existent également sous forme de commandes classiques de menus. À vous de voir s'il y a malgré tout lieu de garder ces icônes à portée de souris.

Quand cette barre est masquée, toute ouverture d'un dossier provoque l'ouverture d'une nouvelle fenêtre Finder plutôt que la réutilisation de la fenêtre courante (ce qui se produit lorsque la barre est affichée, à moins que vous n'en ayez modifié les préférences).

- **Personnaliser la barre d'outils** : Vous permet d'adapter cette barre à vos besoins. Voyez à ce sujet le chapitre consacré aux fenêtres et sa section "Personnaliser la barre d'outils".
- **Afficher les options de présentation (⌘ + J)** : Vous permet de contrôler la manière dont les fenêtres s'affichent. Vous pouvez agir globalement (toutes les fenêtres seront affectées) ou au coup par coup (vous traitez une seule fenêtre à la fois). Les options disponibles sont développées dans le chapitre consacré aux fenêtres.

Le menu Aller

Ce menu rassemble une série de raccourcis qui vous permettent de gagner rapidement différentes destinations.

- **Précédent (⌘ + [)** : Réactive la dernière fenêtre Finder que vous avez ouverte. Cette commande équivaut au bouton Précédent de la barre d'outils. Imaginons que vous ayez ouvert 7 dossiers pour atteindre votre but ; appelons-les 1, 2, 3, 4, 5, 6 et 7. Chaque fois que vous choisissez Précédent, vous remontez d'un niveau, soit 6, 5, 4, 3, 2, 1.

- **Suivant (⌘ +])** : Inverse de la précédente. Reprenons notre exemple et imaginons que vous ayez regagné le dossier 1. À chaque validation de cette commande, vous allez retourner sur vos pas et activer ainsi, successivement, les dossiers 2, 3, 4, 5, 6 et 7.

- **Dossier supérieur (⌘ + Flèche vers le haut) :** Affiche le dossier dans lequel figure l'élément sélectionné.

- **Ordinateur (⌘ + Majuscule + C) :** Ouvre une fenêtre qui dresse la liste des disques durs, CD, DVD et autres Zip et serveurs connectés à votre Macintosh (Figure 3.7). Vous vous retrouvez, via cette commande, à la racine du système, là où s'affichent les disques montés et l'accès réseau.

Figure 3.7 : La commande Ordinateur affiche une fenêtre qui répertorie les disques et les serveurs disponibles.

- **Départ (⌘ + Majuscule + H)** : Ouvre votre dossier privé, c'est-à-dire votre compte utilisateur, et en affiche le contenu (Figure 3.8). La dénomination anglaise est plus claire, qui intitule ce dossier *Home*.

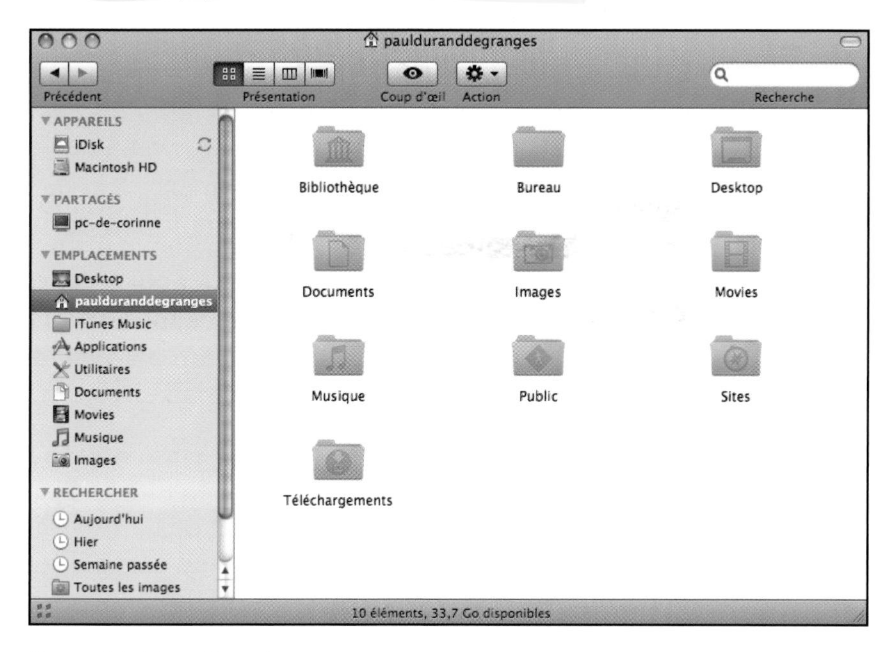

Figure 3.8 : Vous êtes chez vous.

- **Bureau (⌘ + Majuscule + D)** : Affiche, dans la fenêtre Finder, tout ce qui est disponible sur le Bureau.
- **Réseau (⌘ + Majuscule + K) :** Affiche, dans la fenêtre Finder, tout ce qui est disponible sur votre réseau.
- **iDisk (⌘ + Majuscule + I)** : Utilisez le sous-menu correspondant pour monter votre iDisk, celui d'un autre utilisateur ou encore le dossier Public d'un autre utilisateur. L'*iDisk* est un disque virtuel d'une capacité prédéfinie de 20 Go qu'Apple tient à la disposition des utilisateurs de MobileMe. (Notez qu'il est possible d'acheter de l'espace supplémentaire en agissant directement depuis le volet iDisk de la préférence MobileMe.)

iDisk fait partie intégrante du système. La preuve, c'est qu'il peut être monté sur le Bureau comme n'importe quel volume et qu'il s'affiche également dans les nouvelles fenêtres Finder.

Leopard va plus loin en proposant un iDisk "local" quand la connexion Internet est interrompue. Entendez par là que l'utilisateur peut monter une image de ce disque virtuel et s'en servir comme d'un disque normal même s'il n'est pas connecté. Dès que la connexion est rétablie, Leopard synchronise les changements de manière automatique.

- **Applications (⌘ + Majuscule + A)**: Ouvre le dossier Applications, qui regroupe les programmes fournis avec Mac OS X et dans lequel vous stockerez vraisemblablement ceux que vous installerez par la suite.

Si vous partagez votre ordinateur avec d'autres utilisateurs, vous ne pourrez ajouter des éléments à ce dossier Applications que si vous bénéficiez des autorisations requises. Par contre, si vous êtes seul à exploiter votre machine, vous en êtes ipso facto l'administrateur et êtes autorisé, en conséquence, à gérer le contenu de ce dossier comme bon vous semble. Le Chapitre 15 aborde le partage.

- **Utilitaires (⌘ + Majuscule + U):** Affiche le contenu du dossier Utilitaires, stocké dans le dossier Applications. C'est là que vous regroupez tous vos programmes utilitaires comme Utilitaire de disque qui vous permet de formater, tester et réparer vos supports.

- **Dossiers récents**: Assure l'accès aux dossiers que vous avez ouverts récemment. En effet, chaque fois que vous ouvrez un dossier sous Mac OS X, le système en crée un alias qu'il stocke dans le dossier Dossiers récents, vous y autorisant ainsi un retour rapide via le sous-menu correspondant.

- **Aller au dossier (⌘ + Majuscule + G)** : Affiche la fenêtre Aller au dossier (Figure 3.9). Imaginons que votre Bureau soit encombré de fenêtres ouvertes et que vous souhaitiez gagner rapidement un dossier particulier. À condition d'en connaître le chemin, cette commande vous y assure un accès direct. Validez-la, entrez le chemin d'accès du dossier recherché (c'est-à-dire sa position dans l'arborescence de votre disque dur) en commençant par une barre oblique et en séparant les différents éléments de ce chemin par le même caractère, puis confirmez via le bouton Aller.

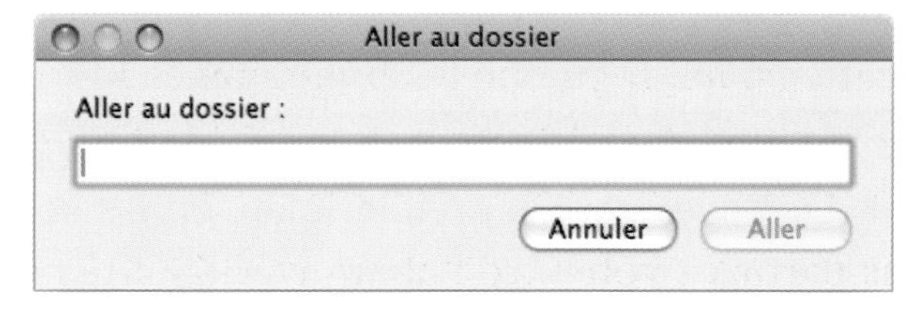

Figure 3.9 : Voyagez à la mode PC.

- **Se connecter au serveur (⌘ + K)** : Si votre Mac est branché à un réseau ou à Internet, cette commande vous permet d'établir la connexion.

Leopard affiche directement les serveurs disponibles dans les fenêtres du Finder sans qu'il soit nécessaire d'utiliser la commande Se connecter au serveur ni de parcourir le réseau.

Le menu Fenêtre

Comme son nom l'indique, ce menu gère les fenêtres.

- **Placer dans le Dock (⌘ + M)** : Cette commande fait double emploi avec le bouton orange de réduction. Combinée à la touche Option, elle devient Placer toutes les fenêtres dans le Dock. Intéressant !

Lorsqu'une fenêtre du Finder est active (condition sine qua non pour que la commande soit disponible), elle fait disparaître l'élément comme par magie. En fait, il est toujours ouvert, mais n'est plus actif et n'apparaît plus sur l'écran. Son icône, toutefois, figure dans le Dock (Chapitre 3).

- **Réduire/Agrandir :** Offre une commande équivalant à l'appui sur le bouton vert d'une fenêtre.

- **Faire défiler les fenêtres (⌘ + `) :** Permet de basculer d'une fenêtre ouverte à une autre.

- **Tout ramener au premier plan** : Dans les versions antérieures du système d'exploitation d'Apple, quand vous cliquiez dans une fenêtre appartenant à un programme donné, toutes les éventuelles fenêtres de ce programme étaient déplacées vers le premier plan, et pas seulement celle que vous aviez activée. Sous Mac OS X, la gestion des fenêtres est différente ; ici, en effet, elles s'intercalent. Dans ces conditions, l'activation d'une fenêtre de traitement de texte, par exemple, n'a pas pour effet d'amener devant toutes les éventuelles autres fenêtres du même programme. D'où l'intérêt de prévoir une commande capable d'agir à la manière des anciens systèmes. C'est le cas de Tout ramener au premier plan, qui amène donc devant non seulement la fenêtre que vous activez, mais aussi toutes celles qui appartiennent à la même application tout en respectant leur ordre relatif.

Si vous activez la touche Option (avant de dérouler le menu ou lorsqu'il est déjà affiché), vous verrez que la commande Tout ramener au premier plan a cédé la place à Mettre au premier plan. Ce nouvel article organise les fenêtres ouvertes depuis l'angle supérieur gauche.

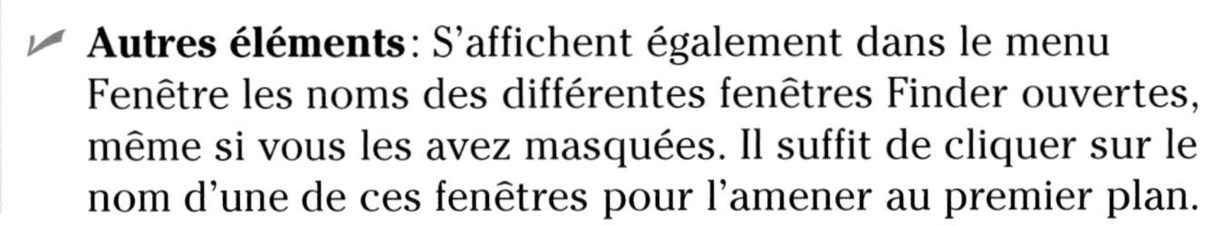

- **Autres éléments** : S'affichent également dans le menu Fenêtre les noms des différentes fenêtres Finder ouvertes, même si vous les avez masquées. Il suffit de cliquer sur le nom d'une de ces fenêtres pour l'amener au premier plan.

Le menu Aide

Le menu Aide vous assure un accès direct à l'aide en ligne. Il est commenté en détail dans le dernier chapitre de cette première partie.

Jouer à la chaise musicale

Lorsque vous atterrissez au Bureau après un démarrage en bonne et due forme, les menus auxquels vous avez accès sont ceux du Finder puisque c'est à cet endroit précis que vous vous trouvez.

Mais que se passe-t-il lorsque vous lancez un programme, votre traitement de texte par exemple ? C'est très simple : les menus changent. Ceux du Finder laissent alors la place à ceux du traitement de texte. Pour preuve, la Figure 3.10 représente la barre des menus du programme TextEdit.

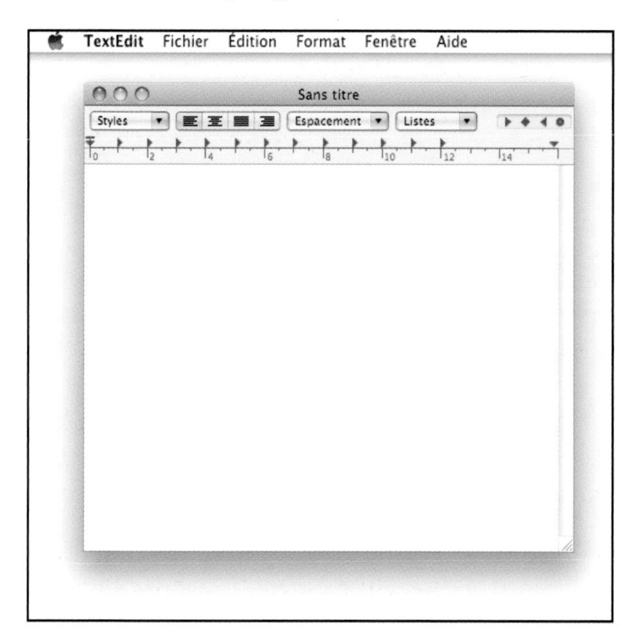

Figure 3.10 : La barre des menus telle qu'elle se présente lorsque TextEdit est actif.

Le menu le plus à gauche (juste à droite du menu Pomme) indique toujours le nom du programme actif. Vous vous situez ainsi très facilement.

Chapitre 4

Les fenêtres

Dans ce chapitre :

- Identifier les éléments.
- Naviguer.
- Personnaliser la barre d'outils.
- Choisir une présentation.
- Gérer.

Les fenêtres constituent l'élément de base du système Macintosh. Au Finder, elles vous dévoilent le contenu de votre disque dur et de vos dossiers ; dans vos programmes, elles vous révèlent le contenu de vos documents.

Sous Leopard, les fenêtres sont dotées d'un aspect métal brossé. Par ailleurs, la transparence et l'ombrage renforcent le relief entre les fenêtres. Mais l'aspect n'est pas la seule innovation : une nouvelle structure, destinée à assurer un confort accru de navigation, est sans conteste la nouveauté la plus marquante. Voyez à ce sujet la section suivante.

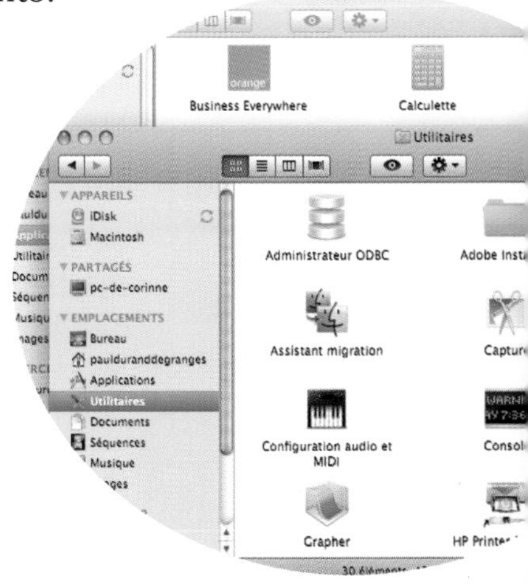

Identifier les éléments

Les fenêtres sous Leopard (Figure 4.1) sont de véritables navigateurs de par leur structure éclatée en deux parties distinctes, mais complémentaires. De plus, la barre latérale a été repensée pour faciliter la navigation.

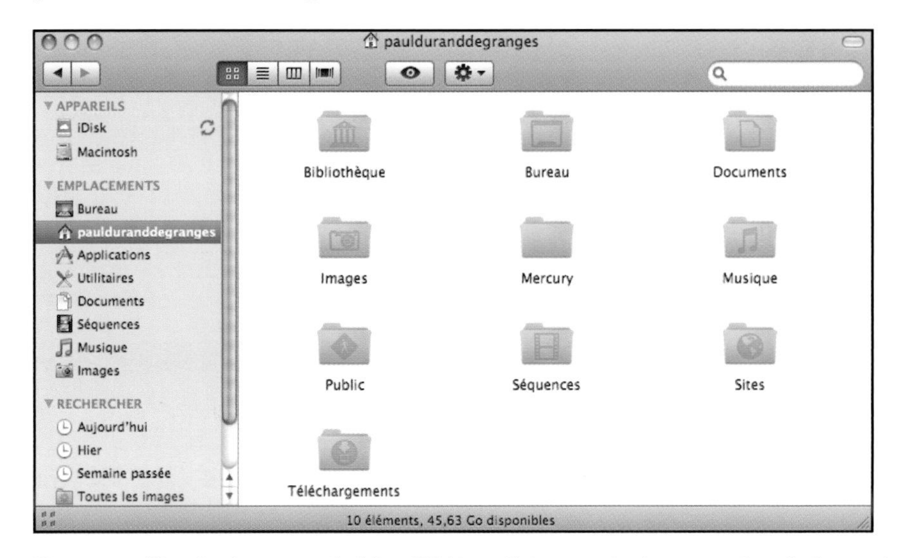

Figure 4.1 : Une fenêtre type de Mac OS X se divise en plusieurs parties : la barre de titre, la barre d'outils, la barre latérale, la partie centrale et la barre d'état.

Voyons cela en détail.

Nous nous concentrons ici sur les fenêtres du Finder, dont les caractéristiques majeures se retrouvent dans toutes les fenêtres quelles qu'elles soient, même si certaines applications prennent des libertés en la matière (elles ajoutent un menu déroulant, une case zoom, une barre d'état…).

La barre de titre

Comme elle l'a toujours fait, cette barre affiche le nom de la fenêtre dans sa partie centrale. Ce nom décrit l'endroit où vous vous trouvez dans l'arborescence de votre disque dur.

⌘ + cliquez sur ce titre pour visualiser cette arborescence (Figure 4.2).

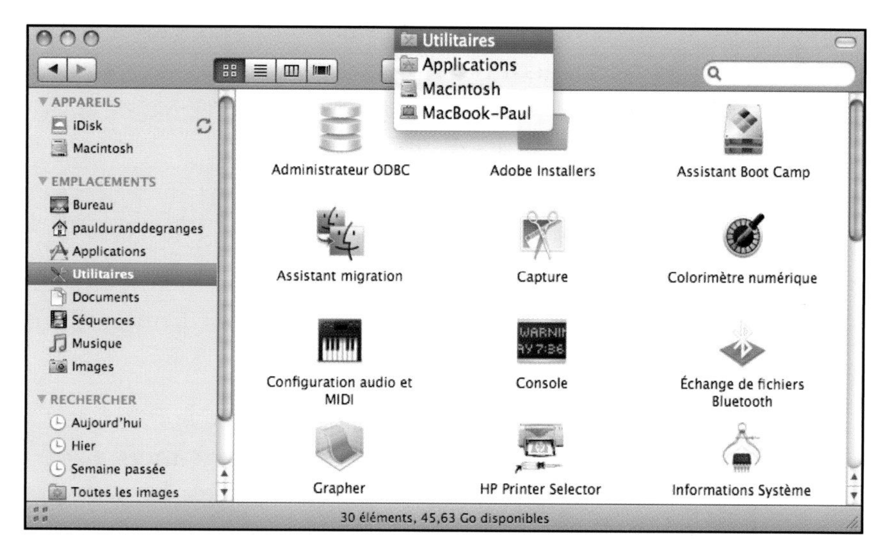

Figure 4.2 : Vous savez exactement où vous vous trouvez.

À gauche, elle propose les boutons Fermeture, Masquage et Extension. Cette série de trois boutons permet de fermer la fenêtre, de la masquer ou d'en régler la taille. Le bouton Fermeture (rouge) ferme la fenêtre, bien entendu. Le bouton Masquage (jaune) la masque, c'est-à-dire qu'il fait en sorte que la fenêtre reste ouverte mais n'apparaisse plus ; son icône est transférée vers le Dock où un simple clic suffit à la réactiver (à moins que vous ne préfériez agir via la partie inférieure du menu Fenêtre). Enfin, le bouton Extension (vert) agrandit ou réduit la fenêtre, en fonction de sa taille courante. Expliquons-nous : si la fenêtre présente une taille standard, un clic sur cette icône l'agrandit ; un nouveau clic rétablit la taille précédente. Par contre, si la fenêtre est déjà plus grande que son contenu, un clic sur l'icône Extension la réduit afin qu'elle s'adapte exactement à son contenu, ni plus, ni moins ; elle vous dispense alors de recourir aux barres de défilement, puisque vous avez sous les yeux toutes les icônes que comporte la fenêtre.

Si la fenêtre que vous masquez est une séquence animée QuickTime, celle-ci continue de se dérouler dans son icône du Dock, au format timbre-poste. Génial, non ?

À droite, le bouton Afficher/masquer la barre d'outils contrôle l'affichage de cette barre et de la barre latérale (voir ci-dessous).

La barre d'outils

La barre d'outils comprend désormais le groupe d'outils suivant :

- **Boutons Précédent et Suivant** : Il s'agit là de boutons de navigation qui vous permettent d'avancer et de reculer dans l'arborescence de vos volumes. Le premier réaffiche le contenu du dossier précédemment sélectionné ; le second affiche le suivant.

  Si vous êtes un habitué des navigateurs Web, sachez que ces deux boutons fonctionnent ici de la même manière. Lorsque vous ouvrez une fenêtre pour la première fois, aucun des deux n'est actif. Mais dès que vous vous déplacez de dossier en dossier, ils se souviennent du chemin que vous parcourez et vous permettent ensuite de revenir directement à un endroit donné. Ils sont en outre activables par clavier : ⌘ + [pour Précédent et ⌘ +] pour Suivant.

- **Boutons Présentation** : Ils dédoublent les commandes du même nom du menu Présentation ; ils vous permettent donc d'opter pour une des quatre présentations : par icônes, par liste, par colonnes ou avec Coverflow.

- **Menu Action** : Il regroupe des commandes susceptibles de s'appliquer aux éléments actuellement sélectionnés dans la fenêtre Finder. En fait, ce menu n'est rien d'autre qu'une variante du classique menu contextuel auquel vous accédez par Ctrl + clic. Surtout destiné aux débutants qui ont du mal à dérouler ce type de menu.

- **Champ Recherche** : Cette zone permet de rechercher des fichiers. Tapez le nom (ou quelques caractères du nom) de l'élément que vous recherchez, puis patientez quelques secondes (il n'est plus nécessaire de valider la saisie par la touche Retour ou Entrée).

Cette recherche immédiate ne traite plus, par défaut, que le dossier ou le disque sélectionné, mais propose plusieurs domaines de recherche : les disques locaux, le dossier sélectionné, votre ordinateur ou les dossiers partagés sur le réseau.

Pour effacer le contenu du champ Recherche, cliquez sur la petite croix affichée à droite. Cliquez sur Précédent pour regagner le dossier qui était affiché avant que vous ne lanciez la recherche.

Pour lancer une recherche sur la base de critères multiples ou pour rechercher un mot dans un document (c'est-à-dire en examiner le contenu plutôt que le nom), faites appel à la commande Rechercher : elle est beaucoup plus performante.

La barre d'outils est personnalisable ; voyez à ce propos la section intitulée "Personnaliser la barre d'outils", plus loin dans ce chapitre.

La barre latérale

Courant le long du bord gauche de toutes les fenêtres Finder, la nouvelle barre latérale est un outil de navigation très performant.

Divisée en deux parties, elle propose, en haut, les différents volumes, éléments réseau, iDisk... Dès qu'un CD ou un DVD est introduit, elle en affiche également le nom et propose, en regard, une icône Éjecter, très pratique.

Elle répertorie ensuite, dans la partie Emplacements, les principaux dossiers de l'utilisateur en cours de session. Il est possible d'ajouter des applications, documents et dossiers dans cette partie. On trouve également la liste des éventuels ordinateurs partagés sur le réseau ainsi qu'une liste de recherches courantes ou enregistrées.

La partie principale

La partie centrale est la partie principale de la fenêtre, puisqu'elle affiche les dossiers et les fichiers selon un des quatre modes de présentation habituels.

Elle propose en outre les barres de défilement : logées le long des bords droit et inférieur de la fenêtre, ces barres vous permettent d'en faire défiler le contenu, verticalement et horizontalement.

Vous pouvez les utiliser de différentes manières :

- Cliquez sur les flèches regroupées en fin de barre pour faire défiler dans le sens correspondant. Pour un défilement continu, opérez un clic maintenu.
- Utilisez l'*ascenseur*, ce bouton bleuté dont la taille est fonction du contenu de la fenêtre. Faites-le glisser vers le haut ou vers le bas, vers la gauche ou vers la droite ; la fenêtre défilera proportionnellement au déplacement que vous imposerez à cet élément.
- Cliquez dans la barre en dessous ou au-dessus de l'ascenseur vertical, ou bien à gauche ou à droite de l'ascenseur horizontal, de manière à déplacer le contenu de la fenêtre d'un écran vers le haut/bas ou vers la droite/gauche. Sachez que les touches Page Préc. et Page Suiv. exercent la même action.

Enfin, en bas à droite, la case de contrôle de taille vous permet, par cliquer-glisser, de régler la taille de la fenêtre.

La barre d'état

Elle s'étend dans la partie inférieure de la fenêtre. Comme à l'accoutumée, elle affiche le nombre d'éléments de la fenêtre (ainsi que le nombre d'éléments éventuellement sélectionnés) ainsi que l'espace disque disponible.

Nous vous rappelons que la commande Afficher/Masquer la barre d'état du menu Présentation vous permet de contrôler la présence de cet élément.

La zone d'affichage Coverflow

En mode Coverflow, le bord supérieur affiche les images des différents fichiers et dossiers que vous sélectionnez dans la liste. Vous pouvez vous servir de la molette de la souris ou de la barre de défilement de la zone Coverflow pour déplacer les images.

Naviguer

Tout le principe des actions qui se déroulent au Finder se fonde sur l'ouverture des fenêtres.

Ouvrir

Pour ouvrir une icône en fenêtre, il suffit d'opérer un double clic dessus. C'est élémentaire.

Pour rappel, la barre latérale et le menu Aller proposent des raccourcis vers les dossiers que vous êtes supposé utiliser fréquemment.

Où sont donc passées les fenêtres d'antan ?

Depuis Mac OS X, les fenêtres ne se superposent plus comme par le passé. D'une manière générale, une seule fenêtre est ouverte à la fois, le Finder en actualisant le contenu au gré de vos clics.

Ainsi, vous ouvrez la fenêtre Applications, puis opérez un double clic sur l'icône Utilitaires. La même fenêtre reste ouverte, seul son contenu est mis à jour : les utilitaires remplacent les applications.

Si vous préférez travailler à l'ancienne, sachez que c'est toujours possible. Il vous suffit, pour que l'icône que vous vous préparez à activer s'ouvre dans sa propre fenêtre, d'enfoncer la touche ⌘ et de la maintenir dans cette position tandis que vous double-cliquez sur l'icône en question.

Si vous avez masqué la barre d'outils (et, partant, la barre latérale) via le bouton Afficher/Masquer la barre d'outils, vous n'avez même pas à valider cette touche : de nouvelles fenêtres s'ouvriront automatiquement lorsque vous double-cliquerez sur un dossier. C'est assez déroutant !

Sachez que rien ne vous empêche d'ouvrir plusieurs fenêtres, mais vous devez savoir qu'une seule est active à la fois, celle qui occupe le premier plan.

La fenêtre active est facilement identifiable :

- Sa barre de titre est opaque ;
- Ses boutons Fermeture, Masquage et Extension sont colorés ;
- Ses autres boutons et barres de défilement sont brillants.

Activer par un clic

Pour activer une fenêtre ouverte, il vous suffit de cliquer n'importe où dans la zone qui la définit (sa barre de titre, ses barres de défilement, son arrière-plan…).

La Figure 4.3 montre deux fenêtres : celle de premier plan est active (la fenêtre Applications) ; elle est placée par-dessus une fenêtre inactive (la fenêtre Utilitaires).

Figure 4.3 : Deux fenêtres superposées, une active et une inactive.

Si vous positionnez votre pointeur – sans cliquer – sur un bouton Fermeture, Masquage ou Extension d'une fenêtre non active, vous verrez que ce bouton s'allume et vous permet ainsi de fermer, masquer ou étendre la fenêtre sans l'activer au préalable.

Atteindre par le menu pop-up

Vous êtes déjà bien armé pour voyager de fenêtre en fenêtre, en d'autres termes pour *naviguer*.

Sachez toutefois que Mac OS X met encore un autre moyen à votre disposition, le menu pop-up du dossier courant.

De quoi s'agit-il ? Pour rappel : si vous opérez un ⌘ + clic sur le titre de la fenêtre courante, vous verrez se dérouler un petit menu qui indique en première position le nom du dossier courant, puis qui, sous ce nom, recense ceux des dossiers ou des disques parents.

Ce menu vous permet de naviguer confortablement du dossier courant au dossier Ordinateur, avec tous les éventuels stades intermédiaires, et d'accéder ainsi à des fenêtres qui ne se trouvent pas forcément à portée de main.

Personnaliser la barre d'outils

Mac OS X vous autorise à personnaliser la barre d'outils des fenêtres Finder qui équipe toutes les fenêtres de ce type.

Au départ, cette barre comporte, à gauche, le bouton Précédent et les icônes de présentation et, à droite, des icônes qui font double emploi avec les commandes correspondantes du menu Aller (voir le Chapitre 3).

1. **Affichez la fenêtre dont vous souhaitez personnaliser la barre d'outils.**

2. **Choisissez Présentation/Personnaliser la barre d'outils.**

   La fenêtre se transforme (Figure 4.4).

3. **Dans le menu Afficher du bas, optez pour afficher les icônes et leur intitulé, uniquement les icônes ou uniquement les intitulés.**

   L'option Icônes de petite taille présente l'élément sélectionné dans une taille inférieure, plus compacte.

Figure 4.4 : Grâce aux options de cette fenêtre, personnalisez votre barre d'outils Finder.

4. **Pour ajouter des éléments : faites glisser les éléments en question de la partie principale de la fenêtre vers la barre.**

Vous avez la possibilité d'ajouter des séparateurs pour répartir par groupes vos icônes de barre d'outils.

5. **Pour déplacer des éléments : faites-les glisser vers leur nouvel emplacement.**

6. **Pour supprimer des éléments : faites-les glisser en dehors de la barre.**

7. **Cliquez sur Terminé.**

Choisir une présentation

Apple a prévu quatre présentations distinctes : par icônes, par liste, par colonnes et sous forme de Coverflow. Passons-les en revue.

Un mode différent peut être appliqué à chaque fenêtre Finder.

Par icônes

Sous ce mode, vous avez toute latitude pour disposer les éléments comme bon vous semble.

L'inconvénient est que les icônes prennent beaucoup de place, et qu'il est difficile dans ces conditions de tenir sous le regard tous les éléments d'une fenêtre (Figure 4.5).

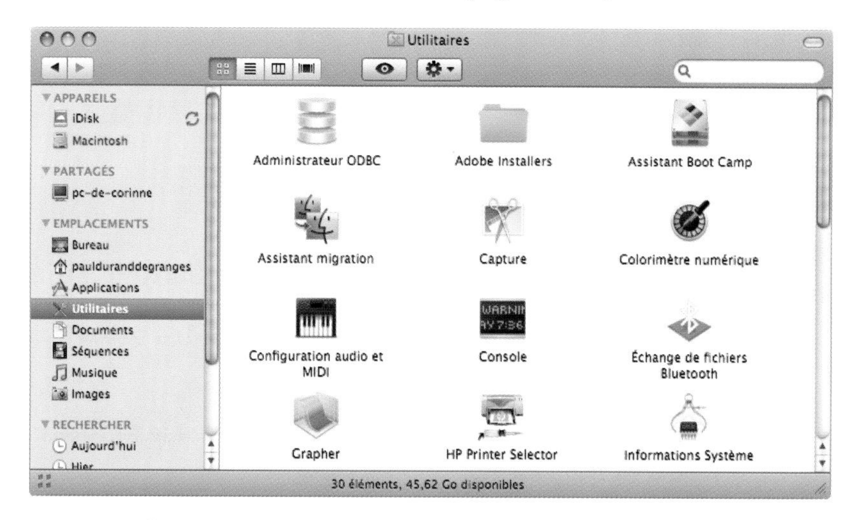

Figure 4.5 : C'est le mode Mac par excellence, pas toujours pratique tant les icônes prennent de la place.

À ce mode privilégié par les utilisateurs Macintosh de la première heure, on préfère aujourd'hui des présentations plus compactes et plus visuelles comme les trois suivantes (par liste, par colonnes et avec Coverflow).

Pour basculer en présentation par icônes :

- Choisissez Présentation/Par icônes.

Ou :

- Activez l'icône Par icônes des boutons Présentation de la barre d'outils de la fenêtre (Figure 4.6).

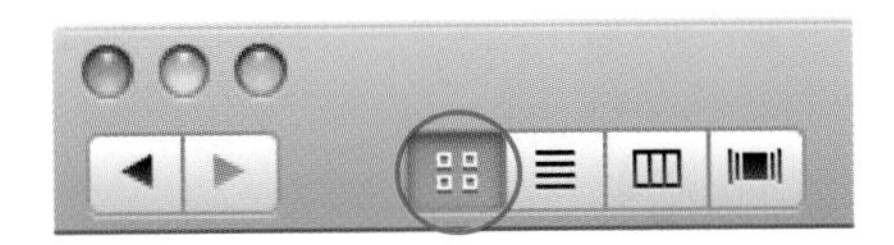

Figure 4.6 : Agissez directement via la barre d'outils.

Par liste

Ce mode est relativement compact grâce à ses petits triangles qui, tour à tour, dévoilent ou masquent le contenu d'un dossier (Figure 4.7).

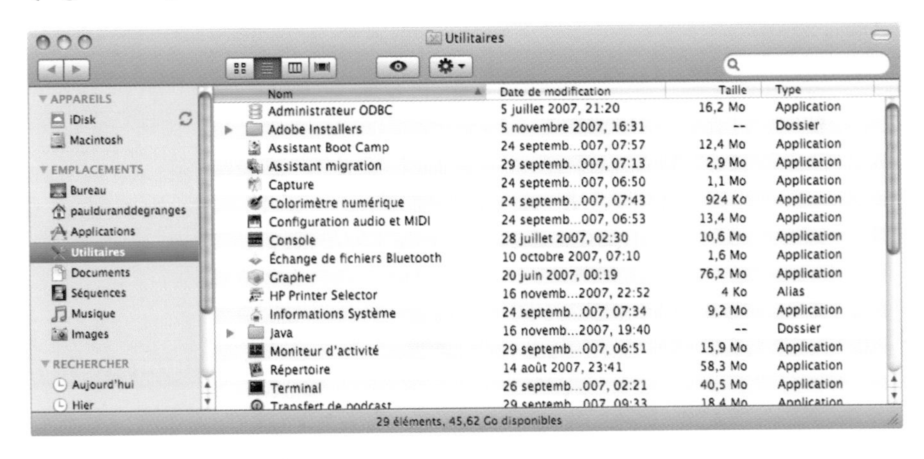

Figure 4.7 : Le mode Par liste.

La présentation en liste facilite grandement les déplacements puisqu'elle vous dispense d'ouvrir plusieurs fenêtres, comme vous y contraignent les modes Par icônes et Par colonnes.

Pour activer ce mode :

- Choisissez Présentation/Par liste.

Ou :

- Activez l'icône Par liste des boutons Présentation de la barre d'outils de la fenêtre (Figure 4.8).

Figure 4.8 : Ici aussi les boutons Présentation assurent un accès direct à la commande.

Apple a prévu trois types de manipulations concernant la présentation en liste :

- Réglage de la largeur des colonnes ;
- Réglage de l'agencement des colonnes ;
- Choix d'un ordre, croissant ou décroissant.

Commençons par la largeur :

1. **Placez votre pointeur sur le petit trait de séparation placé à droite de l'intitulé de la colonne dont vous souhaitez modifier la largeur.**

   Il prend la forme d'une double flèche.

2. **Cliquez et maintenez enfoncé le bouton de la souris.**
3. **Faites glisser vers la gauche ou vers la droite jusqu'à obtention de la largeur souhaitée.**
4. **Relâchez le bouton de la souris.**

Voyons ensuite comment intervenir sur l'agencement des colonnes :

1. **Cliquez sur l'intitulé de la colonne à déplacer et maintenez enfoncé le bouton de la souris.**

2. **Faites glisser vers la gauche ou vers la droite jusqu'à l'emplacement souhaité.**

3. **Relâchez le bouton de la souris.**

Enfin, sachez que le Système vous permet de présenter chaque champ (colonne) par ordre alphabétique croissant ou décroissant. Pour inverser l'ordre courant, il vous suffit de cliquer sur le petit triangle placé à droite du nom du champ (Figure 4.9). Si ce triangle pointe vers le haut, la colonne est présentée par ordre croissant ; s'il pointe vers le bas, par ordre décroissant.

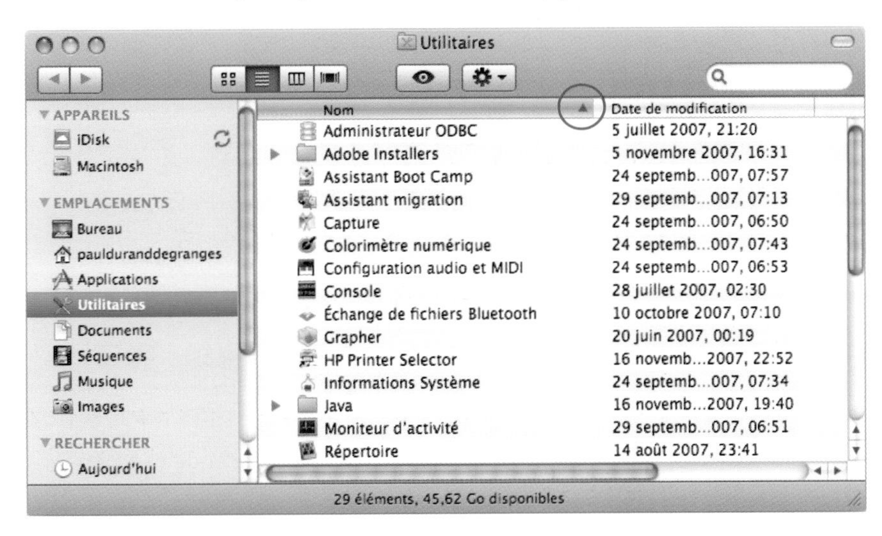

Figure 4.9 : Un clic sur ce petit triangle répertoriera les applications par ordre alphabétique décroissant.

Par colonnes

La présentation Par colonnes nous vient directement du monde PC. Elle permet de tenir simultanément sous le regard un grand nombre de dossiers (Figure 4.10). Vous naviguez donc dans vos disques à l'horizontale, sans avoir à ouvrir plusieurs fenêtres.

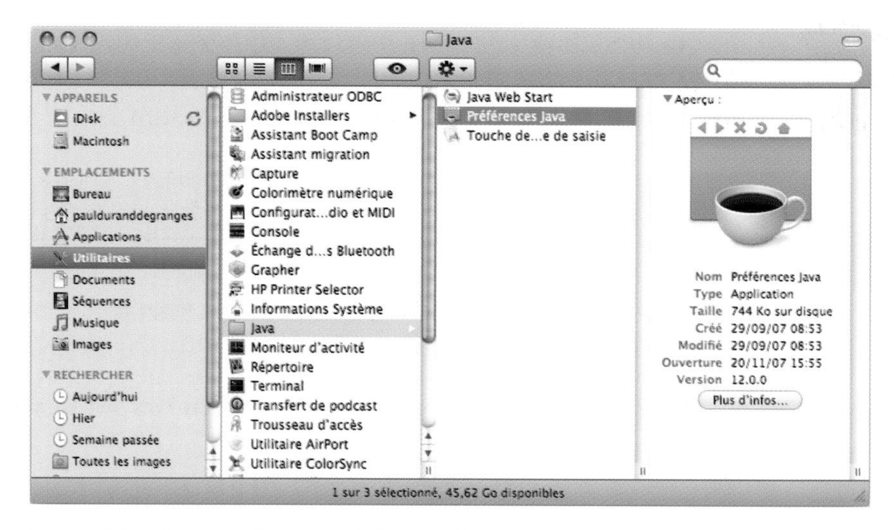

Figure 4.10 : On se croirait sous Windows !

Pour afficher les colonnes :

- Choisissez Présentation/Par colonnes.

Ou :

- Activez l'icône Par colonnes des boutons Présentation de la barre d'outils de la fenêtre (Figure 4.11).

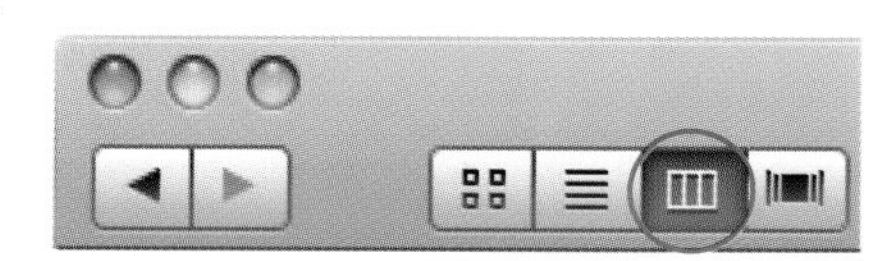

Figure 4.11 : Décidément, difficile de se passer de ces icônes !

Vous vous sentez à l'étroit ? N'hésitez pas à élargir la fenêtre (grâce à la traditionnelle case de contrôle de taille), afin de visualiser le plus grand nombre possible de colonnes, ou utilisez à cette fin le bouton Extension.

Le principe est simple : vous cliquez sur une icône de la colonne de gauche. Son contenu (si elle en comporte un) apparaît dans la colonne suivante. Vous cliquez sur une icône de cette deuxième colonne. Son contenu vous est à son tour dévoilé une position plus à droite, soit dans la troisième colonne. Et ainsi de suite jusqu'au niveau le plus profond de votre arborescence.

Lorsque vous arrivez au niveau du fichier, ce sont différentes informations qui s'affichent dans le dernier volet : type, taille, date de création, date de modification, version...

Comme dans le cas des listes, il est possible de régler la largeur des colonnes, soit en agissant au niveau de toutes les colonnes de la fenêtre :

1. **Placez votre pointeur sur le séparateur de colonnes, cette marque II située dans le bas.**

2. **Cliquez et maintenez enfoncé le bouton de la souris.**

3. **Faites glisser jusqu'à obtention de la largeur souhaitée.**

4. **Relâchez le bouton de la souris.**

Soit en limitant l'action à une colonne unique :

1. **Placez votre pointeur sur le séparateur de colonnes, cette marque II située dans le bas.**

2. **Enfoncez la touche Option et maintenez-la enfoncée.**

3. **Cliquez et maintenez enfoncé le bouton de la souris.**

4. **Faites glisser jusqu'à obtention de la largeur souhaitée.**

5. **Relâchez la touche Option et le bouton de la souris.**

C'est donc la touche Option qui vous permet de n'affecter qu'une seule colonne, celle depuis laquelle vous cliquez-glissez.

Avec Coverflow

La présentation Sous forme de Coverflow provient d'iTunes qui offre un mode d'affichage avec lequel il est possible de choisir de la musique en faisant défiler les pochettes des albums. La présentation sous forme de Coverflow reprend le mode de présentation par liste, mais dans la partie supérieure vous trouvez une représentation de chacun des éléments du dossier (Figure 4.12).

Figure 4.12 : L'affichage sous forme de Coverflow permet d'afficher un aperçu des documents.

Pour afficher sous forme de Coverflow :

- Choisissez Présentation/ Sous forme de Coverflow.

Ou :

- Activez l'icône Sous forme de Coverflow des boutons Présentation de la barre d'outils de la fenêtre (Figure 4.13).

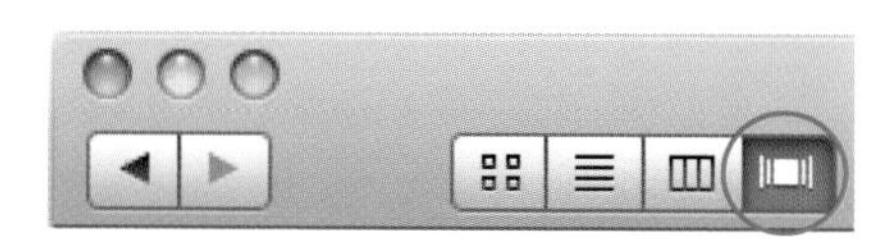

Figure 4.13 : Le quatrième bouton en partant de la gauche permet d'obtenir l'affichage sous forme de Coverflow.

En plus des manipulations possibles avec l'affichage en Liste, vous pouvez modifier la taille de la partie supérieure en faisant glisser la barre de séparation.

Contrôler les options de présentation

Mac OS X vous permet de contrôler la façon dont les fenêtres Finder vous sont présentées sous les différents modes.

Pour ce faire :

1. **Ouvrez une fenêtre et activez-y le mode de votre choix.**
2. **Choisissez Présentation/Afficher les options de présentation ou enfoncez les touches ⌘ + J.**

   Une fenêtre s'affiche, qui porte le nom de la fenêtre active.

   Si aucune fenêtre n'est ouverte sur le Bureau, cette boîte de dialogue s'intitule *Bureau*, et propose des options en rapport avec le... Bureau !!!

3. **Dans la partie supérieure de la fenêtre, indiquez si vous souhaitez toujours utiliser le mode courant pour l'ouverture de la fenêtre.**
4. **Opérez les réglages souhaités (voir ci-dessous).**
5. **Si vous souhaitez appliquer les réglages à toutes les fenêtres, cliquez sur Utiliser comme valeurs par défaut.**
6. **Fermez la fenêtre.**

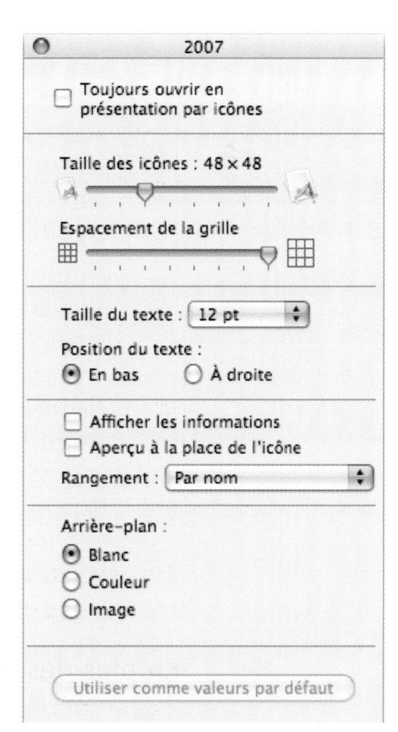

Figure 4.14 : Définissez ici vos options de présentation Par icônes.

Les options disponibles diffèrent selon le mode actif. Voyons cela en détail.

En mode Par icônes (Figure 4.14) :

- **Taille des icônes** : Définissez la taille des icônes grâce au curseur correspondant : faites-le glisser vers la gauche pour la réduire ou vers la droite pour l'agrandir. Si vous le réglez au minimum, les noms des icônes s'afficheront à droite plutôt qu'en dessous de leur représentation graphique. Sachez que plus les icônes sont petites, plus l'écran est mis à jour rapidement.

- **Espacement de la grille** : Définissez la taille de la grille sur laquelle s'alignent les icônes ; ceci vous permet de réduire ou d'agrandir l'espace entre les icônes.
- **Taille du texte** : Exprimez en points la taille du texte.
- **Position du texte** : Placez-le en dessous ou à droite de l'icône.
- **Afficher les informations** : Indique le nombre d'éléments que contiennent les dossiers ou les disques ouverts. Présente cette information sur une ligne supplémentaire, qui s'affiche sous le nom de l'icône.
- **Aperçu à la place de l'icône** : Permet d'afficher, lorsque cela est possible, un aperçu du fichier, par exemple une image dans le cas d'un fichier image ou vidéo, à la place de l'icône représentant le programme nécessaire pour ouvrir le fichier.
- **Rangement** : Optez pour un rangement par nom, date de modification, date de création, taille, type ou étiquette.
- **Arrière-plan** : Sélectionnez ici une couleur ou une image pour le fond de vos fenêtres. Si vous optez pour l'option Couleur, une case apparaît à droite ; cliquez dans cette case pour accéder au nuancier (Figure 4.15) et définissez-y la couleur de votre choix.

Figure 4.15 : Créez votre couleur selon l'un des quatre systèmes chromatiques proposés dans le volet gauche.

Si vous préférez choisir une image, validez cette option, puis cliquez sur Choisir. La fenêtre Choisir une image vous est alors directement proposée (Figure 4.16). Isolez l'image souhaitée grâce aux différents éléments de la fenêtre, puis cliquez sur Sélectionner. Attention : les images ont tendance à faire paraître confus le contenu des fenêtres.

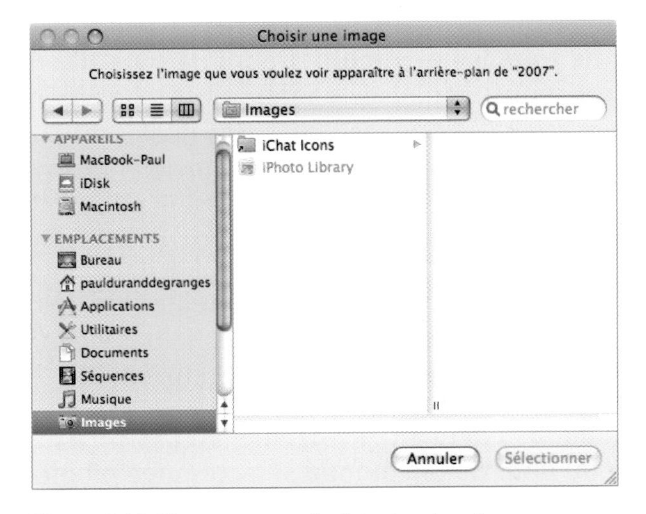

Figure 4.16 : Vous avez accès à tout votre disque.

En mode Par liste (Figure 4.17) :

- **Taille de l'icône** : Deux possibilités s'offrent à vous : petites ou grandes.
- **Taille du texte** : Ici aussi, elle s'exprime en points.
- **Afficher les colonnes** : Cochez les champs que vous souhaitez voir figurer dans votre présentation par liste : date de modification, date de création, taille, type, version, commentaires et étiquette.

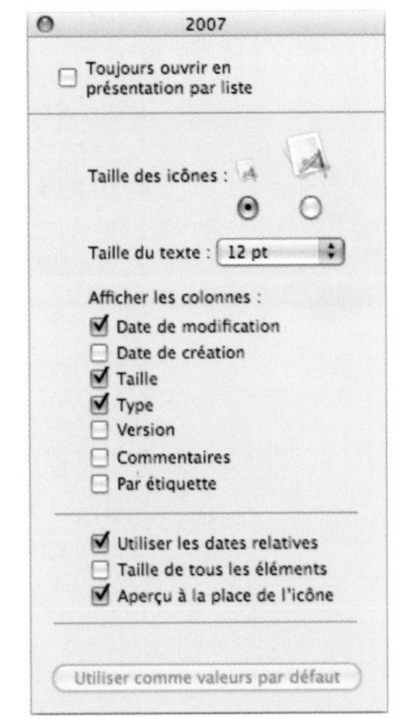

Figure 4.17 : Agissez ici sur les listes.

- **Utiliser les dates relatives** : Substitue à la date classique une date relative, telle la mention *hier* ou *aujourd'hui*.

Si vous reculez l'horloge d'un jour, puis regardez comment s'affichent les données des fichiers que vous avez modifiés ce même jour avant de régler l'horloge, la date relative sera *demain*. C'est bizarre, mais c'est ainsi.

- **Taille de tous les éléments :** Définit la quantité d'informations que vous visualisez en mode liste. Les icônes de la fenêtre active (y compris celles des dossiers) sont triées par ordre décroissant, de la plus lourde en Ko vers la plus légère.

Si vous ne validez pas cette option, les icônes autres que celles des dossiers sont triées par taille ; les dossiers, pour leur part, sont regroupés dans le bas de la liste, sans considération aucune pour leur nombre de Ko.

Comme nous l'avons déjà signalé, un petit triangle s'affiche à côté du nom de la colonne sélectionnée en mode liste. S'il pointe vers le haut, cela signifie que les éléments de la colonne correspondante sont triés par ordre décroissant. Cliquez une fois sur ce triangle : il pointe désormais vers le bas, signalant ainsi que l'ordre de tri a été inversé.

Il nous semble que l'option ralentit le rafraîchissement de l'écran. Pourtant, le Finder est malin : si l'option est active et que vous cherchez à mener une action au niveau du Finder alors que celui-ci est occupé à calculer la taille des éléments de la fenêtre, il interrompt sa tâche pour vous laisser le champ libre. Il la reprend lorsque vous avez terminé. Nous vous rappelons que si vous ne branchez pas cette option, vous pouvez de toute façon connaître la taille d'un élément via la fenêtre d'informations (Fichier/Afficher les infos ou ⌘ + I).

- **Aperçu à la place de l'icône** : Permet d'afficher, lorsque cela est possible, un aperçu du fichier, par exemple une image dans le cas d'un fichier image ou vidéo, à la place de l'icône représentant le programme nécessaire pour ouvrir le fichier.

Vos choix ne sont pas définitifs : vous pouvez les modifier à tout instant si vous constatez à l'usage que telle ou telle colonne ne vous est d'aucune utilité.

En mode Par colonnes (Figure 4.18) :

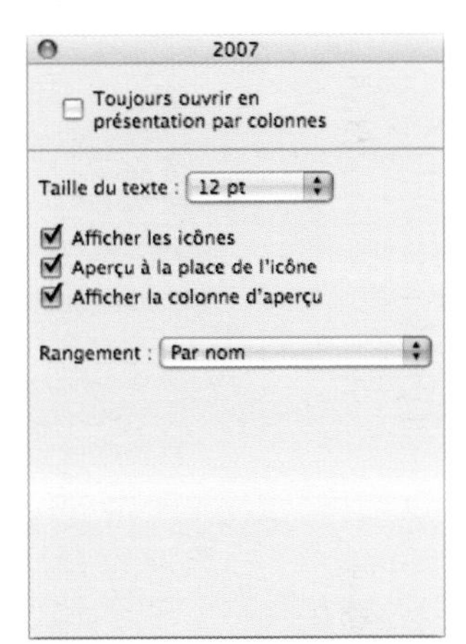

Figure 4.18 : ConFigurez les colonnes.

- **Taille du texte :** Définissez la taille en points des intitulés des icônes.
- **Afficher les icônes :** Désactivez, si nécessaire, l'affichage des icônes miniatures à gauche de leur intitulé.
- **Aperçu à la place de l'icône** : Permet d'afficher, lorsque cela est possible, un aperçu du fichier, par exemple une image dans le cas d'un fichier image ou vidéo, à la place de l'icône représentant le programme nécessaire pour ouvrir le fichier.
- **Afficher la colonne d'aperçu :** Désactivez, si nécessaire, l'affichage de la colonne d'extrême droite dans laquelle s'affichent des renseignements sur l'élément sélectionné dans la colonne de gauche.
- **Rangement** : Optez pour un rangement par nom, date de modification, date de création, taille, type ou étiquette.

En mode Avec Coverflow (Figure 4.19), vous retrouvez les mêmes options que celles du mode en liste.

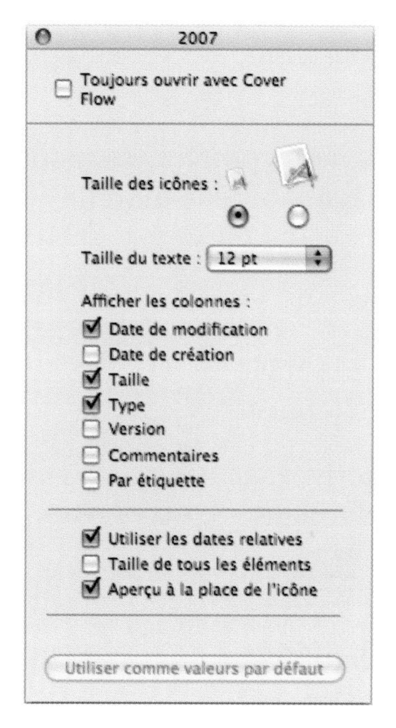

Figure 4.19 : En mode avec Coverflow les options sont identiques au mode en liste.

Gérer

Vous serez régulièrement amené à gérer vos fenêtres et, plus concrètement, à les redimensionner, les déplacer ou les fermer. Sachez mener à bien ces actions incontournables.

Redimensionner

Vous venez de l'apprendre, la technique est élémentaire : il suffit de cliquer-glisser sur la poignée de redimensionnement ou "case de contrôle de taille" qui occupe l'angle inférieur droit de chaque fenêtre.

Faites glisser vers le haut ou vers le bas (pour modifier la hauteur), vers la gauche ou vers la droite (pour modifier la largeur), ou diagonalement (pour agir simultanément sur ces deux paramètres).

Déplacer

Ici aussi c'est l'enfance de l'art : cliquez-glissez sur la barre de titre de la fenêtre.

Décomposons :

1. **Cliquez dans la barre de titre et maintenez enfoncé le bouton de la souris.**
2. **Faites glisser jusqu'à l'emplacement souhaité.**

   La fenêtre suit votre pointeur.
3. **Relâchez le bouton de la souris.**

Fermer

Trois techniques sont possibles :

- **Cliquez sur le bouton Fermeture (le bouton rouge) placé à l'extrémité gauche de la barre de titre de la fenêtre à fermer.**

Comme nous l'avons vu plus haut, ce bouton est accessible même si la fenêtre n'est pas active.

Ou :

- **Activez la fenêtre à fermer, puis choisissez Fichier/ Fermer.**

Ou :

- **Activez la fenêtre à fermer, puis enfoncez les touches ⌘ + W.**

Tout fermer

Nous avons évoqué précédemment la commande Tout fermer qui vous permet, en une seule opération, de fermer toutes les fenêtres ouvertes, une solution pratique en fin de journée quand votre Bureau est encombré de la multitude de fenêtres que vous avez ouvertes pendant votre séance de travail et négligé de refermer.

Apple met à votre disposition trois moyens d'action :

- Enfoncez la touche Option, maintenez-la dans cette position et choisissez Fichier/Tout fermer.
- Enfoncez les touches ⌘ + Option + W.
- Enfoncez la touche Option, maintenez-la dans cette position et cliquez dans la case de fermeture d'une fenêtre quelconque.

Chapitre 5

Les icônes

Dans ce chapitre :

- Identifier les types.
- Découvrir les alias.
- Gérer.

C'est son système iconographique qui a fait du Mac ce qu'il est. Attardons-nous quelques instants sur cet aspect des choses.

Identifier les types

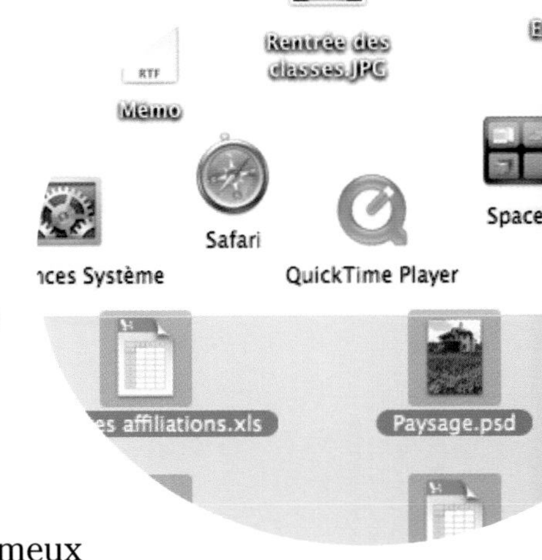

Il existe quatre catégories d'icônes :

- Celles qui représentent des programmes (encore appelés applications ou logiciels) ;
- Celles qui représentent des documents (ou fichiers) ;
- Celles qui symbolisent des dossiers et des disques ;
- Et, finalement, un cas particulier, les fameux *alias* que nous traiterons dans la section suivante.

Voyons cela en détail.

Même longs, les noms des icônes sont traités avec déférence : ils sont affichés en entier, sur deux lignes si nécessaire.

Les icônes de programmes

Ces icônes lancent des programmes ou applications : Mail, Internet Safari, MS Word ou Photoshop par exemple.

Conçues par des graphistes professionnels, elles sont très différentes les unes des autres (Figure 5.1).

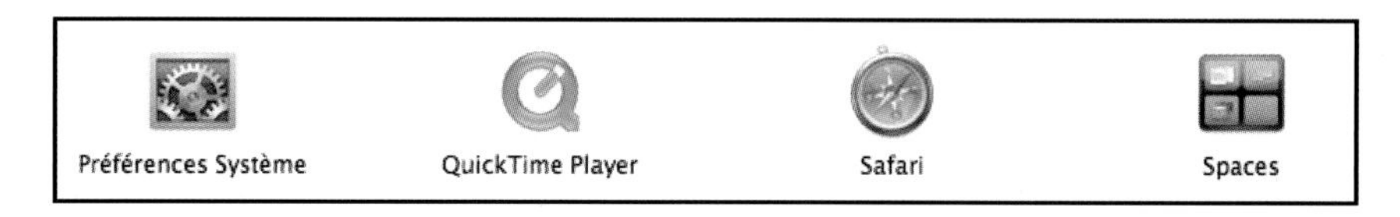

Figure 5.1 : Quelques icônes de programmes.

Les icônes de documents

Ces icônes représentent les documents produits par les programmes : un courrier que vous avez rédigé dans Word, un tableau d'amortissement que vous avez préparé dans Excel, une photo de vacances que vous avez retouchée dans Photoshop…

En général, les icônes de documents ont la forme d'une mini-page A4 dont l'angle supérieur droit a été replié. C'est le dessin qui figure au centre de cette page qui, censément, vous permet d'identifier le programme d'origine (Figure 5.2).

Figure 5.2 : Un mémo issu de TextEdit, un fichier graphique JPEG et une séquence iMovie.

Les icônes de dossiers

Les dossiers vous aident à vous organiser, puisque vous y regroupez vos éléments comme bon vous semble (Figure 5.3).

Figure 5.3: Deux icônes de dossiers.

En emboîtant les dossiers dans les dossiers à la manière des poupées russes, vous obtenez une structure arborescente ; n'hésitez pas à créer autant de dossiers que cette organisation l'exige. La gestion des dossiers est traitée en détail au Chapitre 11.

Normalement, chaque fois que vous branchez un disque (qu'il s'agisse d'un disque dur externe, d'un CD, d'un DVD...), son icône s'affiche dans la barre latérale. Pour qu'elle apparaisse également sur le Bureau, nous vous rappelons qu'il faut agir au niveau des préférences du Finder : choisissez Finder/Préférences et, dans l'onglet Général (Figure 5.4), désactivez les deux premières options.

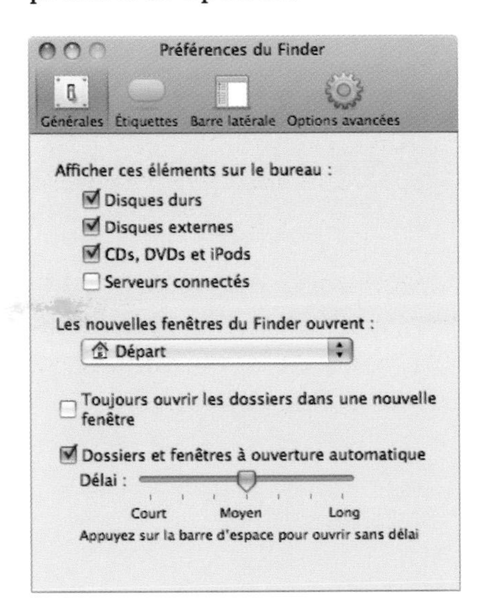

Figure 5.4: Les Préférences générales du Finder.

Où sont passées les extensions ?

Par *extension*, entendez une série de trois caractères précédée d'un point qui s'ajoute au nom d'un fichier et qui a pour fonction d'en identifier le type. Ainsi, les documents. doc sont issus de Word ; les fichiers. xls proviennent d'Excel. En général, le Mac n'affiche pas ces extensions alors que le monde PC les utilise systématiquement. Mac OS X vous permet malgré tout de les afficher si le cœur vous en dit.

Pour agir au niveau d'un fichier unique :

1. **Sélectionnez l'icône à traiter.**
2. **Choisissez Lire les informations dans le menu Fichier ou enfoncez les touches ⌘ + I.**
3. **Cliquez sur le triangle à gauche de la mention Nom et extension.**

   Le volet correspondant se développe (Figure 5.5).

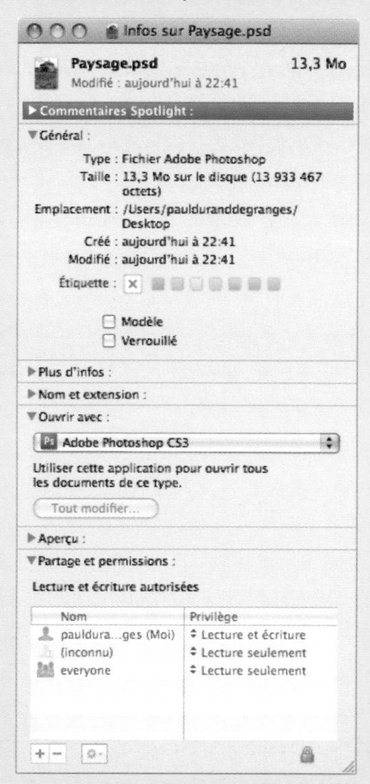

Figure 5.5 : C'est ici que la commande se cache.

4. **Désactivez l'option Masquer l'extension.**
5. **Fermez la fenêtre en cliquant dans sa case de fermeture.**

Pour traiter tous les fichiers, agissez au niveau des Préférences du Finder. Choisissez Finder/Préférences, activez l'onglet Avancé (Figure 5.6), puis validez l'option Afficher toutes les extensions de fichier.

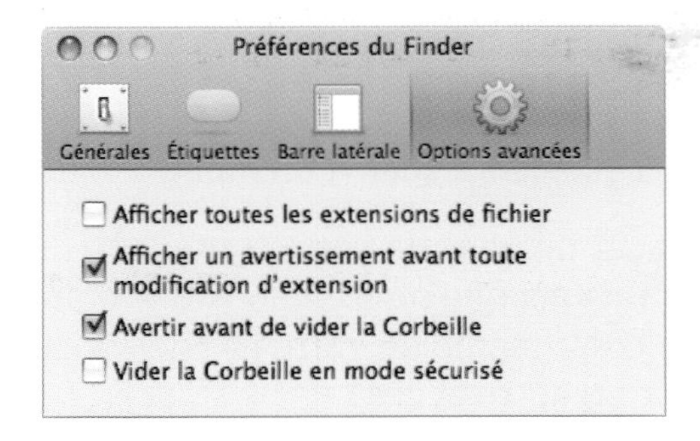

Figure 5.6 : Traitez tous vos fichiers en une seule opération.

Découvrir les alias

Les *alias* sont des mini-fichiers qui ont pour unique fonction d'ouvrir l'élément qu'ils représentent, qu'il s'agisse d'un programme, d'un document, d'un dossier ou d'un disque. Ce sont certes des icônes, mais des icônes qui ont la particularité d'en ouvrir d'autres de manière spontanée (Figure 5.7).

Figure 5.7 : À gauche, une icône originale ; à droite, son alias.

Imaginez que votre traitement de texte se trouve bien à l'abri au fond d'un dossier qu'il partage avec tous les fichiers dont il ne peut s'éloigner sous peine de ne plus fonctionner correctement, dossier placé dans un autre intitulé Mes programmes, archivé lui-même dans le fameux dossier Applications. La route est longue ! Pourquoi ne pas vous simplifier la vie ? La solution est évidente : créez un alias de votre traitement de texte et entreposez-le sur le Bureau ou dans le Dock. Vous le tiendrez ainsi à portée de souris et ne serez plus contraint, chaque fois que vous souhaiterez exploiter ce programme, de descendre en rappel dans l'arborescence de votre disque dur.

Agissez de même avec les dossiers et documents que vous utilisez régulièrement. Vous ne tarderez pas à voir à quel point les alias vous simplifient la vie !

N'hésitez pas à créer plusieurs alias d'un même élément.

Pourquoi ne pas placer un alias de votre traitement de texte sur le Bureau (pour les raisons que nous venons d'évoquer) et en prévoir un autre au cœur même de votre dossier Documents pour vous y garantir un autre accès ?

Autre exemple : pensez à créer plusieurs alias d'un même document si celui-ci peut, logiquement, faire partie de catégories distinctes. Imaginons que vous adressiez un courrier à Moulineau concernant la prochaine assemblée générale de l'entreprise qui aura lieu la seconde quinzaine du mois de juin. Dans quel dossier convient-il d'archiver ce mémo ? Dans le dossier Personnel, dans le dossier Assemblées ou dans le dossier Réunions Juin ? Dans le doute, stockez l'original dans un de ces dossiers et créez deux alias que vous archiverez dans les deux autres.

Les alias ne sont pas des doubles des originaux ; ce ne sont que des pointeurs qui les désignent.

Créer

La technique est simple :

1. **Sélectionnez l'icône pour laquelle vous souhaitez créer un alias.**

2. **Choisissez Fichier/Créer un alias ou enfoncez les touches ⌘ + L.**

Ou :

1. **Sélectionnez l'icône pour laquelle vous souhaitez créer un alias.**
2. **Choisissez Créer un alias dans le menu Action.**

Ou :

1. **Ctrl + cliquez sur l'icône concernée.**
2. **Choisissez Créer un alias dans le menu contextuel qui se déroule sous votre pointeur.**

   Le Mac crée l'alias et le stocke au même endroit que sa source. Il lui attribue le même nom que son original et lui ajoute la mention `alias` ; il le dote en outre d'une petite flèche en bas à gauche de l'icône, vous rappelant ainsi qu'il s'agit d'un alias, au cas où vous en auriez modifié le nom et supprimé la mention `alias`, ce que vous avez parfaitement le droit de faire.

Si vous recourez à la commande Fichier/Ajouter à la barre latérale (⌘ + T), vous créez automatiquement un alias de l'icône active à l'appel de la commande et le stockez dans cette barre.

Retrouver l'original

Il vous arrivera d'ignorer complètement à quel endroit vous avez stocké l'original d'un alias.

Pour le retrouver (notamment si vous envisagez de le copier, de le déplacer, de le supprimer…), vous pouvez bien entendu faire appel à la commande Rechercher (Chapitre 11), mais il existe une technique plus simple :

1. **Sélectionnez l'alias.**
2. **Choisissez Fichier/Afficher l'original ou enfoncez les touches ⌘ + R.**

Supprimer

C'est simple : faites glisser l'alias vers la Corbeille.

Pas de panique : la suppression d'un alias n'affecte en aucune manière l'élément original.

Gérer

Vous venez d'apprendre à identifier les différents types d'icônes. Il est grand temps à présent de savoir comment les gérer et, plus concrètement, comment :

- Sélectionner ;
- Déplacer ;
- Ouvrir ;
- Renommer ;
- Obtenir des infos ;
- Supprimer.

Sélectionner

Pour sélectionner une icône, la technique est élémentaire : il suffit de cliquer une fois dessus.

Pour en sélectionner plusieurs, la procédure est plus complexe. Ainsi, imaginons que vous souhaitiez déplacer 20 fichiers graphiques d'un dossier vers un autre. Vous n'allez évidemment pas traiter ces 20 documents individuellement. Plusieurs techniques vous permettent de les sélectionner tous en une seule opération :

- **Sélectionnez par rectangle** : Si les icônes à traiter se trouvent les unes à côté des autres, cliquez dans le fond de la fenêtre, en haut à gauche de la première icône, enfoncez le bouton de votre souris, maintenez-le dans cette position, et faites glisser jusqu'au-delà de l'icône située en bas à droite. Quand vous relâchez le bouton, tous les éléments placés dans le rectangle de sélection ainsi tracé sont sélectionnés (Figure 5.8).

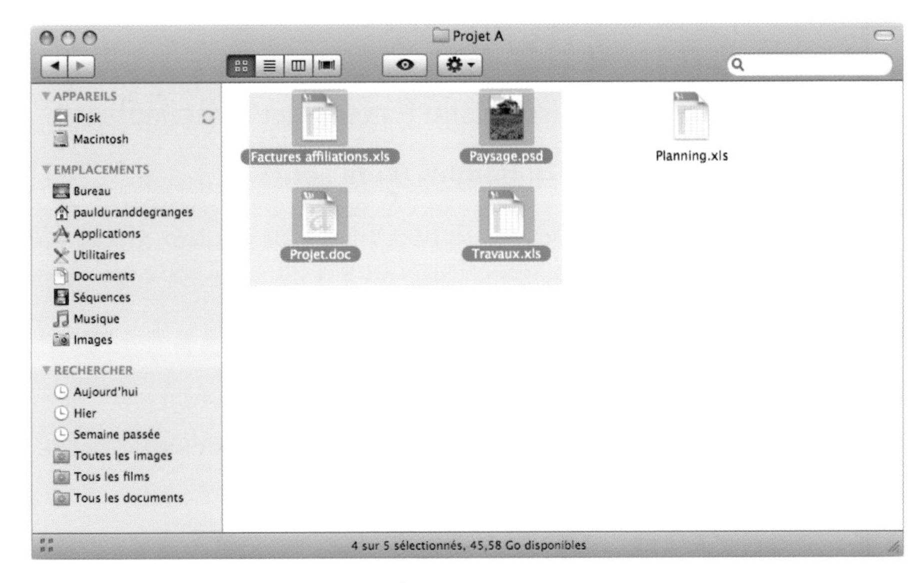

Figure 5.8 : La sélection par rectangle.

- **Sélectionnez par Majuscule + clic** : Cliquez sur la première des icônes à sélectionner, enfoncez la touche Majuscule et maintenez-la dans cette position tandis que vous cliquez sur les autres icônes à inclure dans la sélection ; relâchez la touche Majuscule lorsque toutes les icônes souhaitées sont marquées. Pour exclure une icône de la sélection, Majuscule + cliquez dessus.

Déplacer

Une fois de plus, la technique du cliquer-glisser est à l'honneur :

1. **Sélectionnez la ou les icônes à déplacer.**
2. **Cliquez sur l'icône ou sur l'une d'entre elles et maintenez enfoncé le bouton de la souris.**

   Attention : si vous cliquez en dehors de la sélection, vous l'annulez.
3. **Faites glisser jusqu'à l'emplacement souhaité.**
4. **Relâchez le bouton de la souris.**

Si vous associez la touche Option au cliquer-glisser, vous ne déplacez pas la sélection, vous n'en déplacez qu'une copie.

Ouvrir

Vous avez le choix entre quatre techniques distinctes (sans compter les alias qui, comme nous l'avons vu, constituent un cas à part) :

- Sélectionnez l'icône à ouvrir, puis choisissez Fichier/Ouvrir.
- Sélectionnez l'icône à ouvrir, puis enfoncez les touches ⌘ + O.
- Sélectionnez l'icône à ouvrir, puis choisissez Ouvrir dans le menu Action.

- Ctrl + cliquez sur l'icône, puis choisissez Ouvrir dans le menu contextuel.
- Cliquez deux fois sur l'icône à ouvrir.

Renommer

Normalement, vous pouvez rebaptiser toutes vos icônes. Dans quelques cas, malgré tout, vous ne pourrez mener cette opération à bien :

- L'icône est verrouillée (voir la section suivante, "Obtenir des infos") ;
- L'élément que représente l'icône est en service (le programme tourne, le document est ouvert) ;
- L'éventuel administrateur de votre réseau ne vous a pas autorisé à changer les noms des icônes.

Sachez encore que le Système ne vous permet pas de changer le nom de certaines icônes ; c'est notamment le cas des dossiers Bureau et Bibliothèque. Par ailleurs, il est plus prudent de ne pas toucher aux noms des applications et des fichiers qui leur sont indispensables sous peine de les voir fonctionner bizarrement ou ne plus fonctionner du tout. Limitez-vous donc à changer les noms de vos propres fichiers et dossiers, c'est plus prudent.

Pour renommer une icône :

1. **Cliquez directement sur le nom à modifier (et non sur l'icône elle-même, sous peine de la sélectionner).**

   Ou :

   Cliquez sur l'icône proprement dite, puis enfoncez la touche Retour ou Entrée afin d'en sélectionner l'intitulé.

   L'intitulé passe en surbrillance et se dote d'une fine bordure ; le curseur prend la forme d'un I d'insertion, signalant ainsi que le mode édition est actif.

   Si vous sélectionnez malgré tout l'icône plutôt que son intitulé, enfoncez la touche Retour ou Entrée pour inverser la sélection.

2. **Tapez le nouveau nom.**

   Vous pouvez remplacer carrément l'ancien intitulé par un nouveau, ou vous limiter à corriger seulement quelques caractères.

Obtenir des infos

Le Mac est capable, pour chaque icône, de vous fournir toutes sortes d'informations.

Pour y accéder, sélectionnez l'icône concernée, puis choisissez Fichier/Lire les informations (⌘ + I). La fenêtre correspondante s'affiche (Figure 5.9).

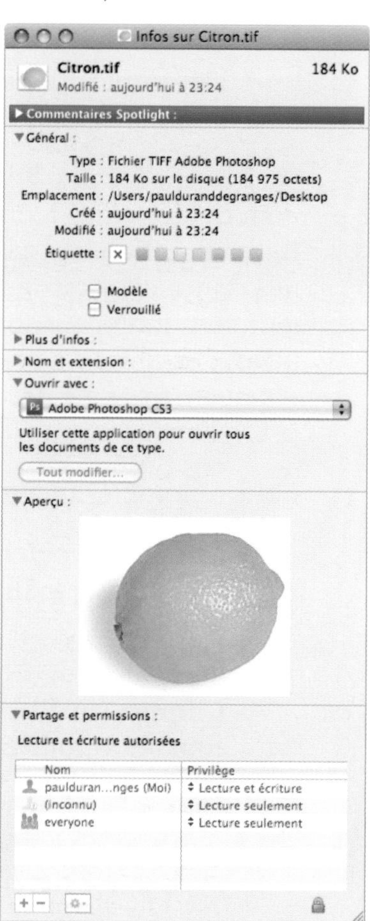

Figure 5.9 : La fenêtre Lire les informations d'un fichier graphique baptisé Citron.

Elle révèle toutes sortes d'informations dans sa première rubrique, intitulée Général :

- **Type** : Signale le type de l'élément : document, programme, dossier, disque…
- **Taille** : Indique l'espace disque que l'élément occupe.
- **Emplacement** : Montre quel est le chemin d'accès à l'élément, c'est-à-dire la place qu'il occupe dans l'arborescence de votre disque dur.

- **Créé le** : Donne la date de création de l'élément.
- **Modifié le** : Donne la date de la dernière modification apportée à l'élément.
- **Version** : Dans le cas d'un programme, signale le numéro de version et l'éventuel copyright.
- **Modèle** : Dans le cas d'un document, l'érige en modèle, un type spécial de document qui a la particularité, quand on l'ouvre, de créer une copie de lui-même.
- **Verrouillé** : Verrouille l'élément de manière à paralyser toute modification de son nom ou de son contenu ainsi que tout déplacement vers la Corbeille.

Les autres parties de cette fenêtre autorisent d'autres actions :

- **Nom et extension** : Comme vous l'avez appris plus haut, vous permet de demander l'affichage de l'extension.
- **Ouvrir avec** : Dresse la liste des programmes susceptibles d'ouvrir le document (Figure 5.10). Elle vous permet de choisir une application par défaut pour ouvrir un type spécifique de fichier et de faire en sorte que tous les fichiers de ce type présents sur votre disque dur s'ouvrent avec l'application sélectionnée.
- **Aperçu** : Prévisualise le document, qu'il s'agisse d'un texte, d'une image, d'une séquence vidéo. Inutile, donc, de lancer l'application pour savoir à quoi ressemble le fichier.
- **Partage et permissions** : Vous permet de régler les autorisations d'accès. Cet aspect des choses est traité au Chapitre 15.
- **Commentaires** : Vous permet d'introduire un commentaire succinct concernant l'élément en question.

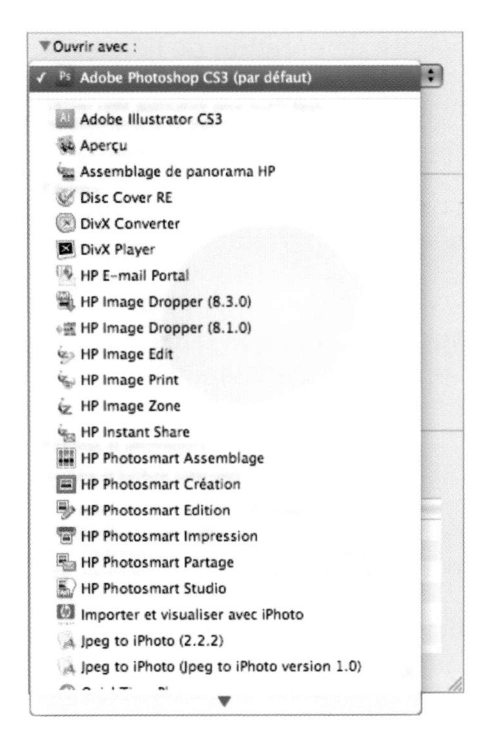

Figure 5.10 : Désignez ici l'application par défaut pour le document ou le type de document actif.

Supprimer

Faites tout simplement glisser l'icône jusqu'à la Corbeille, située à l'extrémité droite du Dock.

À moins que vous ne préfériez la commande Vider la Corbeille en mode sécurisé, qui vous débarrasse de son contenu une bonne fois pour toutes. (Pour vous rafraîchir la mémoire, reportez-vous à la section "Le menu Fichier" du Chapitre 3.)

L'option Avertir avant de vider la Corbeille est active par défaut. Pour la désactiver, gagnez les préférences du Finder (Finder/ Préférences) et agissez dans l'onglet Avancé.

Allez hop, à la Corbeille !

Dès que vous jetez un élément à la Corbeille, celle-ci change d'aspect. Les éléments que vous y déposez y restent jusqu'à ce que vous :

- Choisissiez Finder/Vider la Corbeille ;
- Enfonciez les touches ⌘ + Majuscule + Retour arrière ;
- Ctrl + cliquiez dans le Dock sur l'icône de la Corbeille afin d'en dérouler le menu contextuel et d'y sélectionnez le seul article, Vider la Corbeille.

Tant que vous ne réalisez pas une de ces actions, il est toujours possible de récupérer le contenu de la Corbeille (sauf après un plantage, bien entendu).

Après, il est trop tard pour avoir des regrets : le contenu de la Corbeille est définitivement perdu.

Enfin, pas vraiment : certains utilitaires spécifiques, type Norton Utilities, sont encore capables, même dans ces circonstances désespérées, de récupérer vos données.

Chapitre 6

Le Dock

Dans ce chapitre :

- Découvrir.
- Gérer.
- Contrôler les icônes.

Le Dock occupe la partie inférieure de votre écran. Sa mission est double :

- Il vous garantit l'accès aux programmes et documents que vous utilisez le plus souvent ;
- Il amène au premier plan un programme ou un document en service.

Découvrir

Au départ, le Dock ne comporte que des icônes standard, qui correspondent aux programmes Mac OS X les plus courants (Figure 6.1).

Figure 6.1 : Le Dock dans toute sa splendeur.

Détaillons-les brièvement, de gauche à droite :

- **Finder** : Provoque l'affichage d'une fenêtre Ordinateur. Vous pouvez ouvrir autant de fenêtres Ordinateur que vous le souhaitez via la commande Fichier/Nouvelle fenêtre Finder ou son équivalent clavier ⌘ + N.
- **Dashboard** : Provoque l'affichage du Dashboard et des Widgets ; vous obtenez l'équivalent en appuyant sur la touche F12.
- **Mail** : Lance la messagerie électronique dont Apple a doté Mac OS X (Chapitre 23).
- **Safari** : C'est le navigateur Web fourni avec Mac OS X (Chapitre 22).
- **iChat** : Il s'agit là d'une messagerie instantanée grâce à laquelle vous pouvez dialoguer avec vos correspondants via une interface simple et amusante (Chapitre 12).
- **Carnet d'adresses** : Accédez, grâce à cette icône, au Carnet d'adresses de Mac OS X (Chapitre 12).
- **iCal :** C'est le calendrier fourni par Apple, avec gestion des rendez-vous, des tâches, des listes… (Chapitre 12).
- **Aperçu** : Affichez des fichiers de différents formats ; entre autres, TIF, JPEG ou PDF (Chapitre 12).
- **iTunes** : Petite merveille de la technologie, iTunes vous permet d'écouter des fichiers MP3 que vous téléchargez depuis Internet, depuis des CD audio ou depuis des stations de radio Internet. Il vous autorise en outre à créer

votre propre bibliothèque de fichiers MP3 à partir de CD que vous possédez déjà (Chapitre 12).

- **iPhoto :** Grâce à iPhoto, vous pouvez télécharger des photos depuis votre appareil photo numérique, les organiser, les imprimer, les structurer en diaporamas ou en pages Web (Chapitre 12).
- **iMovie :** Cet excellent programme, qui partage la vedette avec iTunes, est capable de produire des films de qualité supérieure, un must pour les fadas du caméscope (Chapitre 12).
- **GarageBand :** Montez votre propre studio d'enregistrement et créez vos musiques.
- **Spaces :** Gérez plusieurs bureaux afin d'organiser votre travail et vos applications.
- **Préférences Système** : Vous permet d'accéder au programme Préférences Système, qui autorise toutes sortes de réglages (Chapitre 14).
- **Documents** : Donne un accès direct au dossier Documents.
- **Téléchargement** : Donne un accès direct au dossier Téléchargement utilisé par le navigateur Web Safari.
- **Corbeille** : Élément particulier du Dock, la Corbeille n'est ni un document ni un programme. C'est l'endroit où vous déposez ce dont vous souhaitez vous débarrasser. Faites-y tout simplement glisser l'icône correspondante et le tour est joué !

Le nom des icônes du Dock s'affiche dès que vous y laissez stationner votre pointeur.

Par ailleurs, si vous trouvez ces icônes trop petites, validez l'option Activer l'agrandissement du sous-menu Dock du menu Pomme : les icônes s'afficheront en grand dès que vous y déposerez votre pointeur.

Sachez que dès que vous lancez une application dont l'icône n'est normalement pas dans le Dock, cette dernière s'y affiche malgré tout jusqu'à ce que vous quittiez l'application, instant précis où elle disparaît du Dock comme par enchantement. En d'autres termes, le Dock accueille provisoirement les icônes des programmes que vous mettez en service ; il s'en débarrasse quand vous clôturez votre séance de travail dans les programmes en question.

Gérer

Plusieurs opérations sont possibles : vous pouvez masquer, redimensionner et déplacer le Dock, ainsi qu'opérer divers réglages généraux.

Masquer

Par défaut, le Dock est affiché dans la partie inférieure de votre écran. Vous pouvez faire en sorte qu'il n'apparaisse plus que quand vous placez votre pointeur dans sa zone.

C'est simple : choisissez Pomme/Dock/Activer le masquage (⌘ + Option + D).

À l'inverse, c'est la commande Désactiver le masquage du même sous-menu qu'il faut invoquer pour rétablir la situation de départ.

Redimensionner

Si la taille prédéfinie du Dock ne vous convient pas, réduisez-la, une possibilité que vous apprécierez surtout quand vous souhaiterez y ajouter des éléments.

Pour agrandir ou réduire le Dock, il suffit de faire glisser son pointeur de redimensionnement. Pour faire apparaître ce pointeur, positionnez votre souris sur le trait blanc vertical placé à l'extrémité de la partie gauche du Dock : il prend la forme d'une double flèche ; faites glisser vers le haut ou vers le bas jusqu'à obtention de la taille souhaitée.

La Figure 6.2 vous montre à quoi ressemble le Dock en réduction.

Figure 6.2 : Un Dock miniature.

Vous pouvez également agir via les préférences du Dock ; voyez à ce sujet la section intitulée "Paramétrer", plus loin dans ce chapitre.

Déplacer

Le Dock n'est pas condamné à la partie inférieure de l'écran. Il peut en effet être déplacé le long du bord gauche ou droit.

Pour choisir sa position, il suffit de valider la commande correspondante du sous-menu Pomme/Dock (Figure 6.3).

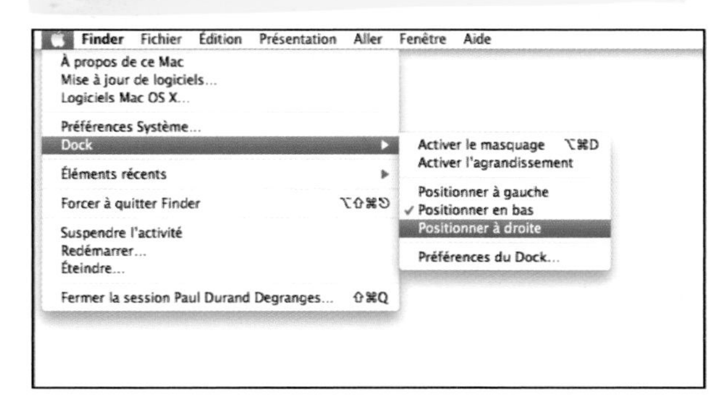

Figure 6.3 : Placez le Dock où bon vous semble.

Paramétrer

Le Dock est personnalisable. Vous accédez à ses préférences (Figure 6.4) depuis le sous-menu Dock du menu Pomme ou depuis la préférence système Dock.

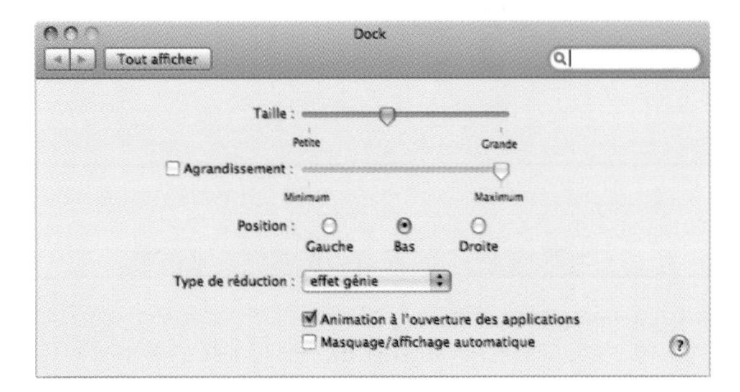

Figure 6.4 : Les options disponibles.

Un Ctrl + clic sur le séparateur du Dock vous assure un accès direct aux options.

Différents réglages sont autorisés, notamment :

- **Taille du Dock** : Réglez la taille du Dock en faisant glisser le curseur vers la droite (pour l'augmenter) ou vers la gauche (pour la réduire).
- **Agrandissement** : Validez l'option pour que les icônes du Dock sur lesquelles vous positionnez votre pointeur soient agrandies. Faites glisser le curseur pour déterminer à partir de quel seuil l'agrandissement aura lieu.
- **Position** : Définit la position du Dock, en bas, à gauche ou à droite. Fait donc double emploi avec les commandes du sous-menu Dock du menu Pomme.
- **Type de réduction** : Deux effets sont disponibles pour la minimisation des fenêtres : l'effet d'échelle et l'effet génie.

- **Animation à l'ouverture des applications**: Par défaut, Mac OS X anime les icônes du Dock lorsque vous cliquez dessus, leur imprimant un mouvement vertical. Si cette option vous agace, désactivez-la.
- **Masquage/affichage automatique**: Masque le Dock tant que le pointeur n'atteint pas sa zone; l'affiche alors automatiquement.

Contrôler les icônes

Cette section vous enseigne comment gérer les icônes du Dock: les activer, en ajouter, en déplacer, en supprimer.

Activer

Contrairement aux icônes standard, celles du Dock s'activent sur simple clic.

Lorsque vous les activez, elles adoptent subitement, pendant une ou deux secondes, le comportement d'une balle de ping-pong qui les fait bondir puis regagner le Dock avant de déclencher le programme correspondant (à condition, bien entendu, que l'option Animation à l'ouverture des applications soit active; voir ci-dessus).

Une fois le programme en service, le Dock a une façon bien à lui de signaler cette activité: il affiche, sous l'icône correspondante, une petite bille bleu gris (Figure 6.5).

Figure 6.5: iTunes est en service.

Ajouter

Simplifiez-vous la vie : ajoutez au Dock les icônes des programmes, documents, dossiers et adresses Internet que vous exploitez quotidiennement.

Tout ici est affaire de cliquer-glisser :

1. **Ouvrez la fenêtre Finder dans laquelle se trouve l'icône à ajouter.**

2. **Cliquez sur l'icône, puis faites-la glisser de la fenêtre du Finder vers celle du Dock.**

   Placez les icônes d'applications à gauche de la ligne qui divise le Dock ; placez les autres à droite.

Vous pouvez traiter plusieurs icônes à la fois : opérez la sélection souhaitée, puis cliquez-glissez.

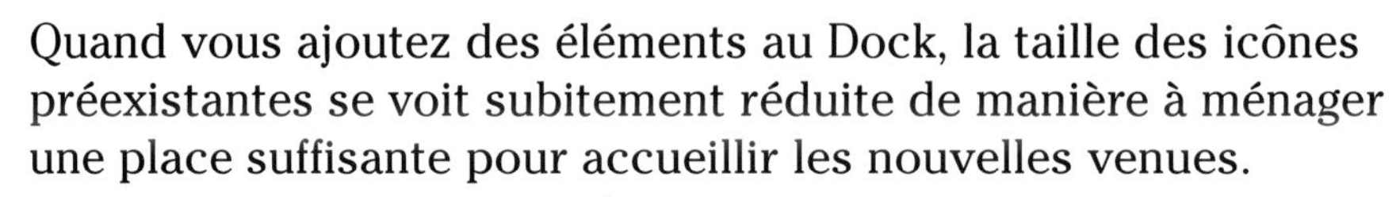

Quand vous ajoutez des éléments au Dock, la taille des icônes préexistantes se voit subitement réduite de manière à ménager une place suffisante pour accueillir les nouvelles venues.

Dans tous les cas, vous ne disposerez jamais dans le Dock que d'une seule rangée d'icônes. Dès lors, plus vous réduisez la taille du Dock, plus vous pouvez y intégrer d'éléments. Le choix est cornélien : soit vous ajoutez un grand nombre d'icônes, avec comme inconvénient des intitulés moins lisibles, soit vous en ajoutez moins mais les identifiez plus facilement.

Lorsque vous cliquez sur les dossiers placés dans la partie de gauche du Dock, OS X affiche leur contenu sous forme d'éventail ou de grille (Figure 6.6). Par défaut, vous trouvez les dossiers Documents et Téléchargements dans le Dock, vous pouvez ajouter le dossier Applications pour accéder rapidement à l'ensemble de vos applications. Avec un Ctrl + clic sur le dossier, vous ouvrez un menu contextuel dans lequel vous trouvez l'élément Affichage qui vous permet de choisir manuellement l'affichage sous forme d'éventail ou de grille.

Figure 6.6 : Leopard affiche le contenu des dossiers dans le Dock.

Le Dock, passerelle vers Internet

Les adresses Internet ou URL s'ajoutent selon une procédure distincte :

- Lancez Safari ou Internet Explorer.
- Rendez-vous à la page dont vous souhaitez voir figurer l'adresse dans le Dock.
- Cliquez et faites glisser la petite icône située à gauche de l'URL dans la case de l'adresse vers la partie droite du Dock (Figure 6.7).
- Relâchez le bouton de la souris.

Figure 6.7 : Pour enregistrer une adresse Internet dans le Dock, faites glisser son icône depuis la case de l'adresse vers la position souhaitée du Dock.

C'est fait ! Désormais, lorsque vous cliquerez sur cette icône, Internet Explorer ouvrira la page correspondante.

Si le nombre de sites que vous fréquentez régulièrement est relativement important, préférez une solution plus compacte que celle qui consiste à ajouter toutes ces icônes correspondantes au Dock : créez un dossier, réunissez-y vos URL, puis ajoutez ce dossier au Dock. Dès que vous cliquerez sur son icône, le Dock vous en proposera le contenu sous la forme d'un menu pop-up dans lequel vous n'aurez plus qu'à faire votre choix.

Déplacer

Le cliquer-glisser est une fois encore à l'honneur :

1. **Sélectionnez l'icône à déplacer.**
2. **Cliquez et maintenez enfoncé le bouton de la souris.**
3. **Faites glisser jusqu'à l'emplacement souhaité (Figure 6.8).**

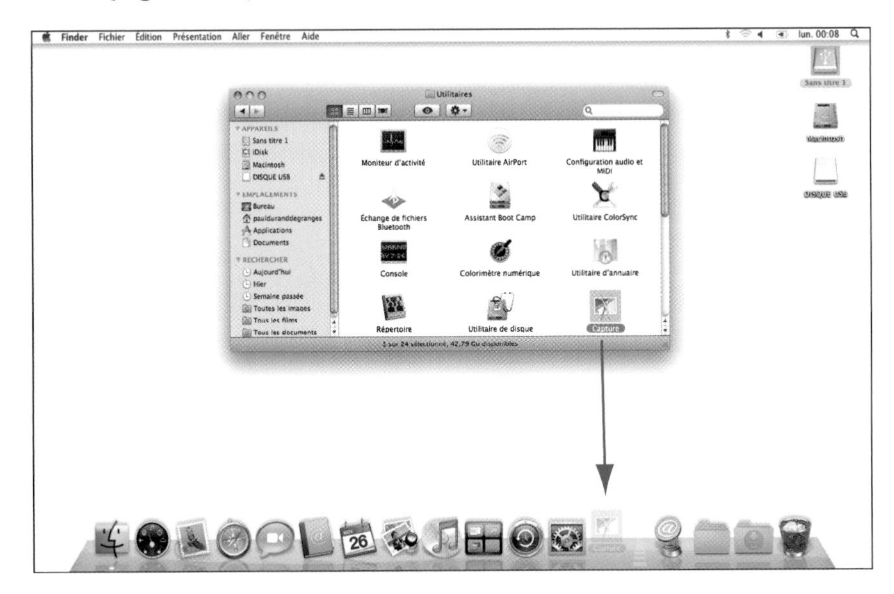

Figure 6.8 : L'icône de l'utilitaire Capture est en plein déplacement.

4. **Relâchez le bouton de la souris.**

Supprimer

Il suffit de faire glisser l'icône depuis le Dock vers le Bureau.

Comme dans le cas des alias, vous n'exercez ce faisant aucune action sur le fichier original : vous vous bornez à éliminer son icône du Dock.

Chapitre 7

Appeler au secours

Dans ce chapitre :

- Accéder à l'aide en ligne.
- Trouver des informations.
- Imprimer des rubriques.
- Quitter l'aide en ligne.

On a tous besoin d'un petit coup de pouce de temps en temps. Pourquoi s'en cacher ? N'hésitez pas à solliciter aussi souvent que nécessaire la fonction d'aide en ligne de Mac OS X.

Accéder à l'aide en ligne

C'est le menu Aide qui prend en charge cet aspect des choses.

Ce menu propose en général au moins la commande Aide (nom du programme), dotée du classique équivalent clavier ⌘ + ?. Son activation provoque l'entrée en action du programme Visualisation Aide (Figure 7.1).

Figure 7.1 : Bienvenue dans l'Aide.

En plus de la commande permettant d'accéder à l'aide, vous trouvez une zone dans laquelle vous pouvez saisir des mots clés. Mac OS X recherche ces mots clés dans les menus ou dans l'aide en ligne. Pour plus d'informations, consultez la section Rechercher dans le menu Aide, à la fin de ce chapitre.

Bien que vous puissiez consulter l'aide en ligne sans être branché sur Internet, vous n'obtiendrez bien souvent aucune réponse si vous n'êtes pas connecté. Pourquoi ? Tout simplement parce que Mac OS X n'installe sur votre disque dur qu'une infime partie de l'aide et tient le reste à votre disposition sur le site Web d'Apple, depuis lequel vous pouvez télécharger les réponses à vos questions à condition de disposer d'une connexion Internet. Ce système, relativement contraignant, vous garantit toutefois une aide toujours à jour. Par ailleurs, une fois que vous aurez téléchargé des informations, celles-ci resteront disponibles, stockées sur votre disque dur. Vous pourrez donc les consulter aussi souvent qu'il vous plaira.

A priori, cette commande s'intitule Aide Mac, mais dès que vous lancez une application (voire, tout simplement, un fichier du Finder comme les Préférences Système), la commande change de nom de manière à vous assurer un accès direct à l'élément actif (Figure 7.2).

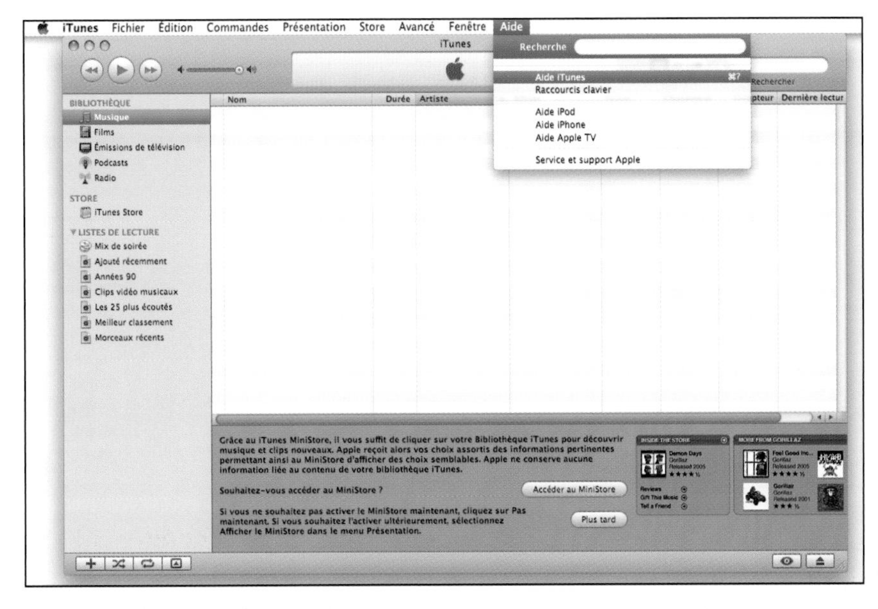

Figure 7.2: N'hésitez pas à appeler à l'aide.

Trouver les informations

La marche à suivre est simple:

1. **Entrez l'objet de votre recherche dans la case Posez une question.**

2. **Enfoncez la touche Retour ou Entrée.**

   Le Mac dresse quasi instantanément la liste des thèmes en relation avec votre question ou qu'il estime tels (Figure 7.3).

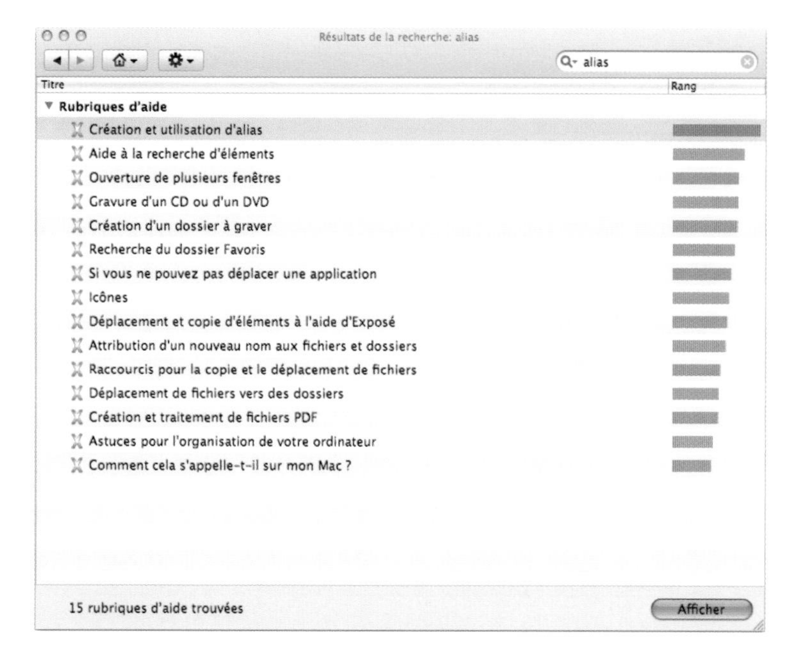

Figure 7.3: Pour en savoir plus sur les alias.

3. **Dans ce sommaire, activez l'hyperlien de votre choix de manière à accéder aux informations dont vous avez besoin, puis faites de même dans le volet inférieur.**

   Le Mac vous renseigne (Figure 7.4).

4. **Au besoin, cliquez sur En savoir plus pour obtenir d'autres renseignements.**

Utilisez les flèches gauche et droite pour atteindre la page précédente ou la page suivante.

Imprimer des rubriques

Pour imprimer l'aide affichée à l'écran, cliquez le bouton d'action de la barre d'outils de la fenêtre d'aide, puis sélectionnez Imprimer (Figure 7.5).

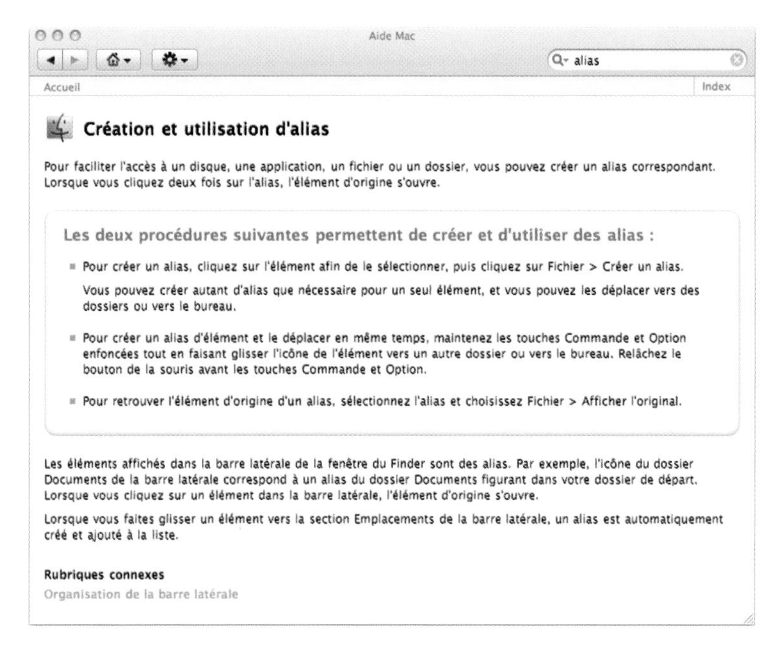

Figure 7.4 : Vous voilà dans le vif du sujet !

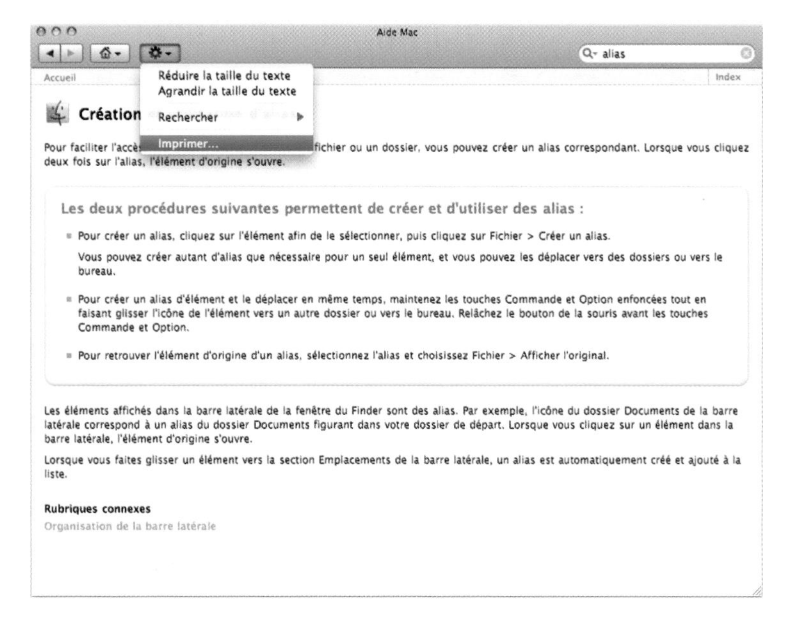

Figure 7.5 : La commande permettant d'imprimer.

Sélectionnez ensuite votre imprimante (Figure 7.6) et démarrez l'impression.

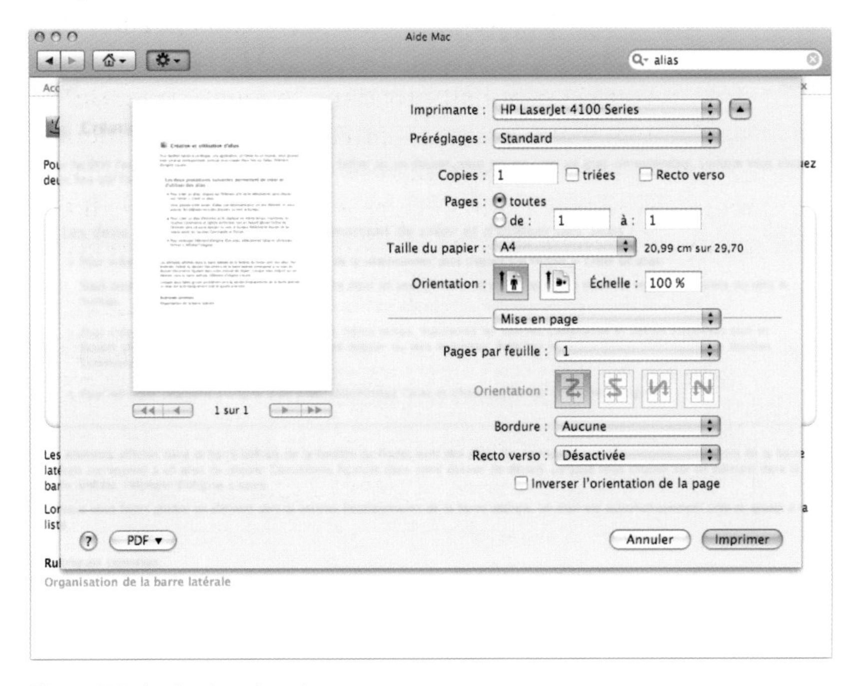

Figure 7.6 : La fenêtre Imprimer.

Quitter l'aide en ligne

De manière classique, vous pouvez, pour quitter l'aide en ligne :

- Choisir Quitter Visualisation aide dans le menu Visualisation Aide ou recourir à l'équivalent clavier de cette commande, soit ⌘ + Q.
- Choisir Fichier/Fermer ou enfoncer les touches ⌘ + W.
- Cliquer dans la case de fermeture de la fenêtre, le bouton rouge en haut à gauche.

Rechercher dans le menu Aide

La zone de recherche du menu Aide vous permet de saisir des mots clés. Dès que vous commencez la saisie, vous obtenez deux types de propositions dans le menu Aide. Dans la partie supérieure, vous pouvez trouver la section Éléments de menu. Si vous placez le pointeur de la souris sur l'un des éléments, le menu correspondant s'ouvre et une flèche vous indique où se trouve l'élément correspondant dans le menu (Figure 7.7).

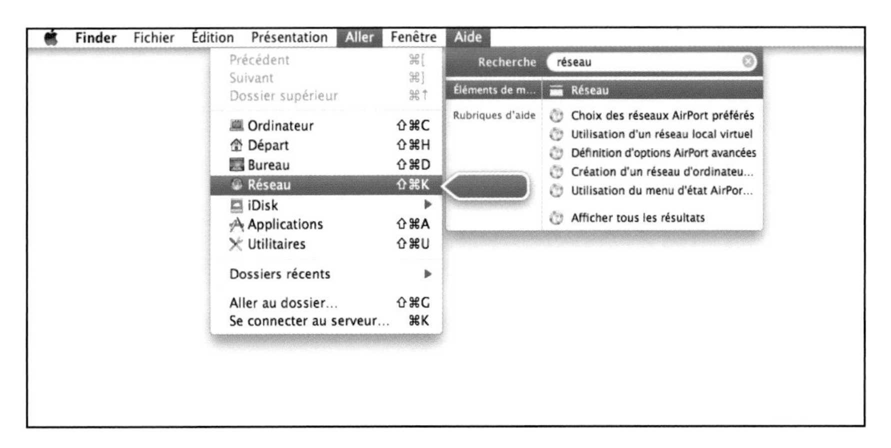

Figure 7.7 : Leopard vous indique où se trouve un élément de menu.

Dans la partie inférieure du menu, vous trouvez la section Rubrique d'aide, dans laquelle figurent les rubriques d'aide correspondant à vos mots clés. En cliquant l'une de ces rubriques, vous ouvrez l'aide en ligne et affichez directement la rubrique concernée.

Deuxième partie

Mener des actions élémentaires

Dans cette partie...

Les différents chapitres de cette deuxième partie vous enseignent les manipulations de base ainsi que les techniques de gestion des dossiers et des fichiers.

Ils vous apprennent ainsi comment ouvrir, enregistrer et imprimer des documents, puis, plus généralement, comment tirer parti de la gestion des fichiers telle que la pratique Mac OS X.

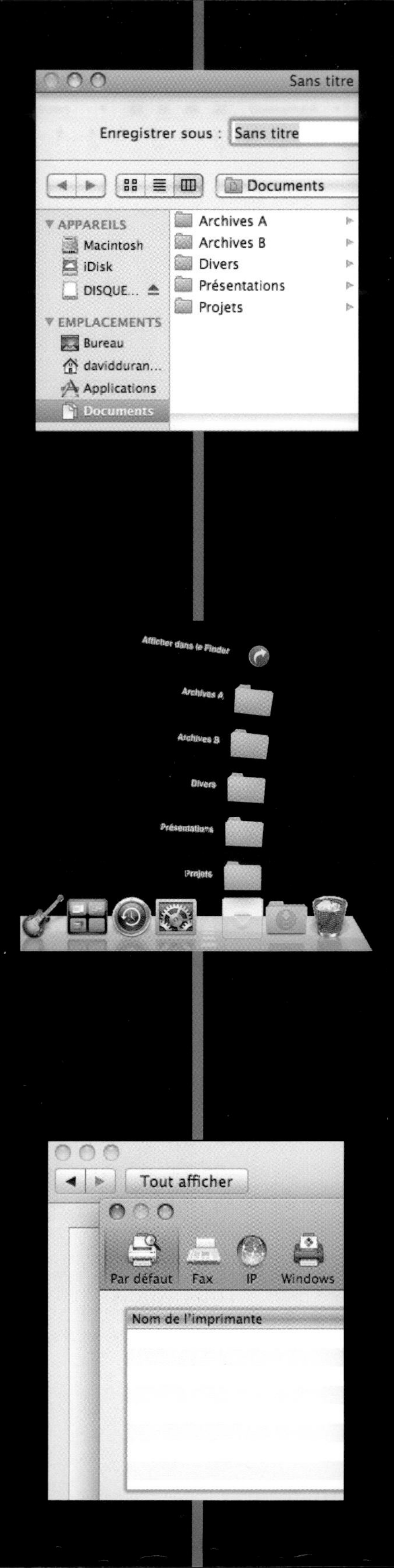

Chapitre 8

Enregistrer

Dans ce chapitre :

- Enregistrer pour la première fois.
- Enregistrer la mise à jour.
- Enregistrer sous un autre nom et/ou à un autre endroit.

À quoi sert de travailler si vous ignorez comment sauvegarder le fruit de votre labeur ? Concentrez-vous sur ce chapitre : il est fondamental.

Il n'y a bien entendu rien à enregistrer au niveau du Finder ; ce n'est que dans les programmes que vous enregistrez des données.

Enregistrer pour la première fois

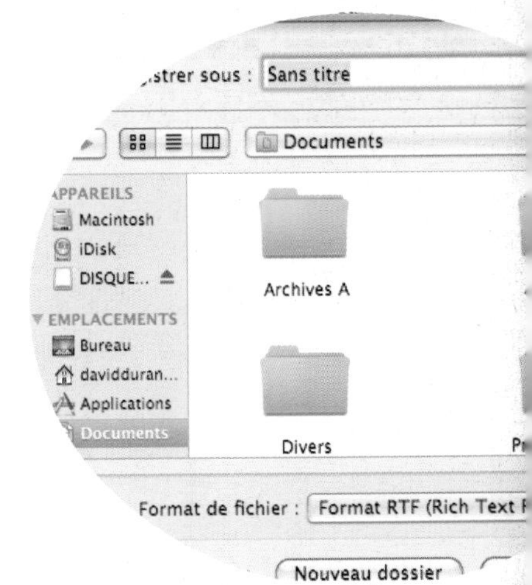

Imaginons que vous lanciez votre traitement de texte et vous appliquiez à rédiger un mémo. Le texte n'est conservé que dans la mémoire volatile du Mac. L'application se fige, le système se plante et tout est perdu. Si vous entendez conserver votre document, il vous faut impérativement le copier sur votre disque dur (ou sur un autre support, quel qu'il soit).

Pour ce faire, vous allez devoir fournir deux indications au Mac :

- Le nom que vous entendez donner au document ;
- La destination que vous lui prévoyez.

N'enregistrez pas n'importe où !

Dans les versions antérieures du Système, l'endroit où vous stockiez vos documents n'avait, somme toute, guère d'importance.

Mais les temps ont changé.

Sous Mac OS X, nous vous engageons à archiver tous vos dossiers et documents dans votre dossier Documents. Le Système exploite une foule de fichiers qu'il stocke un peu partout ; il est donc plus prudent que chaque utilisateur reste bien gentiment dans son coin de manière à ne pas interférer avec le Système proprement dit, selon le principe bien connu du "Chacun chez soi et les moutons seront bien gardés".

D'ailleurs, Apple a tout fait pour vous encourager à agir de la sorte, puisque les concepteurs de Mac OS X ont placé ce dossier Documents à un jet de souris dans la barre latérale de toutes les fenêtres Finder.

Enfin, en utilisant un emplacement unique, non seulement vous retrouvez plus facilement vos fichiers, mais vous facilitez également les opérations de sauvegarde.

Procédez à l'enregistrement :

1. **Depuis le programme au sein duquel vous avez créé le document, choisissez Fichier/Enregistrer ou Fichier/Enregistrer sous, ou encore enfoncez les touches ⌘ + S.**

   La fenêtre d'enregistrement s'affiche (Figure 8.1).

2. **Développez la fenêtre en cliquant sur le petit triangle noir orienté vers le bas placé à droite de la case Enreg. sous.**

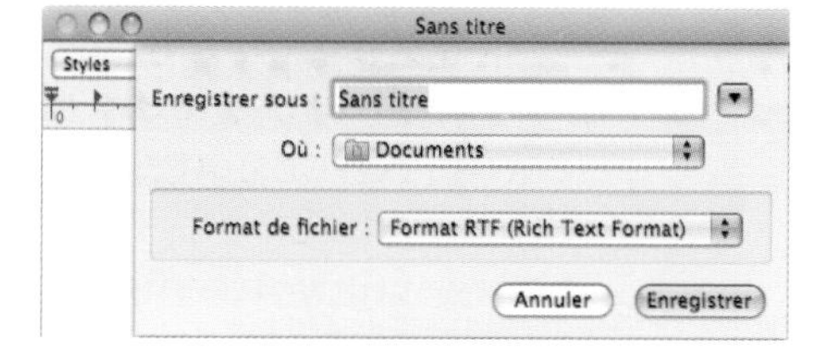

Figure 8.1 : La fenêtre d'enregistrement de TextEdit, en version compacte.

La fenêtre complète apparaît (Figure 8.2).

Figure 8.2 : La même fenêtre, en version intégrale.

Nous avons pris comme exemple la fenêtre de TextEdit. Il se peut que celle d'autres programmes propose d'autres options. Mais pas de panique : les commandes principales se retrouvent partout, même si les options annexes diffèrent d'un programme à un autre.

Nouveauté de Leopard, cette fenêtre d'enregistrement peut désormais être présentée sous trois modes : en mode Icônes (voir la Figure 8.2), en mode Liste (voir la Figure 8.3) ou en mode Colonnes (Figure 8.4). Dans son système d'exploitation, Apple reprend, pour les fenêtres d'enregistrement (et d'ouverture), la métaphore du navigateur, augmentant ainsi la cohérence de l'interface utilisateur à tous les niveaux. Choisissez le mode que vous préférez grâce aux icônes placées à droite des boutons Précédent et Suivant pour un confort de navigation accru.

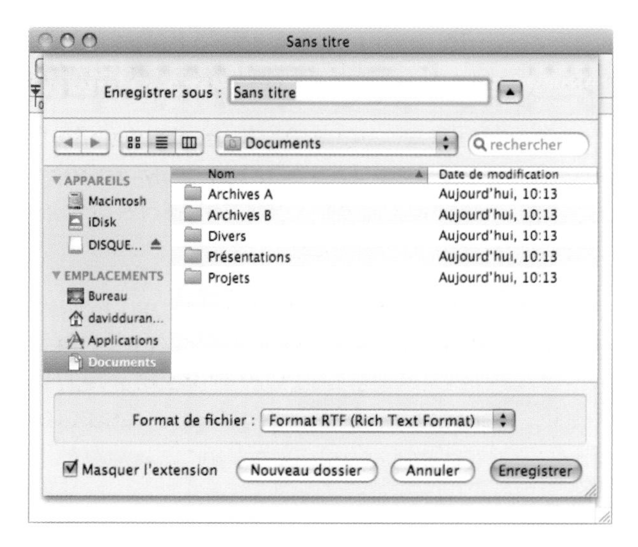

Figure 8.3: La présentation en mode Liste.

Figure 8.4: La présentation en mode Colonnes.

Pensez à agrandir la fenêtre pour mieux en visualiser le contenu. La technique classique : cliquez-glissez sur la case de contrôle de taille.

3. **Baptisez votre document: entrez, dans la case Enregistrer sous, le nom que vous souhaitez lui attribuer.**

4. **Désignez l'endroit où vous désirez stocker le fichier à enregistrer en mettant à profit les trois zones prévues à cet effet: le menu local Accès, la barre latérale et la partie centrale de la fenêtre.**

Le menu Accès répertorie les principaux endroits vers lesquels vous êtes susceptible de demander la sauvegarde, ainsi que les dossiers vers lesquels vous avez, il y a peu, effectué des enregistrements, regroupés sous la mention Emplacements récents (Figure 8.5).

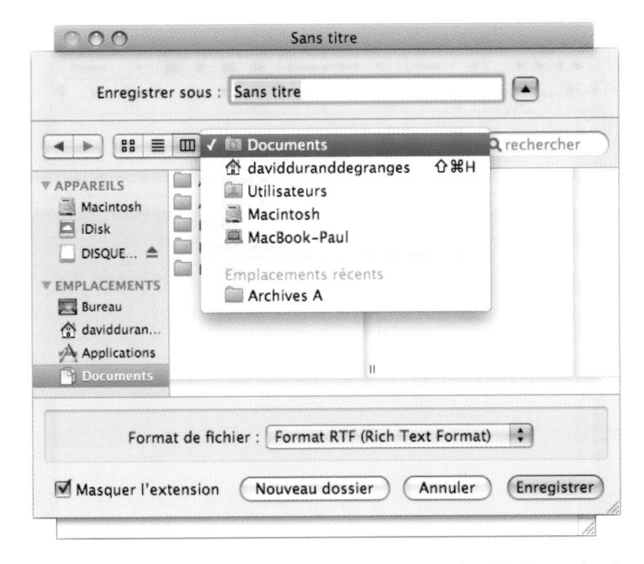

Figure 8.5: Le menu Accès vous permet de désigner la destination du document en cours d'enregistrement.

Le nom qui figure en tête du menu Accès est celui de l'élément actif, c'est-à-dire l'endroit où vous allez stocker le document si vous n'en désignez pas un autre.

5. **Cliquez sur Enregistrer.**

La guerre des boutons

En général, les fenêtres d'enregistrement proposent trois boutons: Nouveau dossier, Annuler et Enregistrer.

- **Nouveau dossier**: Utilisez ce bouton pour créer un nouveau dossier dans le dossier actif, puis donnez-lui un nom.
- **Annuler**: Ferme la fenêtre sans procéder à la sauvegarde. Vous retournez à la case départ.
- **Enregistrer**: Déclenche l'enregistrement.

Vous savez à présent à quoi vous en tenir.

Enregistrer la mise à jour

Vous avez enregistré votre document: vous lui avez attribué un nom et un emplacement, et le Mac l'a sauvegardé sous cet intitulé et à cet endroit. Parfait. Mais que se passe-t-il si après cette opération vous apportez des modifications au fichier?

Vous disposez alors de deux exemplaires de ce document:

- La version A, celle qui est enregistrée sur le disque;
- La version B, celle qui a subi les modifications et qui n'est que provisoirement stockée dans la mémoire du Mac.

Tout le principe consiste ici à mettre à jour la version A. C'est simple: invoquez une nouvelle fois la commande d'enregistrement.

Son équivalent clavier est pratiquement universel: ⌘ + S. Mémorisez-le. Venez-en à l'invoquer presque inconsciemment.

C'est donc la même commande qui sert au premier enregistrement et aux mises à jour ultérieures. La différence est que, lors de la première sauvegarde, elle provoque l'affichage de la fenêtre d'enregistrement, ce qui n'est pas le cas lors des sauvegardes suivantes.

Enregistrer sous un autre nom et/ou à un autre endroit

Voisine de la commande Enregistrer, la commande Enregistrer sous vous permet, elle, d'enregistrer un fichier qui l'est déjà sous un autre nom et/ou à un autre endroit.

Imaginons que vous ayez établi dans un document baptisé Juin des prévisions budgétaires pour le mois de juin, et l'ayez archivé dans un dossier baptisé Trimestre 2. Lorsqu'il s'agira d'établir les budgets des mois suivants, pourquoi ne pas prendre comme base ce document Juin, l'enregistrer sous le nom Juillet et le stocker dans un dossier intitulé Trimestre 3?

Dans la pratique :

1. **Choisissez Fichier/Enregistrer sous.**
2. **Entrez le nouveau nom du fichier.**

Et/ou :

3. **Affectez-lui une nouvelle destination.**
4. **Cliquez sur Enregistrer.**

Chapitre 9

Ouvrir

Dans ce chapitre :

- Ouvrir un document.
- Quand ça ne tourne pas rond.

Vous avez, hier, enregistré un fichier. Vous souhaitez à présent y accéder. Comment faire ? L'ouvrir, tout simplement !

Ouvrir un document

Vous pouvez agir depuis le Bureau ou depuis le programme qui a servi à créer le document en question.

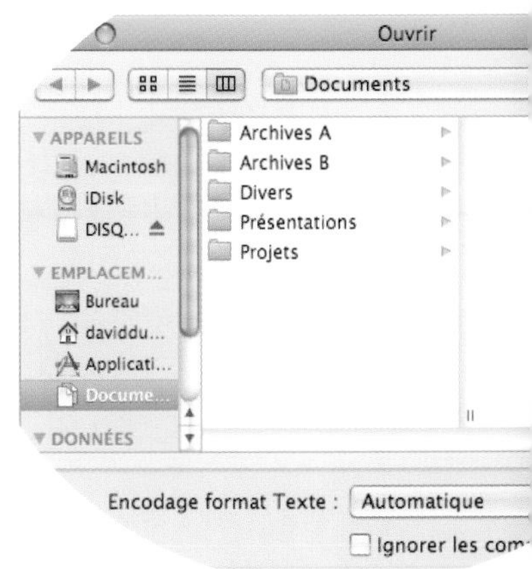

Agir depuis le Bureau

Si vous agissez depuis le Finder :

1. **Identifiez l'icône du document à ouvrir.**
2. **Cliquez deux fois dessus.**

Vous pouvez aussi appliquer la technique du glisser-déposer : faites glisser l'icône du document à ouvrir sur celle de son programme source.

Agir depuis le programme

Si vous maîtrisez la fenêtre d'enregistrement, la fenêtre d'ouverture ne devrait pas vous poser de problème :

1. **Choisissez Fichier/Ouvrir ou enfoncez les touches ⌘ + O.**

   La fenêtre d'ouverture s'affiche (Figure 9.1).

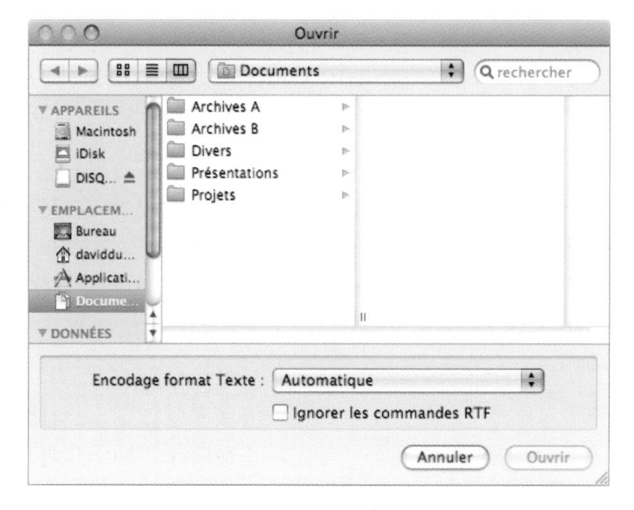

Figure 9.1 : La boîte de dialogue de la commande Ouvrir de TextEdit.

Comme la fenêtre d'enregistrement, la fenêtre d'ouverture est susceptible d'être présentée en modes Icônes, Liste et Colonnes. On constate avec plaisir que les services de navigation de ces fenêtres ont évolué puisqu'ils empruntent désormais la même philosophie que les fenêtres Finder, facilitant de ce fait la navigation parmi les volumes.

2. **Désignez l'endroit où se trouve le fichier à ouvrir en mettant à profit les trois zones prévues à cet effet : le menu local Accès, la barre latérale et la partie centrale de la fenêtre.**

3. **Sélectionnez ce fichier.**

4. **Cliquez sur Ouvrir.**

Quand ça ne tourne pas rond

Certains problèmes peuvent se poser à l'ouverture; la solution diffère selon que vous agissez depuis le Bureau ou depuis le programme d'application.

Agir depuis le Bureau

Il est parfois impossible d'ouvrir une icône parce que le Mac ne parvient pas à localiser le programme source: celui-ci ne figure pas sur le disque, a été renommé, a été endommagé...

Si vous vous retrouvez dans cette situation, glissez-déposez l'icône du document sur celle d'un programme que vous estimez capable de l'ouvrir. L'icône passe en surbrillance? C'est gagné!

Si l'icône reste de marbre, c'est que l'ouverture est impossible. Attention! Dans ces conditions, le fichier dont vous avez glissé-déposé l'icône est transféré vers le dossier auquel appartient l'application mise à l'épreuve. Remettez-le à sa place avant de poursuivre.

Sinon, double-cliquez sur l'icône; le Mac vous adresse alors un message d'erreur (Figure 9.2), vous invitant à choisir une application susceptible d'ouvrir le document.

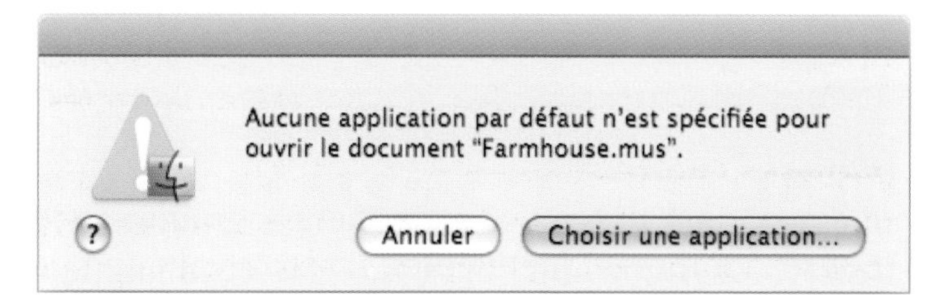

Figure 9.2: Le Mac cherche à vous prêter main-forte.

Dans ce cas :

1. **Cliquez sur Choisir une application.**

   Une autre fenêtre vous est adressée (Figure 9.3), qui présente en grisé les programmes incapables d'ouvrir le fichier désigné.

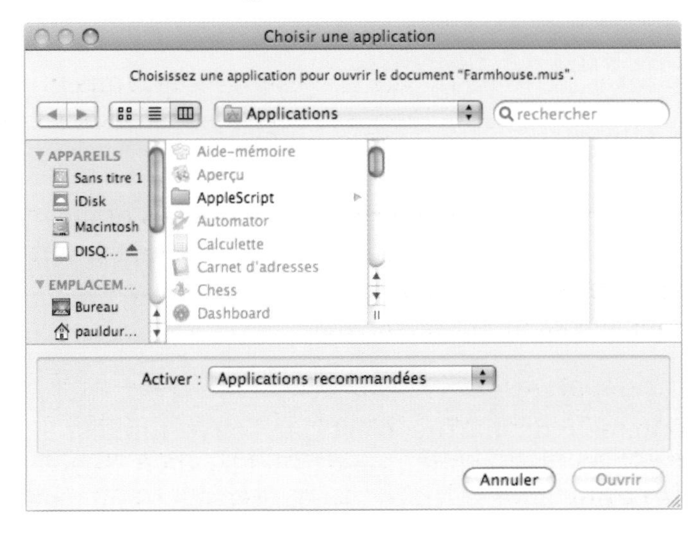

Figure 9.3 : Faites votre choix dans cette fenêtre.

2. **Utilisez les différents éléments de la fenêtre pour sélectionner un programme.**

   Pour élargir votre choix, sélectionnez Toutes les applications dans le menu local Activer. Sachez cependant qu'en règle générale Mac OS X sait mieux que vous quel programme est capable d'ouvrir quel fichier. Faites donc confiance à l'option Applications recommandées.

   Il est évident que n'importe quel programme ne peut ouvrir n'importe quel fichier. Il serait vain de chercher à ouvrir un fichier MP3 (musique) avec Microsoft Excel (tableur). Vous devrez donc parfois tâtonner avant de trouver *le* logiciel capable de procéder à l'ouverture.

3. **Cliquez sur Ouvrir.**

Vous avez appris, dans la section "Obtenir des infos" du Chapitre 5, que la fenêtre d'informations et son volet Ouvrir avec dressent la liste des programmes susceptibles d'ouvrir le fichier courant. N'hésitez pas à y faire appel.

Agir depuis le programme

La commande Ouvrir de vos programmes ne vous propose à l'ouverture que les fichiers susceptibles d'être lus par les programmes en question.

En d'autres termes, elle ne répertorie que les documents que le programme courant est capable d'interpréter, évitant ainsi un engorgement inutile des listes de fichiers ouvrables. Pratique, sauf dans le cas qui nous occupe.

Heureusement, les programmes évolués, comme MS Word par exemple, sont relativement universalistes et capables d'ouvrir toutes sortes de fichiers. Ils regroupent, dans un menu souvent intitulé Formats de fichiers, les multiples formats auxquels ils vous permettent d'accéder. Parfois, une option baptisée Tous les fichiers dresse la liste de tous les documents susceptibles d'être lus par le programme en question.

Possibilité à tester. Souvent très performante.

Chapitre 10

Imprimer

Dans ce chapitre :

- Préparer l'impression.
- Définir le format d'impression.
- Prévisualiser.
- Lancer la procédure.
- Maîtriser les polices.

En général, l'impression se déroule sans encombre. Découvrez ses options, contrôlez son déroulement, apportez une solution à ses difficultés éventuelles.

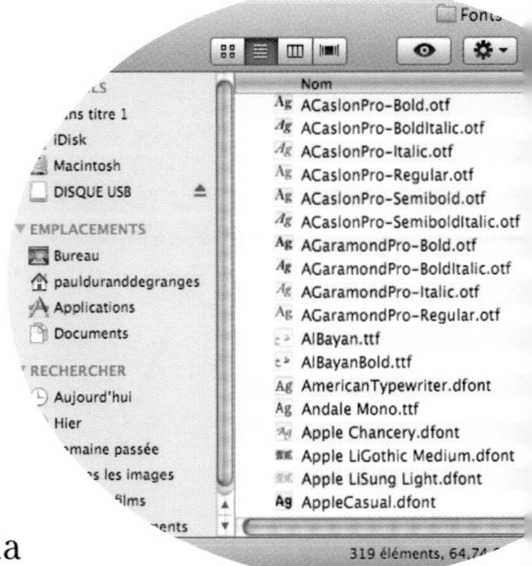

Préparer l'impression

Il convient avant tout de raccorder l'imprimante au Mac (connecter), puis de lui signaler sa présence (configurer).

Il existe sur le marché une foule de modèles d'imprimantes. Nous ne pouvons bien entendu les décrire tous. Consultez donc la documentation qui accompagne votre unité de sortie pour savoir comment il convient de la gérer ; pour le reste, suivez les consignes que nous vous donnons dans ce chapitre.

Connecter

D'une manière générale, pour établir la connexion :

1. **Branchez l'imprimante au Mac à l'aide du câble prévu à cet effet.**

   Attention : tous les modèles ne se branchent pas sur la même prise. En d'autres termes, ils n'utilisent pas tous le même port. De fait, certaines imprimantes se branchent sur le port Ethernet ou sur un hub Ethernet ; d'autres emploient le port USB (Universal Bus Serie) ; d'autres encore se connectent au port FireWire. Lisez le manuel de votre périphérique pour savoir via quelle prise vous devez le raccorder au Mac.

2. **Branchez l'imprimante à une prise électrique.**
3. **Allumez-la.**
4. **Si elle exige, pour fonctionner, l'installation d'un utilitaire, procédez à cette installation.**
5. **Faites redémarrer votre Mac.**

   Voilà. C'est tout.

Configurer

Une fois que vous avez connecté l'imprimante au Mac, raccordé cette unité de sortie à une prise électrique et installé l'éventuel logiciel requis, vous pouvez configurer le Mac afin qu'il soit capable de dialoguer avec son périphérique. C'est via le tableau de bord Imprimantes et fax que vous allez pouvoir mener cette opération à bien.

Car même si l'unité de sortie est branchée au Mac ou disponible sur réseau, l'ordinateur ignore tout d'elle tant que vous n'avez pas fait les présentations en bonne et due forme.

Mac OS X offre une prise en charge étendue de la plupart des imprimantes USB, puisqu'il est capable d'opérer une sélection automatique des pilotes d'imprimante, ces fichiers qui permettent au Mac et à l'unité de sortie de dialoguer. Il intègre par ailleurs plus de 200 pilotes en tout genre, assurant ainsi la communication avec les modèles d'imprimantes les plus répandus, Hewlett-Packard et Xerox notamment.

Allez-y :

1. **Lancez le tableau de bord Imprimantes et fax : ouvrez Préférences système (choisissez Pomme/Préférences système ou activez l'icône correspondante du Dock), puis cliquez ensuite sur l'icône Imprimantes et fax.**

   Le tableau de bord s'affiche (Figure 10.1).

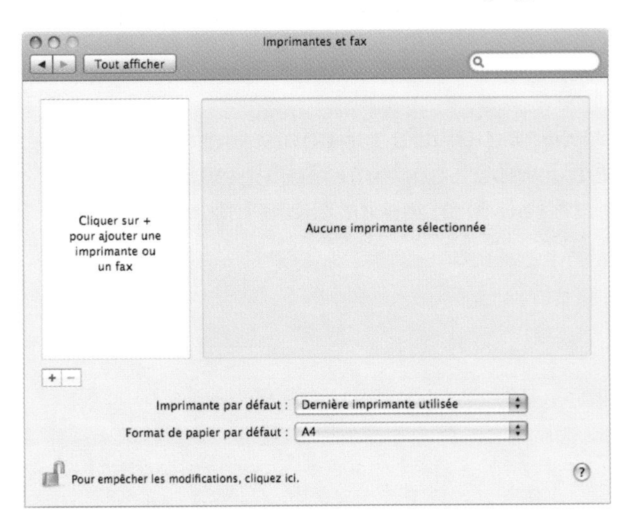

Figure 10.1 : Commencez par le commencement.

2. **Cliquez sur +.**

   Une fenêtre s'affiche (Figure 10.2). Vous devez, en effet, commencer par constituer une liste des imprimantes disponibles.

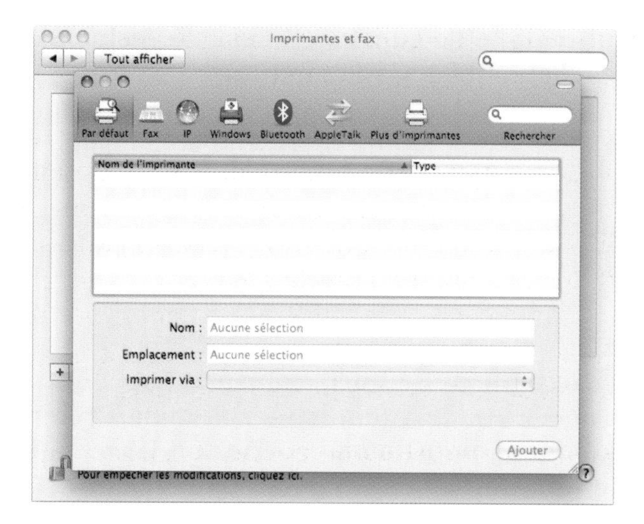

Figure 10.2 : La fenêtre indiquant la liste des imprimantes.

3. **Si nécessaire, cliquez sur l'une des icônes de la partie supérieure pour indiquer le mode de connexion.**

   Dans la Figure 10.3, nous choisissons AppleTalk, étant donné que notre imprimante fonctionne en réseau, connectée au Mac via un câble Ethernet sur réseau AppleTalk.

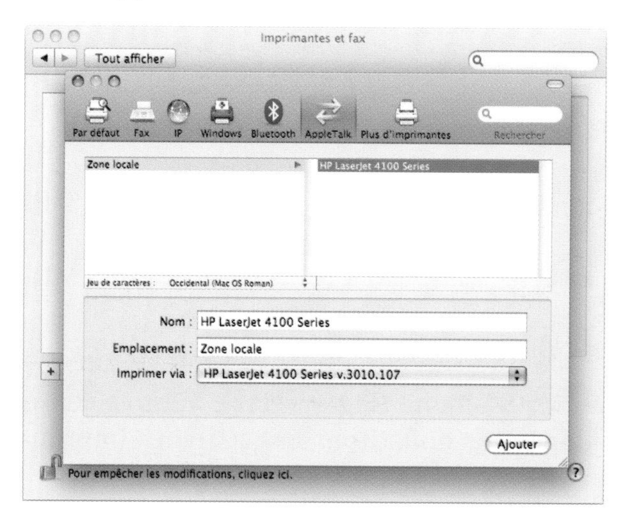

Figure 10.3 : Les choix disponibles.

Une fois le type de connexion désigné, les noms des imprimantes disponibles s'affichent.

Les connexions les plus classiques sont AppleTalk et USB. Il existe dans cette fenêtre une autre option intitulée Impression via IP. Si votre imprimante se trouve sur réseau TCP/IP, vous devez la configurer avec son adresse réseau. De fait, les réseaux de grande envergure utilisent en général des imprimantes LPR. Si tel est votre cas, adressez-vous à l'administrateur réseau de votre entreprise : il vous aidera à configurer votre imprimante LPR.

4. **Sélectionnez l'imprimante souhaitée, puis cliquez sur Ajouter.**

   La fenêtre d'ajout disparaît ; la liste des imprimantes resurgit. Celle que vous venez d'ajouter s'y trouve.

Vous ne parvenez pas à configurer votre périphérique de sortie ? Rendez-vous sur le site Internet du fabricant afin de vous y procurer le dernier pilote en date. Les *pilotes* sont les fichiers qui permettent au Mac et à l'unité de sortie de communiquer ; plus la version est récente, plus l'entente est bonne.

Brancher AppleTalk

Il peut arriver que vous possédiez une imprimante AppleTalk, mais que celle-ci n'apparaisse pas dans la liste lorsque vous validez l'option AppleTalk du menu déroulant du haut de la fenêtre.

Penchez-vous alors sur les Préférences Système :

1. **Choisissez Pomme/Préférences Système ou activez l'icône correspondante du Dock.**

   La fenêtre Préférences Système s'affiche.

2. **Dans la rubrique Internet et réseau, cliquez une fois sur l'icône Réseau.**

   La fenêtre Réseau s'affiche.

3. **Si nécessaire, choisissez Ethernet dans la liste de gauche.**

   Les options de la partie de droite changent.

4. **Cliquez sur Avancé.**

5. **Activez l'onglet AppleTalk.**

   L'onglet s'affiche (Figure 10.4).

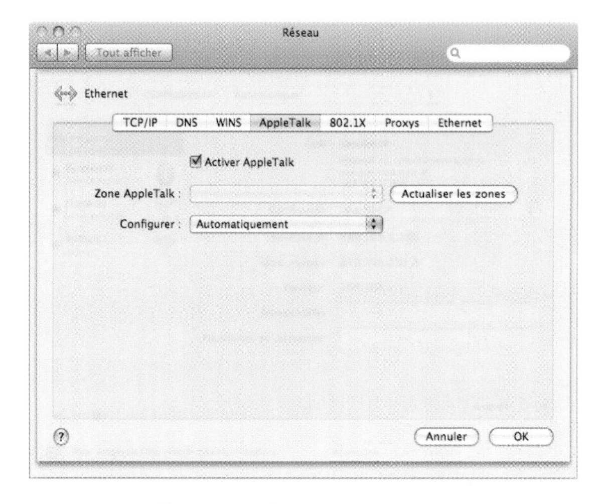

Figure 10.4 : Nous y voilà !

6. **Assurez-vous que l'option Activer AppleTalk est validée. Sinon, validez-la.**

7. **Cliquez sur OK.**

8. **Cliquez sur le bouton Tout afficher, puis sur l'icône Imprimantes et fax.**

9. **Recommencez la procédure de configuration de l'imprimante.**

10. **Quittez Préférences système.**

Définir le format d'impression

Avant de passer à l'impression proprement dite, il vous faut définir différents réglages en matière de format de papier, d'orientation et d'échelle.

Tout se fait dans la fenêtre de la commande Fichier/Format d'impression.

1. **Choisissez Fichier/ Format d'impression.**

   La fenêtre correspondante s'affiche (Figure 10.5).

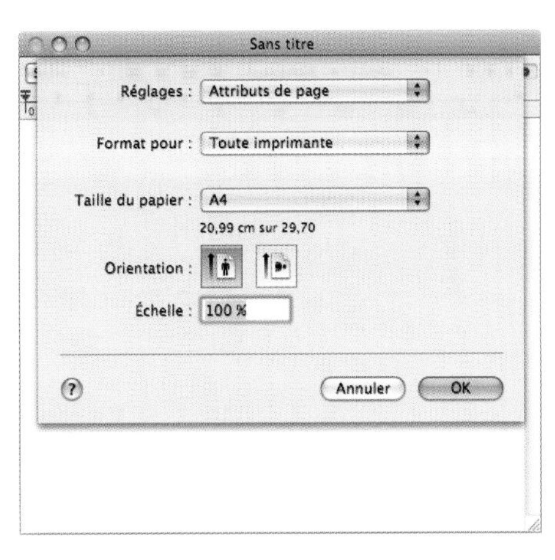

Figure 10.5 : La fenêtre Format d'impression de TextEdit.

   Familiarisez-vous avec cette fenêtre : elle est incontournable. Notez au passage que la commande s'intitule parfois Format d'impression, parfois Mise en page. Sachez aussi que les options varient selon le modèle d'imprimante sélectionné (à jets d'encre ou PostScript) ou selon le programme actif. Ainsi, Word propose des options spécifiques (comme Pages paires ou Pages impaires) que l'humble TextEdit ne possède pas. Vous pataugez ? Cliquez sur le point d'interrogation placé en bas à gauche pour appeler la fonction d'aide à la rescousse.

2. **Opérez les réglages souhaités.**

   Vous avez plusieurs possibilités :

   - **Réglages** : Laissez l'option Attributs de page active pour avoir accès aux options de configuration.
   - **Format pour** : Choisissez l'imprimante que vous entendez charger de l'impression.
   - **Taille du papier** : Sélectionnez le format du papier qui se trouve dans le bac d'alimentation ou désignez un format personnalisé, à charge pour vous d'introduire ensuite manuellement les feuilles dans l'imprimante. Les dimensions du format choisi s'affichent sous le menu.
   - **Orientation** : Optez pour une orientation portrait ou à la française (impression dans le sens de la largeur du papier), ou bien pour une orientation paysage ou à l'italienne (impression dans le sens de la hauteur du papier) ; dans cette seconde éventualité, faites un choix parmi les deux variantes proposées.
   - **Échelle** : Entrez éventuellement un taux de réduction ou d'agrandissement.

3. **Cliquez sur OK.**

Prévisualiser

Pensez aux forêts canadiennes : prévisualisez avant d'imprimer ! Bien souvent, cette opération fera apparaître des défauts que vous pourrez corriger avant de lancer l'impression.

Certains programmes (Word et Excel notamment) sont dotés d'une commande Aperçu avant impression, logée dans le menu Fichier. Ceux qui en sont dépourvus peuvent, malgré tout, fournir un avant-goût de leur document grâce au bouton Aperçu, qui figure dans le bas de la fenêtre d'impression (que nous commentons dans la section suivante) et qui déclenche un utilitaire baptisé fort à propos Aperçu ; celui-ci assure la prévisualisation, aidé dans sa tâche par son très efficace menu Affichage (il regroupe des commandes redoutables comme Zoom avant, Zoom arrière, Défilement continu…).

En général, le mode Aperçu prend différentes opérations en charge :

- Il affiche le document courant en réduction ;
- Il vous permet de tourner les pages ;
- Il autorise un zoom avant ou arrière pour voir les choses de près ou, au contraire, prendre du recul ;
- Il va parfois jusqu'à gérer les marges et les titres courants.

Lancer la procédure

Ouf ! On y arrive enfin ! C'est pas trop tôt !!!

Le document à imprimer est ouvert ? Il n'attend qu'une chose, c'est qu'on l'immortalise ?

C'est parti.

1. **Choisissez Fichier/Imprimer ou enfoncez les touches ⌘ + P.**

   La fenêtre d'impression s'affiche (Figure 10.6).

2. **Désignez l'imprimante chargée de l'impression.**

   Cette opération ne s'impose évidemment que quand plusieurs imprimantes sont disponibles (celles que vous avez configurées au préalable via le programme Configuration d'imprimante – voir à ce sujet la section "Configurer", plus haut dans ce chapitre).

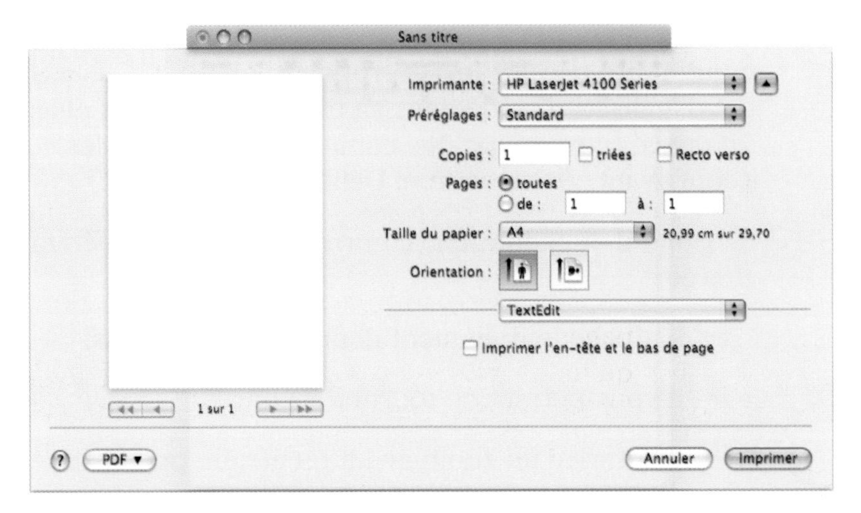

Figure 10.6: Cette fenêtre diffère selon le programme actif; nous sommes ici dans TextEdit.

Si vous avez enregistré un ensemble de réglages via la commande Enregistrer sous du menu local Préréglages, vous pouvez sélectionner cette configuration dans ce même menu.

3. **Cliquez la flèche vers le bas, placée en regard d'Imprimante, pour obtenir une fenêtre (Figure 10.7).**

À ce stade, plusieurs séries de réglages sont disponibles via le menu déroulant qui indique, a priori, TextEdit. Détaillons-les.

Copies et pages

4. **Assurez-vous que la mention TextEdit (ou, selon les programmes, Copies et pages) s'affiche bien dans le menu déroulant de la partie centrale de la fenêtre, puis validez les options souhaitées.**

   - **Copies**: Spécifiez le nombre d'exemplaires à imprimer.
   - **Triées**: Activez l'option pour imprimer exemplaire par exemplaire (toutes les pages de l'exemplaire 1, puis

toutes celles de l'exemplaire 2, et ainsi de suite) ; désactivez-la pour agir par page (toutes les pages 1, puis toutes les pages 2, etc.).

- **Recto verso** : Activez l'option pour imprimer le document recto verso. Certaines imprimantes gèrent ce mode et tournent automatiquement les feuilles.
- **Pages** : Validez l'option Toutes pour imprimer toutes les pages du document. En revanche, pour n'en imprimer qu'une partie, entrez le numéro de la première page à traiter dans la case De et celui de la dernière dans la case à.

Pour n'imprimer qu'une seule page, entrez la même valeur dans les deux cases.

- **Taille** : Sélectionnez la taille du papier que vous utilisez.
- **Orientation** : Sélectionnez l'orientation de l'impression : portrait ou paysage.

Mise en page

5. Choisissez Disposition dans le menu déroulant de la partie centrale de la fenêtre (Figure 10.7), et validez les options souhaitées.

- **Page(s)/feuille** : Choisissez une valeur dans la liste. (Plus la valeur est élevée, plus les pages sont petites.)
- **Orientation** : Spécifiez dans quel sens les pages miniatures doivent être traitées.
- **Bordure** : Sélectionnez une bordure (simple extra fine, simple fine, double extra fine ou double fine).
- **Recto verso** : Indiquez où se trouve la reliure si vous imprimez en recto verso.
- **Inverser l'orientation de la page** : Activez cette option pour inverser le sens d'impression sur la page.

Figure 10.7 : Les options de disposition.

Programmateur

Vous pouvez désormais imprimer en différé. Profitez donc des temps morts (pause café, réunion, rendez-vous à l'extérieur) pour imprimer (ou faxer) vos documents.

6. **Choisissez Programmateur dans le menu déroulant de la partie centrale de la fenêtre (Figure 10.8), et validez les options souhaitées.**

   - **À** : Spécifiez l'heure à laquelle le document doit être envoyé à l'impression.
   - **Priorité** : Affectez-lui une priorité.

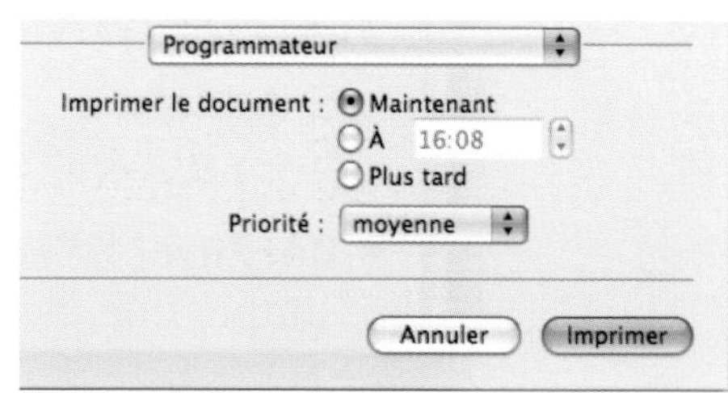

Figure 10.8 : On n'arrête pas le progrès !

Gestion du papier

7. Choisissez Gestion du papier dans le menu déroulant de la partie centrale de la fenêtre (Figure 10.9); validez les options souhaitées.

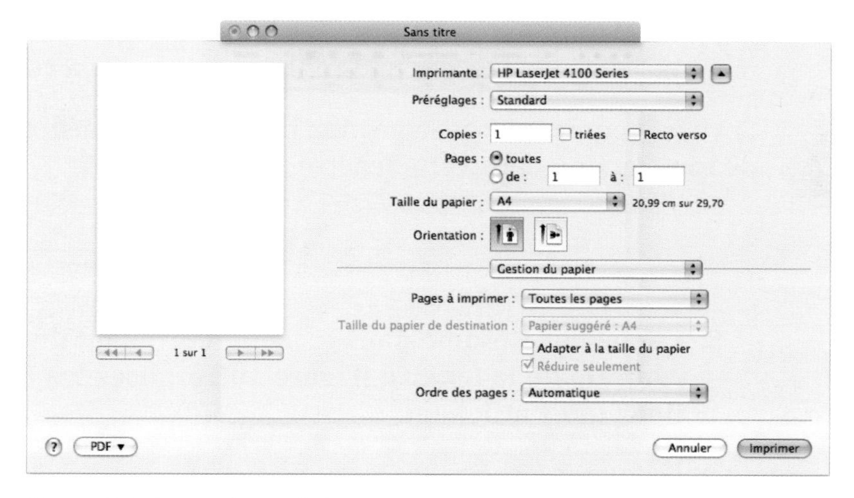

Figure 10.9 : Les options relatives au papier sont regroupées ici.

- **Pages à imprimer** : Choisissez d'imprimer toutes les pages, uniquement les paires ou uniquement les impaires.
- **Adapter à la taille du papier** : Activez cette option pour adapter l'impression à la taille du papier placé dans l'imprimante. Vous pouvez ensuite configurer les options Papier suggéré et Réduire seulement.
- **Ordre des pages** : Normalement, les pages s'impriment de la première à la dernière. Cette option vous permet de faire l'inverse.

Concordance des couleurs

Cette commande déborde du cadre du présent ouvrage. Contentez-vous de savoir à ce stade qu'elle vous permet de modifier les réglages de gestion des couleurs, le but étant de respecter une parfaite correspondance des couleurs des différents périphériques grâce à un subtil jeu de profils.

Vous pouvez laisser l'application active contrôler la gestion des couleurs de la sortie (option ColorSync) ou confier cette mission à l'imprimante (option Par l'imprimante). Il est également possible de charger un profil de gestion de la couleur.

Si vous ignorez tout de la gestion de la couleur, abstenez-vous de toute action dans cette fenêtre.

Résumé

8. **Choisissez Résumé dans le menu déroulant de la partie centrale de la fenêtre (Figure 10.10); lisez les informations qui s'affichent.**

   La fenêtre propose toutes sortes d'informations relatives à l'impression de votre document.

9. **Cliquez sur Imprimer.**

   Hourra!

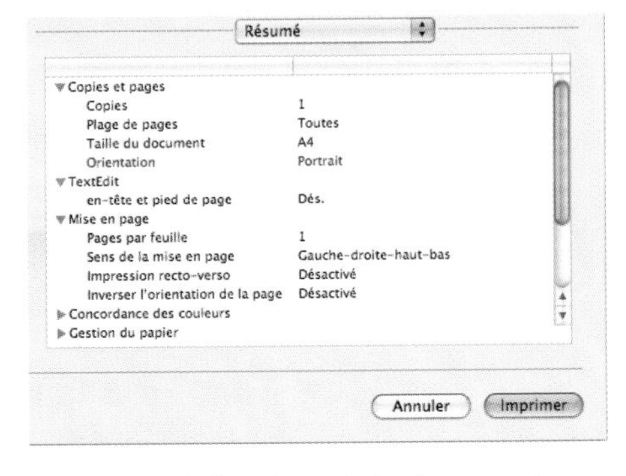

Figure 10.10 : Le résumé du document que vous vous préparez à imprimer.

Faxer

Leopard intègre désormais un fax dans les fonctions d'impression, vous permettant de télécopier des fichiers directement depuis votre Mac vers un télécopieur ou vers un ordinateur capable de recevoir des télécopies.

Configurez votre télécopieur en l'ajoutant dans le tableau de bord Imprimantes et fax. Procédez comme indiqué au début de ce chapitre mais cliquez sur l'icône Fax.

Le format PDF étant dorénavant géré en natif sous OS X, il était logique qu'Apple intègre une fonction de fax, puisque presque tous les programmes de fax emploient le format PDF, tant en émission qu'en réception.

Faxer devient donc aussi simple qu'imprimer. Pour preuve :

1. **Sélectionnez le fax dans la liste des imprimantes.**

   La fenêtre des options de fax s'affiche (Figure 10.11).

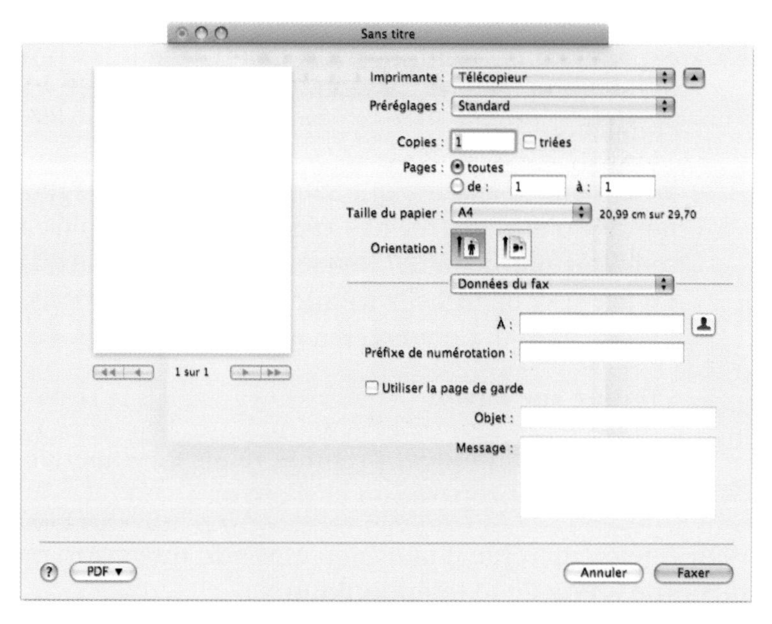

Figure 10.11 : Le fax à portée de main.

2. **Introduisez dans la case À le numéro de fax du destinataire.**

Si celui-ci figure dans votre Carnet d'adresses, cliquez sur le bouton de droite (celui qui représente une silhouette) : vous accédez ainsi directement à ce Carnet et n'avez plus qu'à y faire votre choix.

3. **Introduisez dans la case Préfixe l'éventuel préfixe de numérotation requis par votre système téléphonique (par exemple 5 si vous devez composer ce chiffre pour obtenir une ligne extérieure).**

4. **Pour ajouter une page de garde, validez l'option du même nom et tapez le message dans la zone d'édition prévue à cet effet.**

Les autres options, accessibles via le menu déroulant central, sont identiques à celles disponibles pour l'impression classique. Reportez-vous donc aux sections ci-dessus.

Vous vous souvenez que le menu local Préréglages vous permet d'enregistrer des réglages pour ne plus avoir à les redéfinir par la suite ? Pensez à l'exploiter aussi dans le cas du fax si vous utilisez fréquemment des options identiques lors de l'envoi de vos télécopies.

5. **Cliquez sur Faxer.**

L'application modem prend le relais et vous tient informé de l'état de préparation et d'envoi.

Pour que ça marche, il faut bien entendu que votre modem soit raccordé à une ligne téléphonique.

C'est au niveau de la préférence système Imprimantes et fax (Chapitre 14) que se définissent les préférences de réception.

Maîtriser les polices

Mac OS X vous est livré avec un bel échantillon de polices de caractères (Figure 10.12). En informatique, on parle de *fonte*, une *fonte* étant – pour simplifier – un ensemble de caractères partageant un même dessin de base.

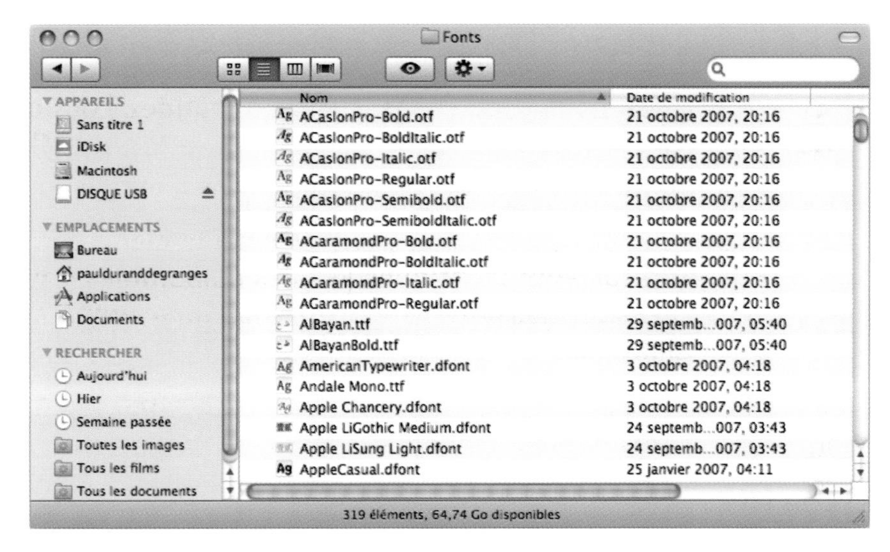

Figure 10.12: Les polices de Mac OS X.

Si ces polices ne vous suffisent pas, procurez-vous-en d'autres (chez un copain, chez votre vendeur de logiciels, sur Internet…).

Mais attention : il en existe de différents types ; sachez les distinguer ; il vous faudra ensuite les installer si vous souhaitez pouvoir les utiliser dans vos documents.

Distinguer les types

Il existe plusieurs types de polices de caractères : OpenType, Mac TrueType, Windows TrueType, PostScript Type 1, bitmap et dfont. Pas d'inquiétude : Mac OS X les gère tous.

Les deux catégories majeures sont TrueType et Type 1 :

- **TrueType** : C'est le type des polices standard Apple livrées avec Mac OS X. Ces fontes peuvent être mises à l'échelle, ce qui signifie qu'il suffit d'en charger une version de base, le Mac étant capable de calculer ensuite tout seul les autres tailles que vous lui demandez.
- **PostScript Type 1** : Ces polices sont composées de deux éléments : d'un côté, une valise qui regroupe les versions écran (celles dont le Mac a besoin pour afficher les caractères) ; de l'autre, les versions imprimante (celles dont l'unité de sortie doit impérativement disposer pour procéder à l'impression). On le voit, ces polices sont plus lourdes en Ko et plus complexes à gérer. En général, elles sont surtout utilisées dans le monde de la PAO (publication assistée par ordinateur) ; il en existe tellement que vous en aurez le vertige.

Installer

Pour installer une nouvelle police, il suffit de faire glisser son icône dans un des deux dossiers Fonts de votre disque dur.

Mais lequel choisir ?

- Pour que la nouvelle police puisse être utilisée par toutes les personnes exploitant votre Mac, choisissez le dossier Fonts qui se trouve dans le dossier Bibliothèque de la racine de votre disque dur.
- Pour la réserver au contraire à votre usage exclusif, archivez-la dans le dossier Fonts du dossier Bibliothèque de votre dossier Départ.

Le programme baptisé Livre des polices vous aide à gérer vos polices. Pour en savoir plus à son sujet, voyez le Chapitre 12.

Chapitre 11

Gérer fichiers, dossiers et disques

Dans ce chapitre :

- Comprendre la gestion des dossiers telle que la pratique Mac OS X.
- Manipuler fichiers et dossiers.
- Piloter des supports amovibles.

Vous avez, au début de cet ouvrage, étudié les techniques de base de gestion des menus, des fenêtres et des icônes. Concentrez-vous à présent sur un autre aspect des choses – et non des moindres : la gestion des fichiers, des dossiers et des disques.

Le terme "gestion" est vaste : il englobe aussi bien des techniques élémentaires de création, manipulation et déplacement de fichiers que des opérations plus évoluées comme la recherche ou la copie de sauvegarde sur CD.

Comprendre la gestion des dossiers telle que la pratique Mac OS X

Pour fonctionner, Mac OS X a besoin d'une foule de fichiers, qu'il a regroupés dans des dossiers qui lui sont propres.

Toute personne qui utilise le Mac dispose, elle aussi, de sa propre batterie de dossiers prédéfinis, regroupés dans un dossier maître appelé Départ.

Cette structure arborescente n'est pas évidente. Décomposons-la.

Le dossier Ordinateur

Situé au niveau 1 de la hiérarchie, le dossier Ordinateur répertorie tous les dispositifs de stockage qui sont connectés au Mac (disques durs, CD, DVD, Zip, etc.).

Pour accéder à cette fenêtre :

- **Choisissez Aller/Ordinateur.**

Ou :

- **Enfoncez les touches ⌘ + Majuscule + C.**

A priori, la commande n'est pas disponible dans la barre latérale des fenêtres Finder. Mais elle peut le devenir : choisissez Finder/Préférences, activez l'onglet Barre latérale, puis cochez l'option Ordinateur. Comme vous le voyez (Figure 11.1), cet onglet contrôle les éléments affichés à cet endroit.

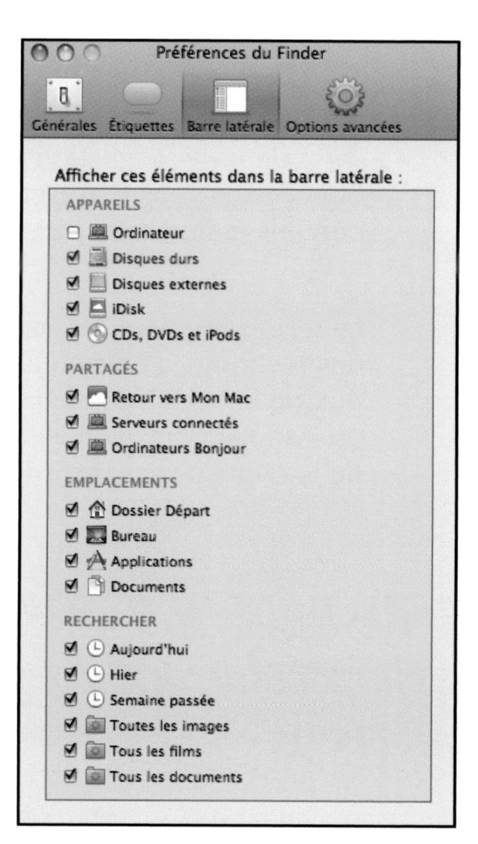

Figure 11.1 : Le paramétrage de la barre latérale.

Le contenu de la fenêtre dépend donc, forcément, du nombre de disques montés. La Figure 11.2 comporte trois icônes :

- **Macintosh** : Icône du disque dur interne.
- **Réseau** : Icône qui assure l'accès à des serveurs ou à des Mac partagés.
- **DVD_VR** : Icône du CD se trouvant actuellement dans le lecteur.

Figure 11.2 : La fenêtre Ordinateur.

Le dossier du disque dur

Le dossier qui représente votre disque dur (qu'il s'appelle Macintosh HD, iMac ou autre) comporte plusieurs dossiers (Figure 11.3).

- **Applications** : Occupant le niveau 1 de la racine de votre disque de démarrage (c'est-à-dire celui sur lequel Mac OS X est installé), ce dossier réunit tous les programmes livrés avec le Système. Ceux-ci sont détaillés dans le Chapitre 12 de la partie suivante, "Découvrir le dossier Applications".

Pour accéder à ce dossier :

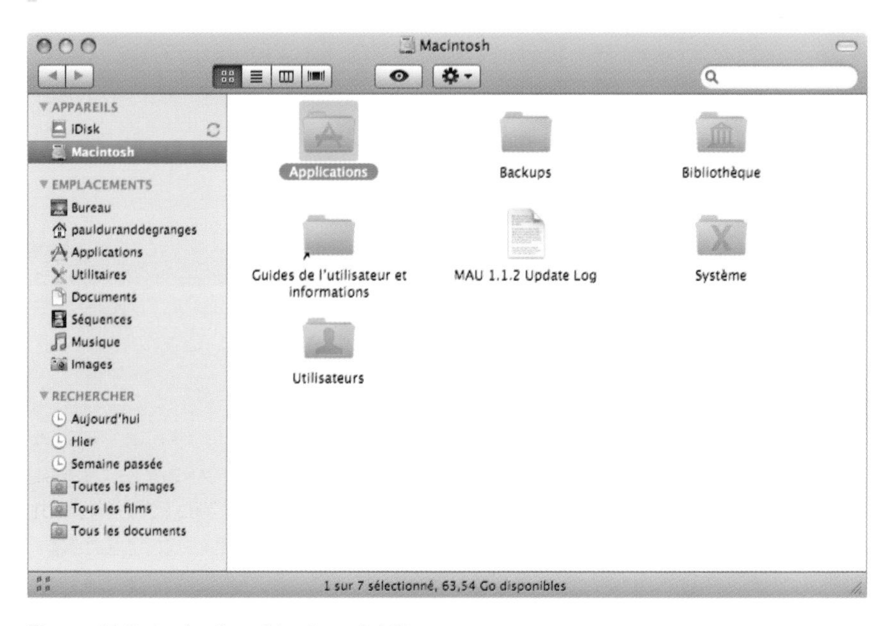

Figure 11.3 : La fenêtre Macintosh HD.

- **Choisissez Aller/Applications.**

  Ou :

- **Enfoncez les touches ⌘ + Majuscule + A.**

  Ou :

- **Activez l'icône Applications depuis la barre latérale de n'importe quelle fenêtre Finder.**

- **Bibliothèque** : Bibliothèque publique à laquelle tous les utilisateurs du Mac ont accès. En général, il s'agit de fichiers que seul le Système est capable de manipuler (fichiers de préférences, principalement). Ne déplacez, renommez ni supprimez aucun de ces éléments ! Le seul sous-dossier que vous aurez éventuellement à traiter est le sous-dossier Fonts. Vous avez appris à la fin du chapitre précédent que vous pouviez stocker à cet endroit les polices de caractères que vous désirez mettre à la portée de tous.

Le dossier Départ (propre à chaque utilisateur) comporte lui aussi un dossier Bibliothèque, qui ressemble davantage à une bibliothèque privée. (Il en existe même un troisième du même nom, stocké dans le dossier Système. Nous y reviendrons.)

- **Système** : Attention ! Nitroglycérine ! C'est ici que sont regroupés tous les fichiers sans lesquels le Mac ne peut fonctionner. N'en modifiez le contenu sous aucun prétexte !

Par le passé, une foule d'intrus venaient s'installer ici : les extensions et autres Tableaux de bord, sans compter ces flopées de fichiers que toutes les applications que vous installiez sur votre Mac introduisaient d'autorité à cet endroit. Cette époque est révolue. Désormais, tout est propre ; rien ne vient troubler la tranquillité du lieu. La stabilité est donc parfaite.

- **Utilisateurs** : Ce dossier compte autant de sous-dossiers que le Macintosh compte d'utilisateurs. Il abrite en outre un dossier intitulé Partagé, dont le contenu est accessible à toutes les personnes qui partagent ce Mac. Ce dossier permet donc aux différents intervenants de la machine (administrateur(s) et simple(s) utilisateur(s)) d'échanger des fichiers.

Le dossier Départ

Vous savez déjà qu'à chaque utilisateur du Mac correspond un dossier Départ (Figure 11. 4).

Figure 11.4 : Le dossier Départ de l'utilisateur paulduranddeganges.

Que vous soyez seul à utiliser votre Macintosh ou que vous le partagiez avec cinq autres personnes, peu importe : l'organisation de Mac OS X est de toute façon multi-utilisateur. Pourquoi ? Parce que ce système d'exploitation est basé sur Unix, multi-utilisateur par essence puisque destiné aux serveurs et aux gros systèmes. Vous en saurez plus à ce sujet en lisant le Chapitre 15.

Pour accéder à ce dossier :

- **Choisissez Aller/Départ.**

  Ou :

- **Enfoncez les touches ⌘ + Majuscule + H.**

Ou :

- **Activez l'icône Départ depuis la barre latérale de n'importe quelle fenêtre Finder.**

Ce dossier Départ regroupe des sous-dossiers créés par Mac OS X, parmi lesquels figure le sous-dossier Documents dans lequel nous vous avons à plusieurs reprises engagé à réunir vos fichiers. Examinez son contenu de plus près :

- **Bureau** : Vous le savez déjà, les éléments que vous stockez sur le Bureau sont en réalité entreposés ici.

  Pour vous débarrasser d'un élément de ce type, faites glisser son icône depuis le Bureau vers la Corbeille, ou agissez depuis ce dossier Bureau.

- **Bibliothèque** : Regroupe vos fichiers de préférences, les polices auxquelles vous seul avez accès (voir plus haut), vos liens vers vos éléments favoris, vos moteurs de recherche Internet, etc. Ne touchez à rien !
- **Public** : Réunit des fichiers auxquels peuvent accéder tous les utilisateurs du Mac. (Voyez le Chapitre 15 et sa section "Connaître les dossiers partagés par défaut".)
- **Séquences, Musique et Images** : Dossiers vides dans lesquels vous pouvez stocker des fichiers.
- **Sites** : Réunit quelques fichiers dont le Mac aura besoin si vous validez le partage Web.

Manipuler fichiers et dossiers

L'heure est venue d'organiser vos données. Vous allez donc être amené à créer des dossiers.

Créer un dossier

1. **Activez la fenêtre dans laquelle vous souhaitez que le nouveau dossier soit créé. Pour placer celui-ci sur le Bureau, assurez-vous au contraire qu'aucune fenêtre n'est ouverte ni active.**

2. **Choisissez Fichier/Nouveau dossier ou enfoncez les touches ⌘ + Majuscule + N.**

   Un nouveau dossier apparaît ; il s'intitule provisoirement "dossier sans titre". Ce nom est sélectionné.

3. **Tapez le nom que vous entendez donner à ce nouveau dossier.**

Si par inadvertance vous cliquez en dehors de la zone du nom avant de le saisir, vous le désélectionnez. Pour le resélectionner, cliquez sur son icône, puis enfoncez la touche Retour.

Privilégiez les noms significatifs. Évitez "smlkjdkd" ; préférez "Prévisions juin".

Maîtriser l'arborescence

Vous savez déjà que le Mac a adopté pour ses fichiers et dossiers une structure arborescente. N'hésitez pas à vous en inspirer pour organiser vos données (Figure 11.5). Agissez de préférence dans votre dossier Documents.

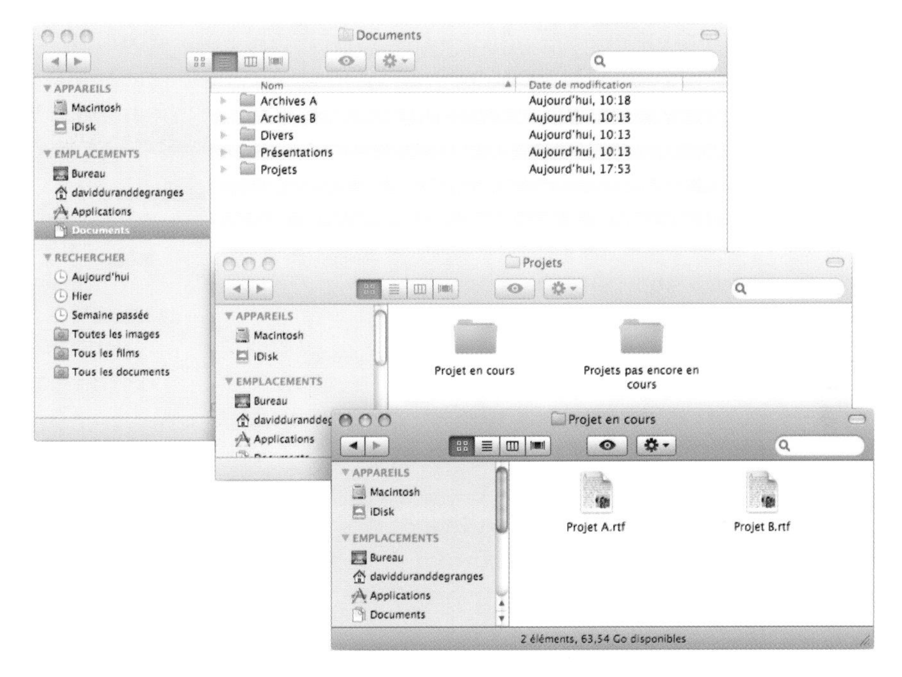

Figure 11.5: Une imbrication sur plusieurs niveaux.

Dans cet exemple, le chemin d'accès du fichier Projet A est le suivant :

Ordinateur

iMac

Départ

Documents

Projets

Projets en cours

Projet A

Divisez pour régner ! Puis laissez évoluer cette arborescence au gré de vos besoins.

D'une manière générale, organisez vos sous-dossiers en regroupant vos fichiers par type (traitement de texte, feuilles de calcul, images...) ou par date (Avril, Trimestre 1, Printemps 2002...).

Vous croyez que vous serez capable de vous débrouiller tout seul ? Sûrement.

Pensez éventuellement à placer sur le Bureau et/ou dans le Dock un raccourci vers votre dossier Documents. Dans ces conditions, il vous suffira de cliquer sur son icône pour ouvrir le dossier en mode éventail ou grille (Figure 11.6).

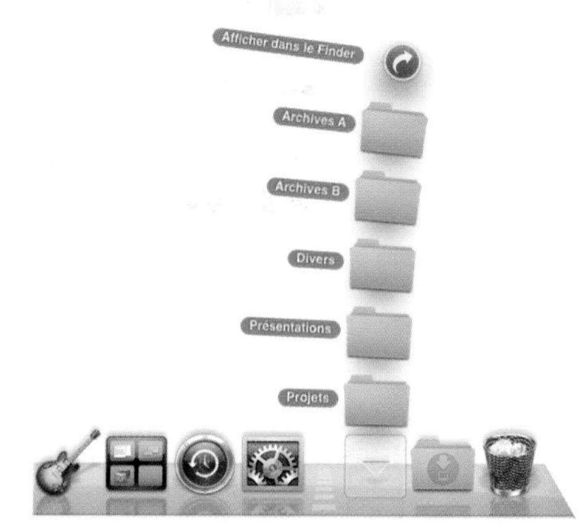

Figure 11.6 : Quel luxe !

Pour et contre les sous-dossiers

Pensez à créer un sous-dossier dès que le nombre de fichiers d'un dossier dépasse 15 à 20 éléments (à moins qu'il ne s'agisse d'une série de fichiers du même type, comme les photos de vos dernières vacances aux Maldives).

N'anticipez rien : attendez que vos besoins se structurent avant d'élaborer une arborescence complexe ; ne créez des sous-dossiers que lorsque le besoin s'en fait sentir.

Déplacer un fichier ou un dossier

Imaginons à présent que vous souhaitiez faire glisser le fichier Projet A du dossier Projets en cours vers le dossier Projets pas encore en cours :

1. **Cliquez sur l'icône Projet A et maintenez enfoncé le bouton de la souris.**

2. **Faites glisser jusqu'au dossier Projets pas encore en cours.**

   La fenêtre de celui-ci peut être ouverte ou fermée.

3. **Dès que son nom apparaît contrasté, relâchez le bouton de la souris.**

Enfoncez la touche Option en début de procédure : vous dupliquerez le fichier au lieu de le déplacer. Modifiez vite le nom de la copie sous peine d'avoir du mal par la suite à la distinguer de l'original, même si les deux exemplaires sont stockés dans des dossiers différents.

Si vous faites glisser un élément d'un disque vers un autre, même si vous n'activez pas la touche Option, l'élément sera copié, et non déplacé. Pour vous défaire de l'original, vous devrez ensuite le jeter à la Corbeille. Nous développerons cet aspect des choses quand nous aborderons les disques (voir plus loin la section "Piloter des supports amovibles").

Dupliquer un fichier ou un dossier

Vous pouvez bien entendu mettre en œuvre la technique du déplacement en la combinant, comme vous venez de le voir, avec la touche Option.

Il existe cependant une autre façon d'agir :

1. **Sélectionnez l'icône du fichier ou du dossier à dupliquer.**

2. **Choisissez Fichier/Dupliquer ou enfoncez les touches ⌘ + D.**

Ou :

1. **Ctrl + cliquez sur l'icône concernée.**

2. **Choisissez Dupliquer dans le menu contextuel qui se déroule sous votre pointeur.**

Dans tous les cas, l'élément est dupliqué ; il porte le nom de son original, précédé de la mention `Copie de`. Maintenez ce nom ou remplacez-le par un autre.

Rechercher un fichier ou un dossier

La commande Rechercher vous aide à parvenir à vos fins.

Dans Leopard, Sherlock a totalement disparu et seul Spotlight permet d'effectuer des recherches, non seulement sur l'ordinateur local, mais également sur les disques amovibles et les ordinateurs partagés du réseau.

1. **Dans la zone de saisie (en haut à droite), saisissez les mots clés à rechercher, puis appuyez sur la touche Entrée (Figure 11.7).**

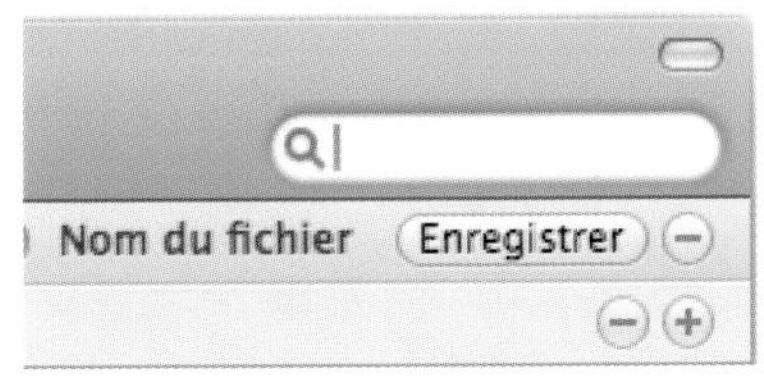

Figure 11.7 : Saisissez vos mots clés.

2. **Le contenu de la fenêtre du Finder change et vous obtenez les résultats de la recherche (Figure 11.8).**

3. **Si nécessaire, cliquez sur les boutons placés en haut de la fenêtre pour limiter la recherche en fonction de l'emplacement ou du nom des fichiers.**

   Les résultats de la recherche changent en fonction de vos choix (Figure 11.9).

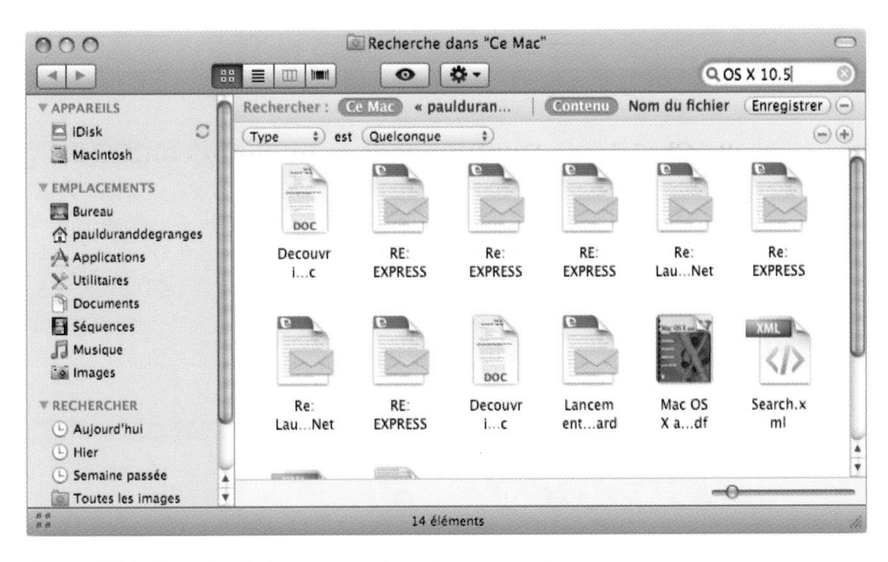

Figure 11.8 : Les résultats de la recherche.

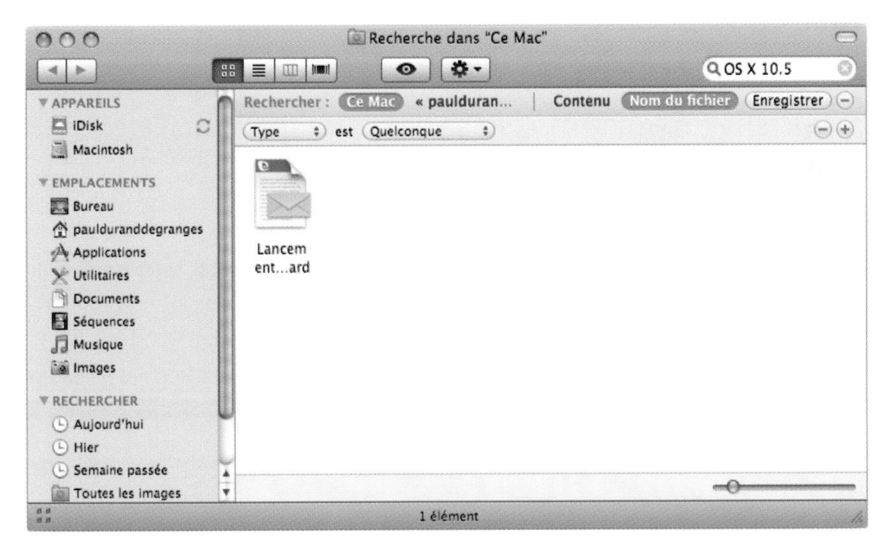

Figure 11.9 : Les résultats de la recherche sont affinés.

Pour savoir où ce fichier se trouve, sélectionnez son nom dans la partie du haut : le Mac vous indique alors sa position dans la partie inférieure de la fenêtre (Figure 11.10).

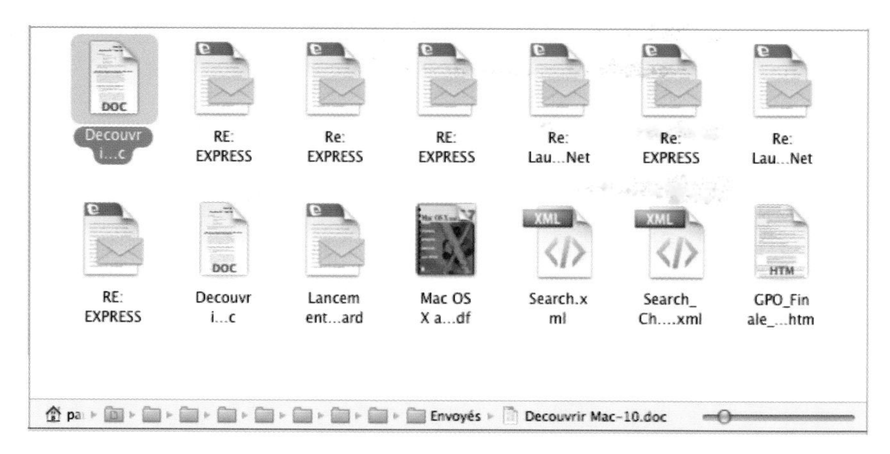

Figure 11.10 : C'était là !

Enfin, pour l'ouvrir, utilisez une des techniques suivantes :

- Choisissez Fichier/Ouvrir.
- Enfoncez les touches ⌘ + O.
- Cliquez deux fois sur l'élément depuis le volet du haut ou du bas de la fenêtre.

Supprimer un fichier ou un dossier

Nous avons déjà à plusieurs reprises fait allusion à la suppression d'éléments. De nouveau, il suffit de cliquer-glisser : sélectionnez les éléments, puis faites-les glisser vers la Corbeille.

Vous souhaitez les récupérer ?

1. **Ouvrez la fenêtre du dossier vers lequel vous souhaitez récupérer ces éléments.**
2. **Ouvrez la fenêtre de la Corbeille en cliquant sur son icône depuis le Dock.**

3. Sélectionnez les icônes des éléments à récupérer et maintenez enfoncé le bouton de la souris.

4. Faites glisser vers la fenêtre ouverte à l'étape 1.

5. Relâchez le bouton de la souris.

Piloter des supports amovibles

Cette dernière section se propose de décrire les manipulations de base relatives aux disques : formater, copier des fichiers d'un disque à un autre, graver un CD, lire un disque PC et éjecter.

Vous savez déjà que tous les supports amovibles que vous connectez au Mac s'affichent normalement dans la barre latérale des fenêtres Finder. (Rappel : via validation des options correspondantes, ils peuvent aussi s'afficher sur le Bureau.) Considérez-les comme des dossiers, dossiers énormes dans lesquels vous pouvez stocker un grand nombre d'éléments.

Formater

Imaginons que vous dotiez votre Mac d'un disque dur externe ou d'un lecteur de disques amovibles type Zip, SuperDisk ou Syquest.

Certains disques sont vendus *formatés*, c'est-à-dire prêts à être utilisés directement ; dans ce cas, pas de problème.

D'autres sont vendus non formatés, à charge pour vous de mener cette procédure à bien avant d'envisager d'y stocker des données.

- Si le disque est formaté, il se monte directement.
- S'il ne l'est pas, le Mac vous invite à procéder au formatage. Suivez les instructions. La procédure est rapide et indolore.

Copier

Comment faire pour copier des fichiers d'un disque vers un autre ? Exactement comme vous le feriez entre dossiers : par simple cliquer-glisser.

Normalement, quand vous faites glisser des éléments d'un dossier vers un autre du même disque, vous déplacez ces éléments. Pour les copier, vous devez associer au mouvement la touche Option (voir la section "Déplacer" du Chapitre 5 et la section "Déplacer un fichier ou un dossier", plus haut dans ce chapitre).

Dans le cas des disques, les choses se passent de manière légèrement différente : les éléments sont automatiquement copiés (plutôt que déplacés) même si la touche Option n'est pas activée. Dans ces conditions, pour déplacer plutôt que copier, commencez par copier, puis débarrassez-vous de l'original en le jetant à la Corbeille.

Si vous transférez le contenu d'un disque amovible vers votre disque dur, celui-ci y est copié et y apparaît ensuite sous la forme d'un dossier portant le même nom et proposant le même contenu que le disque source.

Graver un CD

Votre ordinateur est capable de graver des CD ? Alors, n'hésitez pas : gravez vos backups.

Il existe plusieurs méthodes pour graver des disques : vous pouvez procéder directement à partir du Finder, mais vous pouvez également vous servir du programme Utilitaire de disques que vous trouvez dans le dossier Utilitaires.

Pour graver un CD de données :

1. **Introduisez un disque vierge dans le lecteur correspondant.**

Selon le graveur qui équipe votre Mac, vous pouvez utiliser des CD-R, CD-RW, DVD +-R, DVD +/-RW ou DVD-DL. Par -R, entendez "recordable", donc enregistrable ; par -RW, entendez "rewritable", soit réinscriptible. Les premiers CD ne peuvent être gravés qu'une seule fois ; les seconds peuvent être effacés après une gravure, puis gravés de nouveau. Les choses doivent se faire dans l'ordre : effacez d'abord, regravez ensuite. Les DVD-DL sont des DVD qui utilisent une double couche (Double Layer) afin d'augmenter leur capacité de stockage, ils n'existent pas en format réinscriptible.

2. **Indiquez l'opération que vous souhaitez réaliser.**

   Par défaut, la boîte de dialogue vous propose d'ouvrir le Finder. Sélectionnez cette option pour afficher l'icône du disque sur le Bureau.

3. **Opérez un double clic sur cette icône, puis faites-y glisser les éléments à archiver.**

4. **Vérifiez les noms et position des fichiers.**

   Agissez avant d'opérer la gravure, car aucune modification ne pourra être opérée sur le CD une fois que celui-ci aura été gravé.

5. **Choisissez Fichier/Graver le disque ou cliquez sur le bouton Graver.**

Certaines applications, comme iTunes, proposent également une commande Graver. Nous reviendrons sur la question à l'occasion du Chapitre 12.

Faire des backups

En réalisant des copies de vos données sur votre disque dur externe, sur un disque dur amovible ou sur un disque CD, vous obtenez ce qu'il est convenu d'appeler un "backup" ou une "copie de sauvegarde" de vos données.

Personne ne fait des backups par plaisir, mais en prévision du jour où un problème grave empêcherait d'accéder aux données : incendie, vol, surtension, panne de disque ou... erreur humaine.

Nous ne pouvons que vous encourager à faire ces backups régulièrement. Car si votre disque dur venait à rendre l'âme, pour une raison ou pour une autre, ces copies de sécurité vous permettraient de récupérer instantanément vos données.

Poussons le bouchon encore plus loin : prévoyez deux séries de backups, que vous stockerez à des endroits différents. On ne sait jamais : il n'est pas impossible qu'un problème d'écriture vous empêche de lire un disque, ou qu'un virus l'ait infecté. Mieux vaut prévenir que guérir.

L'heure est grave

La question qui se pose immédiatement est la fréquence à laquelle ces backups doivent être faits. C'est vous, en fait, qui décidez.

Ainsi, si les données que vous manipulez pendant la journée sont essentielles pour l'entreprise, sauvegardez-les en fin de séance. En revanche, si vous ne traitez pendant quelques jours que des documents de moyenne importance, bornez-vous à faire un backup en fin de semaine.

Backup musclé

La technique de la copie, qui consiste à faire glisser des icônes d'un support vers un autre, vous contraint à agir manuellement.

Cette façon de faire n'a pas que des avantages :

- **Lenteur** : Elle vous contraint à ouvrir les dossiers, à sélectionner les icônes, à cliquer-glisser, à refermer les fenêtres...
- **Lourdeur** : Ignorant quels documents ont subi des modifications et lesquels n'en ont subi aucune depuis le dernier backup en date, vous devez les recopier tous.
- **Insécurité** : Comment pouvez-vous être certain que vous n'avez oublié aucun fichier ?

Il est évident que si vous avez suivi notre conseil et regroupé vos documents dans le dossier Documents de votre dossier Départ, la procédure devient nettement plus confortable. Pensez malgré tout à expérimenter la technique suivante.

iDisk, un service Apple

Pour mettre vos données à l'abri, n'hésitez pas à utiliser votre iDisk. Comme vous l'avez appris au Chapitre 3 (section "Le menu Aller"), il s'agit là d'un disque virtuel d'une capacité de 20 Go qu'Apple tient à la disposition des utilisateurs pour leur stockage distant. Pour en savoir plus, rendez-vous sur le site `www.itools.mac.com/`.

Backup en douceur

À la technique du backup "hard" décrite ci-dessus, nous pouvons opposer celle du backup "soft", un procédé qui confie le soin de sauvegarder les fichiers à un utilitaire spécialisé.

Ces programmes savent exactement quels fichiers ont été sauvegardés lors de la dernière sauvegarde et sur quel support ils l'ont été. Ils savent aussi – c'est primordial – quels sont les documents qui ont subi des modifications depuis lors ; ils sont ainsi capables, lors d'une procédure automatisée de sauvegarde, de ne traiter que ces fichiers modifiés.

Vous pouvez vous servir du programme MobileMe Backup pour effectuer la sauvegarde de vos données. Pour plus d'informations, consultez le site d'Apple à l'adresse `www.apple.com/fr/mac/`.

Time Machine

Lorsque vous connectez un disque externe à votre Mac, une boîte de dialogue peut s'ouvrir et vous demander si vous souhaitez l'utiliser pour Time Machine. Ce dernier est un utilitaire qui se charge de sauvegarder automatiquement à intervalles réguliers le contenu du disque dur de votre Macintosh sur votre disque externe. En cliquant l'icône Time Machine dans le Dock, vous avez la possibilité de remonter dans le temps et de restaurer d'anciennes versions de fichiers ou de dossiers. Cela est particulièrement utile lorsque, par exemple, vous avez supprimé un fichier par mégarde (Figure 11.11).

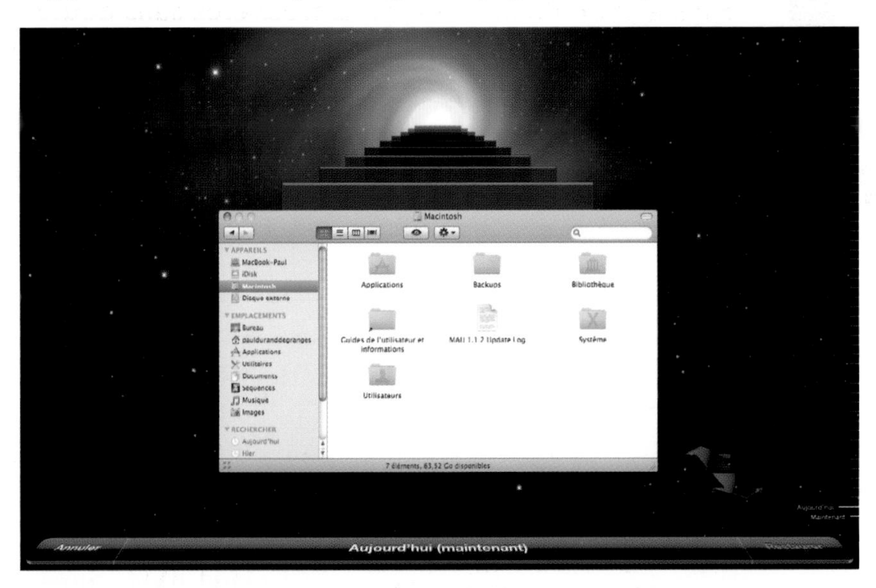

Figure 11.11 : Time Machine permet de remonter dans le temps.

Time Capsule, un support de sauvegarde

Plutôt que de connecter un disque externe à l'aide d'un câble USB ou FireWire, vous pouvez aussi faire l'acquisition d'un Time Capsule. Il s'agit d'un disque dur (d'une capacité de 500 Go ou de 1 To) que vous utilisez à l'aide du réseau sans fil et qui vous permet de sauvegarder vos données grâce à Time Machine sur votre Mac.

Lire des disques PC

Mac OS X est capable de lire non seulement des disques Mac, mais aussi des disques formatés DOS, destinés a priori à être lus par des PC évoluant sous DOS ou sous Windows.

Le fait que le Macintosh soit capable de lire le disque ne signifie pas pour autant qu'il est capable d'en interpréter le contenu. S'il s'agit de documents, vous trouverez sans doute sur Mac un programme susceptible de les ouvrir. S'il s'agit de logiciels, vous ne pourrez normalement pas les faire tourner.

Le Macinstosh est capable de lire et d'écrire sur une partition au format FAT ou FAT32, mais il sait uniquement lire les partitions au format NTFS. Ce dernier est utilisé par Windows Vista, par exemple, lorsque vous installez le système d'exploitation sur votre Mac avec l'utilitaire BootCamp.

Éjecter

Vous voulez éjecter un disque dont vous n'avez provisoirement plus l'usage ?

- Sur le Bureau, activez l'icône du disque concerné, puis choisissez Fichier/Éjecter ou enfoncez les touches ⌘ + E.

Ou:

- Sur le Bureau, activez l'icône du disque concerné, puis faites-la glisser à la Corbeille qui, pour l'occasion, change de look et s'intitule Éjecter.

Ou:

- Dans la barre latérale, cliquez sur l'icône Éjecter en regard du nom du disque à traiter (Figure 11.12).

Ou:

- Ctrl + cliquez sur l'icône du disque concerné, puis choisissez Éjecter dans le menu contextuel qui se déroule alors sous votre pointeur.

Figure 11.12: Pratique, cette icône de la barre latérale.

Troisième partie

Aller plus loin

"C'est signé, c'est la griffe de Leopard !"

Dans cette partie...

À ce stade, vous devriez vous sentir à l'aise dans votre environnement dont vous êtes désormais capable de gérer les principaux composants.

Toutefois, vous n'êtes pas encore allé très loin dans la découverte des éléments fournis d'emblée avec Mac OS X.

L'heure est venue de combler cette lacune.

Chapitre 12

Découvrir le dossier Applications

Dans ce chapitre :

- Aide-mémoire.
- Aperçu.
- AppleScript.
- Automator.
- Calculette.
- Carnet d'adresses.
- Chess.
- Comic Life.
- Dash Board.
- Dictionnaire.
- Exposé.
- FrontRow.
- GarageBand.
- iCal.
- iChat.
- iPhoto.
- iSync.
- iTunes.
- iWeb.
- Lecteur DVD.
- Livre des polices.
- OmniOutliner.
- Photo Booth.
- QuickTime Player.
- Spaces.
- TextEdit.
- TimeMachine.
- Transfert d'images.

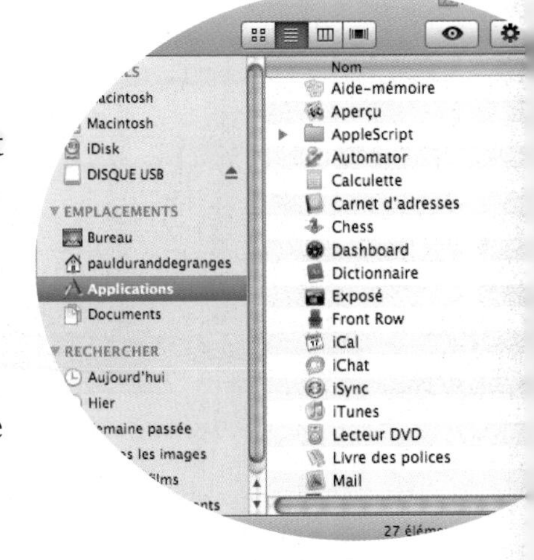

Le dossier Applications de Mac OS X regroupe tous les programmes qui sont installés d'origine avec le Système. C'est ici également que vous stockerez les logiciels que vous installerez par la suite.

Pour y accéder, choisissez Aller/ Applications ou enfoncez les touches ⌘ + Majuscule + A, ou encore activez l'icône

Applications de la barre latérale de n'importe quelle fenêtre Finder (Figure 12.1).

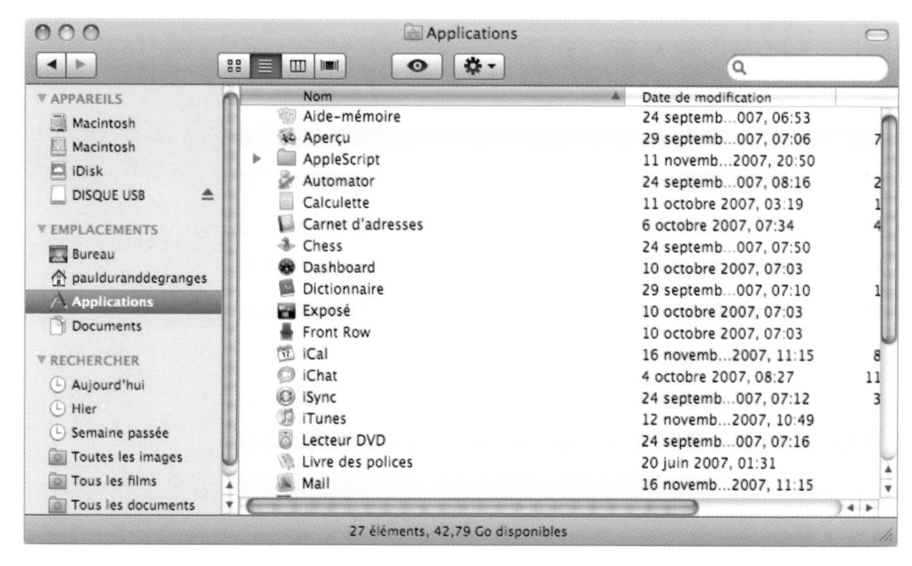

Figure 12.1 : Le contenu du dossier Applications.

Le dossier Applications comporte d'autres éléments : IDVD, iMovie, Mail, Préférences Système, Safari, ainsi qu'un dossier baptisé Utilitaires. iMovie et iDVD sont traités au Chapitre 19, Safari au Chapitre 22 et Mail au Chapitre 23. Les Préférences Système font l'objet du Chapitre 14 ; enfin, le contenu du dossier Utilitaires est détaillé dans le chapitre suivant. Vous trouvez également dans le dossier Applications des logiciels en version d'essai, par exemple iWork et Microsoft Office.

Aide-mémoire (Stickies)

Ces aide-mémoire ne sont rien d'autre que la version électronique des Post-It (Figure 12.2).

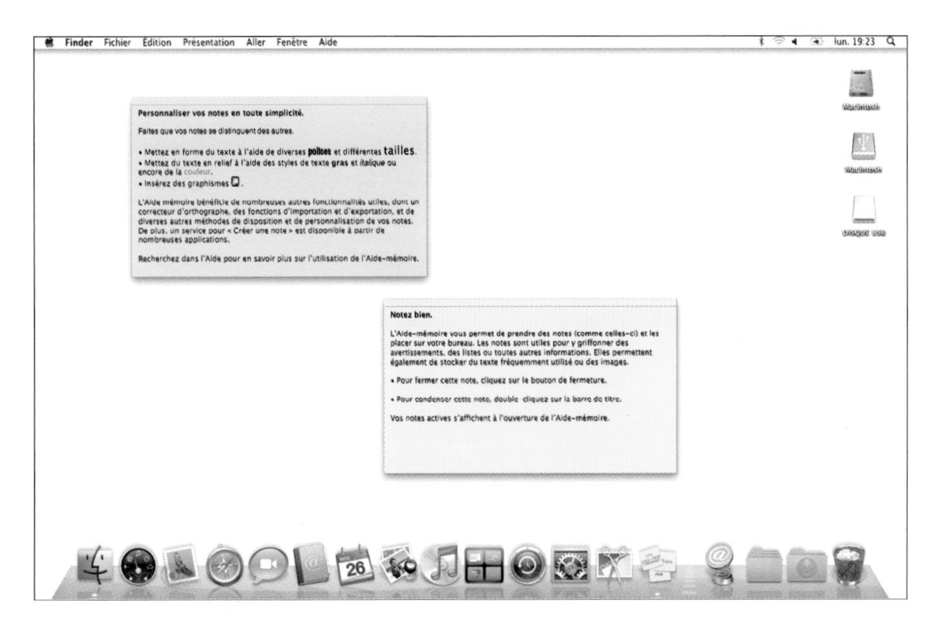

Figure 12.2 : Votre écran, tel qu'il se présente quand vous lancez Aide-mémoire.

Tapez vos notes dans les fenêtres existantes ou créez de nouvelles fenêtres (Fichier/Nouvelle note ou ⌘ + N).

Déposez-les où bon vous semble : faites glisser leur barre de titre.

Redimensionnez-les si nécessaire : faites glisser leur case de contrôle de taille (en bas à droite). Bon à savoir : un double clic sur la barre de titre réduit la fenêtre à sa plus simple expression.

Formatez-les selon vos envies : choisissez la couleur de fond dans le menu Couleur ; jonglez avec les polices via le menu Police et paramétrez les attributs de la fenêtre grâce au menu Note.

D'autres opérations sont possibles : imprimer les notes, importer dans leur fenêtre du texte venu d'ailleurs, les exporter sous forme de fichiers texte, RTF ou RTFD…

Sachez que le contenu de ces notes est préservé tant que vous ne fermez pas leur fenêtre selon l'une des trois techniques suivantes :

- Choisir Fichier/Fermer ;
- Enfoncer les touches ⌘ + W ;
- Cliquer dans la case de fermeture de la note.

Si vous réalisez une de ces trois manipulations, le Mac vous demande si vous souhaitez enregistrer la note. À vous de voir.

Aperçu

Aperçu vous permet d'ouvrir, de visualiser et d'imprimer d'une part des fichiers PDF (Portable Document Files), et d'autre part un grand nombre de fichiers graphiques (TIFF, JPEG, PICT, etc.). C'est d'ailleurs lui qui se déclenche lorsque vous cliquez sur le bouton Aperçu depuis une fenêtre d'impression.

Un tiroir, activable via l'icône correspondante de la barre d'outils, provoque l'affichage, à droite de la fenêtre principale, d'une colonne qui propose des vues miniatures quand vous ouvrez plusieurs images à la fois ou quand vous affichez un document PDF qui comporte plusieurs pages. Il suffit, pour accéder directement à une image ou à une page, de cliquer sur sa vignette dans le tiroir.

Le programme permet d'effectuer des recherches dans des fichiers PDF. Il suffit, pour ce faire, d'invoquer la commande Rechercher du menu Édition ou de s'exprimer dans la zone Rechercher qui s'affiche dans la partie supérieure du tiroir. Ici aussi, la procédure s'exécute en temps réel, c'est-à-dire à mesure que vous tapez des caractères dans la case prévue à cet effet. Le résultat s'affiche sous la forme d'une liste, qui recense les numéros de page ainsi qu'une partie du texte où figure le texte recherché. Cliquez sur l'occurrence qui vous intéresse et la page correspondante s'affiche instantanément avec, en surbrillance, l'objet de la recherche.

Aperçu ne prend en charge que l'affichage, la recherche et l'impression de ces documents, mais ne vous autorise en aucun cas à en altérer le contenu.

AppleScript

Si vous êtes débutant, il est peu probable qu'AppleScript vous intéresse. En effet, il s'agit là d'un outil d'automatisation : il enregistre des séquences d'action ou "scripts" qu'il reproduit ensuite à la demande.

Ainsi, vous pourriez rédiger un script qui mettrait le programme Mail en service, irait voir si de nouveaux messages vous ont été transmis, puis archiverait ces messages dans un dossier que vous auriez désigné au préalable.

Ce programme ne s'adresse de toute évidence pas aux néophytes.

Automator

L'utilitaire Automator permet d'automatiser certaines tâches. Ce programme est plus simple qu'AppleScript mais, toutefois, en tant que débutant, il est peu probable qu'il vous intéresse dans l'immédiat.

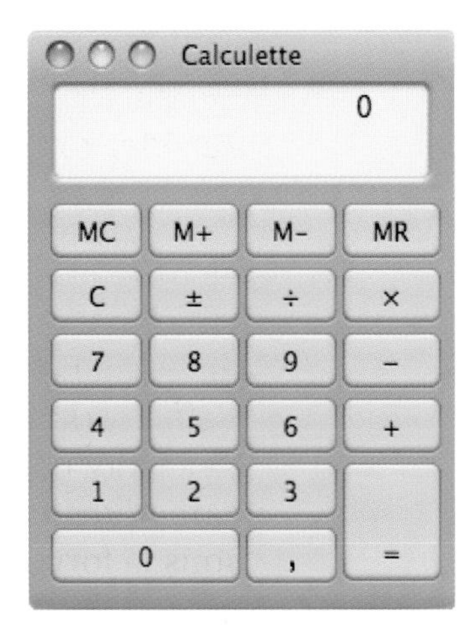

Figure 12.3 : La Calculette, immuable depuis que le Mac est Mac.

Calculette

Envie de faire un petit calcul ? Appelez la Calculette. Dans sa fenêtre (Figure 12.3), vous pouvez activer ses touches par souris ou par clavier. Vous pouvez entrer des chiffres et des opérateurs pour mener, tambour battant, additions, soustractions, multiplications et divisions.

Un mode Expert fait de la calculette standard une véritable calculatrice scientifique.

Carnet d'adresses

Voilà un programme qui porte bien son nom puisqu'il se charge, comme son nom l'indique, de stocker les adresses de vos parents, collègues et amis.

Ajouter une adresse

1. **Lancez le programme.**

   La fenêtre Carnet d'adresses s'ouvre (Figure 12.4).

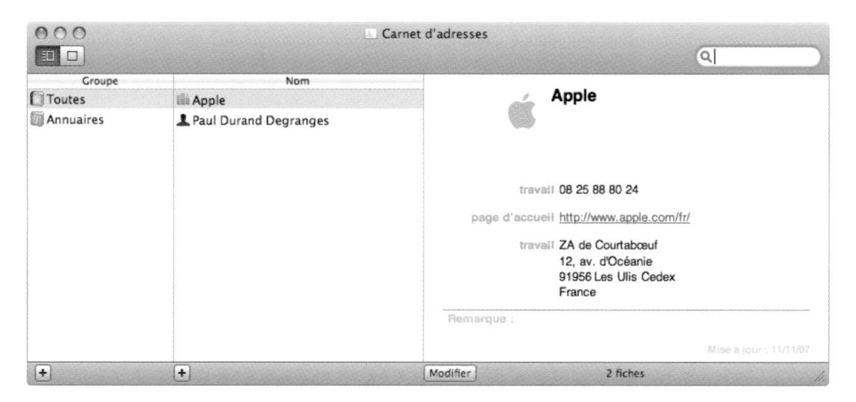

Figure 12.4 : Le Carnet d'adresses au démarrage.

2. **Cliquez sur + dans le bas de la colonne Nom.**

   Une fiche vierge vous est proposée dans le volet droit.

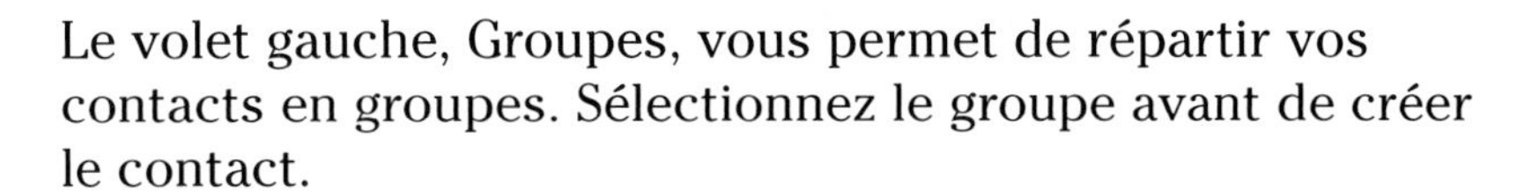

Le volet gauche, Groupes, vous permet de répartir vos contacts en groupes. Sélectionnez le groupe avant de créer le contact.

3. **Entrez les données.**

   Passez d'un champ à l'autre via la touche Tabulation.

4. **Cliquez sur Modifier.**

Il est possible, sous ce mode, d'ajouter ou de supprimer des champs.

Rechercher une fiche

1. **Lancez le programme.**

   La fenêtre Carnet d'adresses s'ouvre.

2. **Restreignez si nécessaire le champ de la recherche en sélectionnant un groupe dans le volet gauche.**

3. **Entrez la donnée à rechercher dans la case Rechercher.**

   La recherche démarre ; la fenêtre affiche le résultat.

Pour modifier une fiche, sélectionnez-la, puis cliquez sur Modifier ou choisissez Modifier la fiche dans le menu Édition (⌘ + L). Pour la supprimer, sélectionnez-la également, puis choisissez Édition/Supprimer le contact.

Le Carnet d'adresses propose des fonctions plus évoluées que nous vous invitons à découvrir (définir la mise en forme des numéros de téléphone, ajuster la taille et la position des photos, etc.). Sachez encore qu'il fonctionne en tandem avec Mail afin de vous permettre de consulter rapidement vos adresses e-mail pendant que vous vous préparez à envoyer un message. (Mail est traité au Chapitre 23.)

Chess

Chess est un magnifique jeu d'échecs (Figure 12.5).

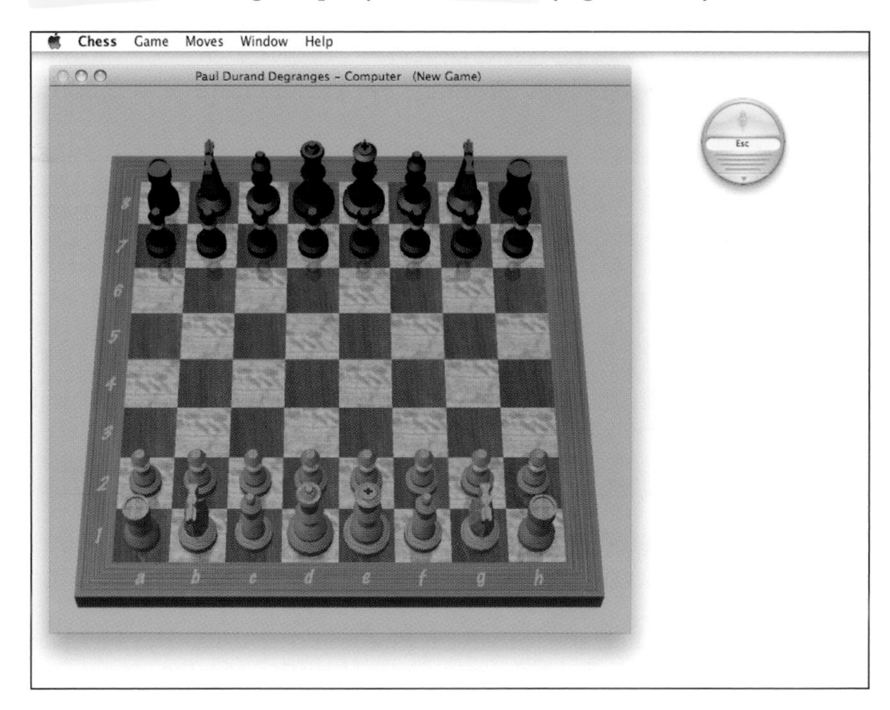

Figure 12.5 : Plus vrai que nature !

Le menu View vous permet d'afficher un échiquier en deux dimensions. C'est nettement moins beau.

Jouer

1. **Choisissez Game/New Game ou enfoncez les touches ⌘ + N.**

   Vous avez les blancs.

2. **Cliquez sur une pièce et déplacez-la.**

   Chess réagit : il déplace une pièce noire.

3. Et ainsi de suite.

Pour que le programme vous suggère un déplacement, choisissez Moves/Show Hint. Chess vous montre alors ce qu'il considère comme l'action la plus adéquate ; pour vous aider à vous repérer, il fait clignoter la pièce à déplacer ainsi que la case cible. Suivez son conseil ou ne le suivez pas.

N'hésitez pas à invoquer, depuis le menu Moves, les commandes Show Last Move (pour savoir quel est le dernier mouvement en date) et Take Back Move (pour reculer d'une étape).

Régler les préférences

Comme tous les programmes, Chess est partiellement paramétrable :

1. **Choisissez Chess/Preferences.**

2. **Opérez les réglages souhaités.**

   Vous pouvez :

   - Choisir le look de l'échiquier via les deux menus déroulants de la rubrique Style ;
   - Régler le niveau de difficulté en faisant glisser le curseur Computer Plays ;
   - Activer la commande vocale, qui vous permet de dicter vos mouvements. Attention : comme le programme n'existe qu'en version anglaise, c'est dans la langue de Shakespeare qu'il vous faudra vous exprimer (du style "Knight G1 to F3"). Pas évident !

3. **Fermez la fenêtre en cliquant dans sa case de fermeture.**

Comic Life

Ce programme vous permet de créer une bande dessinée à partir de planches dont les cases sont établies selon un grand nombre de modèles (Figure 12.6).

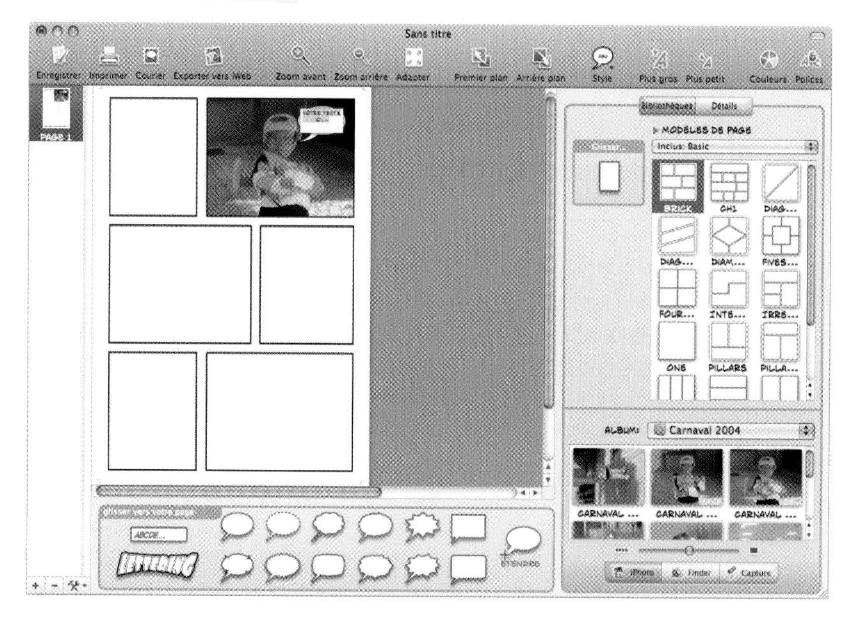

Figure 12.6 : Créez vos bandes dessinées à l'aide de photos.

Pour créer une page, faites glisser un modèle de planche au centre de la fenêtre. Choisissez ensuite une photo provenant d'iPhoto, utilisez le Finder ou capturez une image à l'aide de la caméra iSight intégrée à votre ordinateur pour remplir les cases de la planche.

Lorsque vous avez placé une image dans une case, vous faites glisser une bulle ou un type de lettrage sur la case, puis vous saisissez votre texte.

Dashboard

En cliquant cette icône, l'icône équivalente placée dans le Dock ou en appuyant sur la trouche F12, vous démarrez le Dashboard qui existe depuis Tiger. Il s'agit d'un tableau de bord sur lequel s'affichent des Widgets, c'est-à-dire de petits gadgets, parfois inutiles et donc indispensables (Figure 12.7).

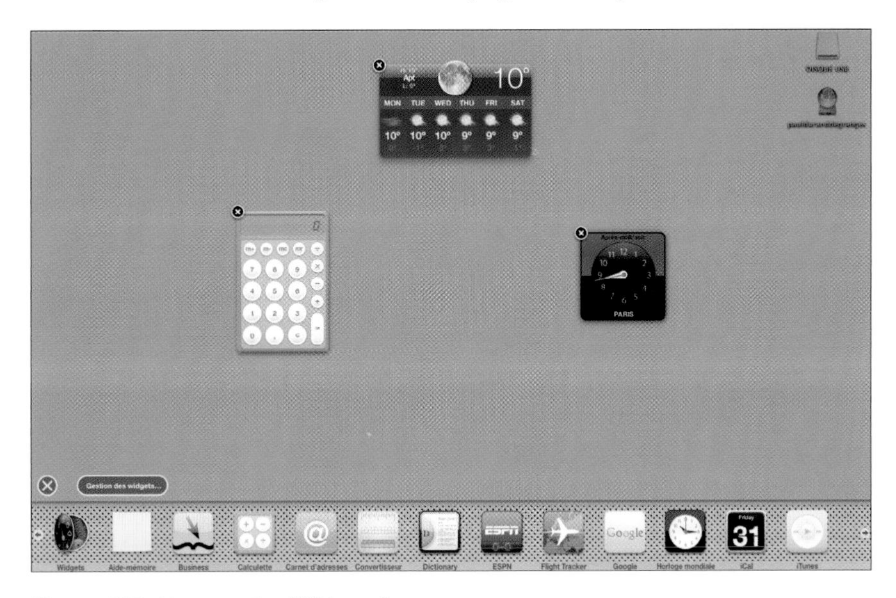

Figure 12.7 : En avant les Widgets !

Certains Widgets peuvent être configurés. Par exemple, vous modifiez la ville pour laquelle vous souhaitez afficher la météo. En passant le pointeur de la souris sur le Widget, vous voyez s'afficher un *i* en bas à droite de ce dernier lorsqu'il est possible de modifier des paramètres. Cliquez sur le *i* pour afficher la liste des paramètres du Widget.

En cliquant sur l'icône + placée en bas à gauche du Dashboard, un bandeau de Widgets s'affiche. Faites glisser en dehors du bandeau les Widgets que vous souhaitez ajouter.

Pour supprimer un Widget, cliquez sur la croix placée en haut à gauche du Widget.

Il est possible de télécharger des Widgets supplémentaires (utilisez un moteur de recherche tel que Google pour trouver des Widgets) et certains programmes en installent.

Dictionnaire

Dictionnaire est une application qui, comme son nom l'indique, vous permet de rechercher un mot dans un dictionnaire et même dans l'encyclopédie en ligne Wikipédia. Le problème est que le dictionnaire n'est pas en français, par conséquent son utilité est assez limitée pour les francophones (Figure 12.8).

Figure 12.8 : Un dictionnaire qui n'est hélas ! pas en français.

Exposé

L'icône Exposé dans le dossier Applications n'est pas des plus utiles. En effet, lorsque vous double-cliquez cette icône, vous démarrez Exposé de la même manière que si vous aviez appuyé sur la touche F9, c'est-à-dire que vous affichez l'ensemble des fenêtres ouvertes sur le Bureau.

Rappelons qu'Exposé se lance à l'aide des touches F9, F10 et F11, et que c'est en utilisant ces touches que l'accès aux fenêtres prend tout son sens.

Front Row

Vous avez la possibilité de démarrer Front Row à partir du dossier Applications. Si votre Macintosh est livré avec une télécommande, vous accédez à Front Row en appuyant sur le bouton Menu de la télécommande. Front Row est un programme qui vous permet de profiter du contenu multimédia de votre ordinateur : les vidéos, la musique, les photos. Si votre ordinateur est connecté à Internet, vous pouvez aussi accéder à des contenus en ligne, par exemple des bandes-annonces de films.

GarageBand

GarageBand est un programme qui vous permet de créer de la musique (Figure 12.9). Son utilisation n'est pas des plus simples, et elle dépasse le cadre de cet ouvrage d'initiation à OS X. Pour les débutants, la version fournie avec iLife 08 offre Magic GarageBand, qui permet de créer de la musique en sélectionnant les instruments et le style musical.

Figure 12.9 : Créez de la musique.

iCal

Intégré à OS X, iCal est un super petit agenda (Figure 12.10).

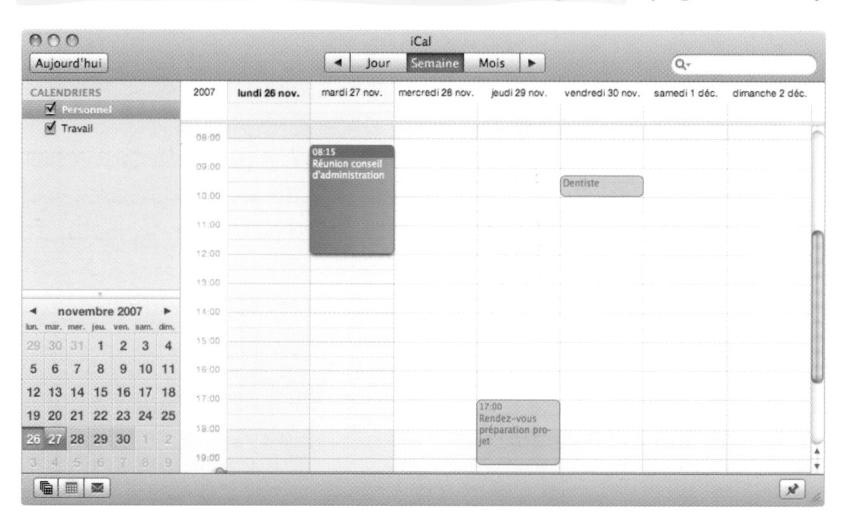

Figure 12.10 : Un outil de gestion du temps bien pratique.

Utilisez-le pour gérer vos rendez-vous, planifier vos tâches, visualiser plusieurs calendriers à la fois (personnel, travail, etc.).

Très intéressant : toutes les personnes qui disposent d'un compte utilisateur sur une machine peuvent créer un calendrier et visualiser, soit individuellement, soit simultanément, ceux créés par les autres. Vous obtenez ainsi une vision globale de tous les emplois du temps.

Mieux, iCal vous permet de partager votre calendrier via Internet afin que des personnes qui n'ont pas accès à votre poste de travail puissent, malgré tout, connaître votre emploi du temps.

Enfin, si vous disposez de plusieurs calendriers sur des ordinateurs ou sur des périphériques différents (style ordinateur de poche Palm OS), la synchronisation est possible afin de généraliser les informations les plus récentes.

iChat

Destiné à l'envoi de messages instantanés incluant du texte ainsi que des données audio et vidéo, iChat fera le bonheur de tous ceux qui entendent garder le contact avec des proches résidant à l'autre bout de la planète.

Plusieurs personnes peuvent participer à la conversation, chacune étant représentée par une icône (petit dessin ou photographie), qui s'affiche en regard de son nom, dans la liste des intervenants. Il est possible de créer des groupes selon les centres d'intérêt, les techniques de communication, etc.

A priori, on communique par écrit. Mais cette nouvelle version AV gère l'audio et la vidéo, deux fonctionnalités fort attendues. Une nouvelle icône apparaît à gauche de chaque photo de correspondant : elle représente un téléphone si la communication audio est possible ; une caméra s'il y a moyen d'activer une liaison vidéo.

En fait, c'est l'utilisation d'un micro qui permet d'ajouter l'aspect audio. Ce micro peut être interne ou externe ; dans cette seconde éventualité, il peut être branché à l'entrée Line In, transiter par l'USB, ou encore faire partie d'un caméscope DV connecté au Mac via le port FireWire.

En matière de vidéo, les conditions requises sont plus strictes ; Apple ne s'est pas limité au format timbre-poste, mais a visé une image 640 x 480 qui supporte le plein écran sans sourciller. Vous pouvez utiliser la caméra iSight qui peut être intégrée à votre Mac ou acquérir une webcam USB. Pour chaque participant, la fenêtre affiche la vidéo de l'interlocuteur ainsi que l'aperçu de sa propre image. Celui-ci peut être déplacé ou redimensionné.

Mieux, iChat est capable de prendre en charge le transfert de fichiers. La technique est simple : il suffit de faire glisser l'icône du document dans la fenêtre du message, puis de lancer l'expédition via la touche Entrée ou Retour.

iPhoto

Voilà un outil capital pour la gestion de vos images et de vos photos numériques.

Importez-y vos clichés digitalisés directement depuis votre appareil photo numérique. Ou depuis un CD ou un disque dur.

Organisez ensuite vos photos depuis votre photothèque et répartissez-les éventuellement en albums (une seule et même image pouvant faire partie de plusieurs albums sans qu'il faille pour autant la dupliquer).

Traitez vos clichés si cela s'avère nécessaire (Figure 12.11) : rognage pour éliminer les parties indésirables, accentuation de la netteté de certaines zones, réglage de la luminosité et du contraste, réduction de l'effet yeux rouges, gestion de mots clés, pour ne citer que quelques fonctionnalités parmi d'autres.

Figure 12.11 : iPhoto permet de gérer et classer vos photos sur votre Mac.

iPhoto est équipé de commandes d'impression assorties de différentes options comme le tirage pleine page ou la carte de vœux.

En marge de ces commandes classiques, vous pouvez, pour partager vos photos avec d'autres, créer des diaporamas avec bande musicale que vous pouvez faire exécuter directement depuis iPhoto ou exporter sous la forme de séquences QuickTime.

Si vous disposez d'un compte. Mac, il est possible de publier une page Web contenant une galerie photo. Vous n'avez plus alors qu'à envoyer l'URL de cette page à vos amis pour qu'ils puissent, en quelques clics, apprécier votre œuvre.

Enfin, si votre Mac est équipé d'un graveur de CD ou de DVD, regroupez donc vos photos sur des supports de ce type. Un souvenir pour l'éternité!

iSync

Le programme iSync permet de synchroniser le Mac avec de nombreux matériels.

iSync est le logiciel de synchronisation d'Apple; entendez par là un programme qui vous aide à synchroniser les entrées de votre carnet d'adresses, les rendez-vous de votre agenda iCal et les signets de votre navigateur Safari avec des téléphones portables (compatibles iSync), les ordinateurs de poche Palm ou encore l'iPod.

Dans la pratique, le programme compare les données du disque et celles de l'autre appareil, puis opère la mise à jour nécessaire afin de faire concorder les informations.

iTunes

iTunes est un modèle du genre, un outil qui rend incroyablement intuitive la constitution d'une discothèque numérique.

Application de gestion et de conversion de documents sonores, iTunes vous permet notamment d'écouter des CD audio. Dès que vous introduisez le disque dans le lecteur, il le reconnaît automatiquement et stocke chaque morceau dans une bibliothèque. Il est capable de convertir à la volée les pistes audio au format MP3. Les bibliothèques vous servent à créer des listes de lecture par simple glisser-déposer de la fenêtre principale vers les sous-dossiers créés à cet effet.

C'est à partir de ces mêmes listes que vous accédez à la gravure, si votre Mac est équipé d'un graveur interne ou est relié à un graveur externe. Un clic sur l'icône Graver disque suffit : iTunes grave le CD audio, que vous pourrez ensuite lire sur un lecteur de salon.

Mieux, grâce à des plug-ins inclus, il est compatible avec quelques baladeurs MP3 (voir le Chapitre 25). De fait, dès que vous connectez un de ces appareils au port USB du Mac, iTunes le détecte automatiquement et affiche une petite icône dans le panneau Source. Apparaissent alors directement dans la liste tous les morceaux stockés sur le baladeur. Le transfert entre ce dernier et l'ordinateur dans quelque sens que ce soit se résume alors à un simple cliquer-glisser de pistes MP3 d'une fenêtre à l'autre.

Écouter un CD

1. **Lancez iTunes.**

2. **Introduisez le CD dans le lecteur.**

   Il apparaît dans le panneau Source ; le volet droit en affiche le contenu (Figure 12.12).

Pour que les informations sur le disque s'affichent (nom de l'album, de l'artiste et des pistes), vous devez être connecté à Internet.

Figure 12.12 : Le contenu du CD s'affiche à droite.

3. **Contrôlez la lecture.**

   Utilisez les boutons classiques en haut à gauche (lire, mettre en pause, passer au morceau suivant ou précédent).

   Exploitez également les commandes du menu Commandes (qui réunit des raccourcis clavier intéressants).

4. **Éjectez le CD selon l'une des techniques suivantes :**

   Choisissez Commandes/Éjecter le disque.

   Enfoncez les touches ⌘ + E.

   Cliquez sur le bouton Éjecter le CD, situé en bas à droite de la fenêtre d'iTunes.

Ajouter un morceau à la bibliothèque

Un morceau de votre CD vous plaît particulièrement ? Ajoutez-le à votre bibliothèque ; vous pourrez ainsi l'écouter sans le CD.

1. **Lancez iTunes.**

2. **Introduisez le CD dans le lecteur.**

   Il apparaît à gauche, dans le panneau Source ; le volet droit en affiche le contenu.

3. **Décochez dans ce volet les morceaux que vous n'entendez pas archiver.**

4. **Cliquez sur Importer.**

   iTunes lance la procédure, diffusant les morceaux tandis qu'il les importe.

   Vous pouvez interrompre cette diffusion en cliquant sur Pause (cette action n'ayant aucun effet sur l'importation).

   En fait, iTunes code les morceaux sélectionnés au format AAC, qui est le format utilisé par Apple, et les stocke sur votre disque dur. Ce format est une méthode de compression haute qualité destinée au stockage des fichiers audio. Vous avez la possibilité de configurer iTunes pour utiliser le format MP3 à la place du format AAC.

5. **Éjectez le CD.**

Vous pouvez importer dans votre bibliothèque des morceaux depuis d'autres sources, notamment des fichiers MP3 que vous avez téléchargés. Il vous suffit d'invoquer la commande Ajouter à la bibliothèque du menu Fichier, puis de sélectionner soit les morceaux, soit le dossier ou disque sur lequel ils se trouvent. Vous pouvez aussi les faire glisser directement dans la bibliothèque.

Parcourir la bibliothèque

1. **Sélectionnez Bibliothèque dans le panneau Source.**
2. **Cliquez, à droite, sur Explorer.**

   Tous les morceaux s'affichent.

Utilisez la zone Rechercher pour rechercher un morceau, un album ou un artiste précis.

Créer une liste de lecture

iTunes vous permet de créer des *listes de lecture*, c'est-à-dire de présenter les morceaux dans l'ordre dans lequel vous souhaitez les écouter.

Le nombre de listes est illimité : vous pouvez en créer autant que vous le souhaitez, à partir de tous les morceaux de votre bibliothèque.

La technique est simple :

1. **Choisissez Fichier/Nouvelle liste de lecture ou enfoncez les touches ⌘ + N.**
2. **Nommez la liste de lecture, puis appuyez sur la touche Entrée.**
3. **Sélectionnez Bibliothèque dans le panneau Source.**
4. **Faites glisser les éléments souhaités de la bibliothèque (ils sont affichés à droite) vers l'intitulé de votre liste de lecture du panneau Source (à gauche).**

5. **Si nécessaire, réorganisez cette liste par cliquer-glisser.**

Pour vous défaire d'une liste, faites-la glisser à la Corbeille.

Créer une liste de lecture intelligente

Une liste de lecture intelligente est une liste de lecture dont le contenu change automatiquement en fonction de votre bibliothèque et des paramètres que vous avez saisis. Dans une telle liste, vous ne faites pas glisser les morceaux que vous souhaitez y trouver, mais configurez un ensemble de paramètres qui permettent à iTunes de créer cette liste. Par exemple, vous pouvez créer une liste dans laquelle vous retrouvez les morceaux que vous écoutez le plus souvent.

Procédez comme suit :

1. **Choisissez Fichier/Nouvelle liste de lecture intelligente ou enfoncez les touches Alt + ⌘ + N.**

2. **Modifiez les critères permettant de créer la liste de lecture.**

3. **Pour ajouter une ligne de critères, cliquez sur le bouton +. Pour supprimer une ligne de critères, cliquez sur le bouton -.**

4. **Cliquez sur OK lorsque vous avez terminé.**

5. **Enfin, attribuez-lui un nom puis enfoncez la touche Entrée.**

Activer la fonction Genius

La fonction Genius, qui est apparue avec la version 8 d'iTunes, affiche une barre latérale contenant une liste de morceaux que vous pouvez acheter sur iTunes Store et qui sont en rapport avec la musique que vous avez sélectionnée dans votre bibliothèque. Avec Genius, vous créez également une liste de lecture automatique dans laquelle les titres sont en rapport avec un morceau que vous sélectionnez dans la bibliothèque.

Pour activer la fonction Genius, cliquez sur l'icône Genius dans le volet ou choisissez Store/Activer Genius. Dans la zone principale d'iTunes, cliquez sur le bouton Activer Genius. Saisissez votre identifiant Apple ID et votre mot de passe, puis suivez les instructions à l'écran. Si vous ne possédez pas d'identifiant, suivez la procédure vous permettant d'en créer un. Lorsque vous avez terminé, iTunes collecte les informations de votre bibliothèque, puis les transfère à Apple pour obtenir une liste de résultats Genius (Figure 12.13).

Un bouton en bas à droite de la fenêtre d'iTunes permet d'afficher ou de masquer la barre latérale Genius.

Figure 12.13 : Genius vous propose d'acheter les titres qui manquent à votre bibliothèque.

Créer un liste de lecture Genius

Pour créer une liste de lecture Genius, vous choisissez un titre et iTunes sélectionne automatiquement des morceaux en rapport. Pour créer la liste, affichez le contenu de votre bibliothèque et sélectionnez le titre à utiliser pour créer la liste, puis cliquez sur le bouton Lancer Genius, placé en bas à droite de la fenêtre. Si iTunes possède les informations nécessaires, il crée une liste dont le premier morceau est celui que vous avez sélectionné

(Figure 12.14). Des boutons dans la partie supérieure du volet central vous permettent d'enregistrer la liste de lecture (elle prend le nom du premier morceau), de l'actualiser et de d'en changer le nombre de morceaux.

Lorsque vous activez Genius et si vous possédez un modèle d'iPod récent, vous pouvez également créer des listes de lecture Genius directement sur votre iPod.

Figure 12.14 : Genius crée une liste de lecture automatiquement.

Acheter de la musique sur iTunes Store

Avec iTunes, vous accédez à iTunes Store où vous pouvez acheter des titres ou des albums complets. Vous obtenez des fichiers au format AAC que vous pouvez transférer sur l'iPod. Au moment de l'écriture de ces lignes, un titre coûte moins d'un euro et il est possible d'acquérir un album complet pour moins de dix euros.

Afin de protéger les fichiers audio téléchargés, Apple utilise une gestion des droits numériques, appelée FairPlay, qui offre un bon compromis entre les souhaits des utilisateurs et les intérêts des maisons de disques.

N'oubliez pas que lorsque vous achetez la musique en ligne, celle-ci est protégée. Il est donc indispensable d'obtenir des droits pour pouvoir la lire sur un ordinateur ou pour la transférer sur l'iPod. Toutefois, Apple commercialise certains titres non protégés par un système de gestion de droit numérique. Le système est appelé iTunes Plus et la qualité audio des fichiers non protégés est donnée pour être supérieure à celle des titres protégés.

Afin de pouvoir acheter sur iTunes Store, vous devez posséder un identifiant Apple (Apple ID) qui se présente sous la forme d'une adresse de courrier électronique. Pour créer un nouveau compte, démarrez iTunes, puis cliquez sur iTunes Store dans le panneau Source. La page d'accueil d'iTunes Store s'affiche (Figure 12.15). Pour créer votre compte (ou ouvrir un compte existant), cliquez sur le bouton Ouvrir une session.

Figure 12.15 : La page d'accueil d'iTunes Store pour faire vos emplettes.

Si vous possédez déjà un identifiant Apple ainsi qu'un mot de passe, vous pouvez les saisir pour ouvrir la session (Figure 12.16). De la même manière, si vous possédez un identifiant AOL, utilisez-le pour vous connecter. Sinon, cliquez sur Créer un nouveau compte, puis suivez les instructions données à l'écran pour créer votre compte. Sachez que vous devrez fournir des informations sur votre carte bancaire qui sera utilisée pour vos achats.

Figure 12.16: Si vous ne possédez pas de compte, il est temps d'en créer un.

Une fois que vous vous êtes identifié, vous utilisez l'une des différentes méthodes qui permettent de parcourir iTunes Store afin de trouver des produits à acheter. Vous flânez dans la boutique en cliquant les différents liens de la page d'accueil, ce qui vous permet de découvrir de nouvelles musiques, de nouvelles vidéos ou des podcasts.

Il existe un lien « Single de la semaine » qui vous permet de découvrir un artiste en téléchargeant gratuitement un morceau. Même si l'artiste ne vous intéresse pas particulièrement, utilisez ce lien pour tester le service de téléchargement de musique. Sachez qu'il existe d'autres produits gratuits, par exemple les podcasts.

Vous pouvez rechercher des produits en cliquant sur le lien Explorer, puis en utilisant les colonnes Genre, Artiste et Album pour rechercher des titres.

Enfin, vous utilisez la zone de recherche pour trouver un titre précis. Cette méthode est très pratique puisqu'elle vous permet de trouver rapidement les titres d'un artiste ou d'autres éléments.

Lorsque vous repérez un titre qui vous intéresse, vous pouvez en écouter un extrait. Pour cela, double-cliquez sur le nom du titre ou sélectionnez-le puis cliquez sur le bouton Lecture (Figure 12.17). Vous entendez un extrait de 30 secondes ; selon les titres, il s'agit du début du morceau ou d'un extrait plus représentatif de la musique. Pour les podcasts (qui sont généralement gratuits), vous vous abonnez en cliquant sur le bouton correspondant et vous suivez les instructions.

Figure 12.17 : Avant d'acheter, vous pouvez écouter un extrait.

iTunes Store ne propose pas uniquement de la musique, vous pouvez acheter, entre autres, des jeux pour votre iPod ou des clips vidéo.

Une fois que vous avez trouvé des titres qui vous intéressent, vous pouvez les acheter. Pour cela, il suffit de cliquer sur le bouton Ajouter le morceau pour acquérir un titre précis, ou sur Ajouter l'album.

Si vous avez activé l'achat avec l'option 1-Click, les libellés sont Acheter le morceau et Acheter l'album.

Si vous n'êtes pas identifié, la boîte de dialogue d'ouverture de votre compte s'affiche.

Vous pouvez continuer vos achats et ajouter d'autres produits à votre panier. Lorsque vous avez terminé et que vous souhaitez obtenir les produits, cliquez sur Panier d'achat dans le panneau Source, puis cliquez sur le bouton Acheter maintenant (Figure 12.18).

Figure 12.18 : Vous devez payer le contenu du panier d'achat.

Une boîte de dialogue vous demande de confirmer l'achat du morceau ou de l'album.

Évitez de cocher la case Ne plus m'avertir. En effet, lorsque celle-ci est cochée, la boîte de dialogue ne s'affiche plus et le téléchargement démarre immédiatement (par conséquent, l'achat est effectué).

Si le téléchargement ne se déroule pas correctement, un message vous indique que vous pourrez y remédier par la suite.

Vous accédez à tous les produits que vous avez achetés en cliquant Achats dans le panneau Source. Bien entendu, les titres que vous avez acquis sont également accessibles, comme tous les autres titres, en parcourant le contenu de la bibliothèque d'iTunes. Vous lisez les fichiers audio de la même manière que n'importe quel autre fichier audio. Toutefois, vous devez être connecté à Internet pour obtenir une autorisation d'écoute.

Si vous ne parvenez pas à obtenir votre achat, ne recommencez pas la procédure d'achat. Vous risquez de voir votre carte bancaire débitée deux fois. Vérifiez la liste des achats et contactez le service clients.

Pour accéder à l'historique de vos achats, cliquez sur iTunes Store dans le panneau Source, puis sur votre compte. Dans la boîte de dialogue qui s'affiche, saisissez votre identifiant et votre mot de passe, puis cliquez sur Visualiser le compte. Dans la page qui s'affiche, vous accédez à toutes les informations concernant votre compte sur iTunes Store. Pour afficher la liste de vos derniers achats, cliquez sur Historique d'achats. La liste de vos achats s'affiche et vous trouvez le bouton Signaler un problème pour contacter le service clients concernant un problème avec l'un de vos achats (Figure 12.19).

Figure 12.19 : Consultez l'historique de vos achats.

Si vous rencontrez des problèmes lors d'un achat, contactez le service clients. Pour cela, utilisez le bouton Signaler un problème de la page Historique d'achats.

Gérer un iPod avec iTunes

Si vous possédez un iPod ou un iPhone, vous utilisez iTunes pour transférer les musiques, les vidéos et les photos (selon le modèle d'iPod que vous possédez).

Avec un iPhone ou un iPod Touch, vous transférez également vos contacts, votre calendrier, votre courrier électronique ou les signets de Safari. Toutefois, si vous possédez un compte MobileMe, la synchronisation de ces éléments s'effectue à l'aide de MobileMe, sans passer par iTunes.

Vous utilisez le câble USB fourni pour relier l'iPod et votre Mac. Avant de connecter physiquement l'iPod et l'ordinateur, vous pouvez démarrer iTunes, mais, si vous ne le faites pas, ce dernier se lance automatiquement.

Votre iPod s'affiche dans la fenêtre d'iTunes. Vous pouvez le nommer et vous indiquez comment vous souhaitez synchroniser les morceaux et les photos (Figure 12.20).

Lorsque vous sélectionnez votre iPod dans le panneau Source, plusieurs onglets s'affichent dans le panneau principal d'iTunes. Par défaut, vous obtenez l'onglet Résumé qui indique l'état de votre iPod.

L'onglet Musique (Figure 12.21) permet de choisir la musique que vous transférez. Si la capacité de votre iPod vous le permet, vous pouvez choisir de synchroniser tous les morceaux se trouvant dans iTunes.

Si la capacité ne vous permet pas de transférer tous les morceaux de votre bibliothèque, créez des listes de lecture spéciales pour votre iPod, puis choisissez Listes de lecture sélectionnées et cochez les listes de lecture à transférer. Lorsque vous avez apporté des modifications, cliquez sur le bouton Appliquer pour qu'elles soient prises en compte.

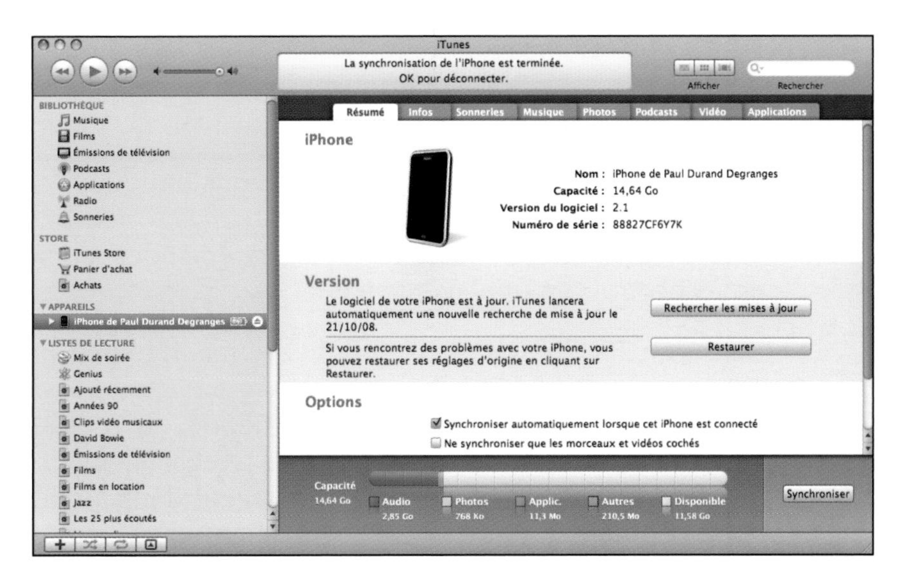

Figure 12.20 : L'iPod (ou l'iPhone) s'affiche dans le panneau Source.

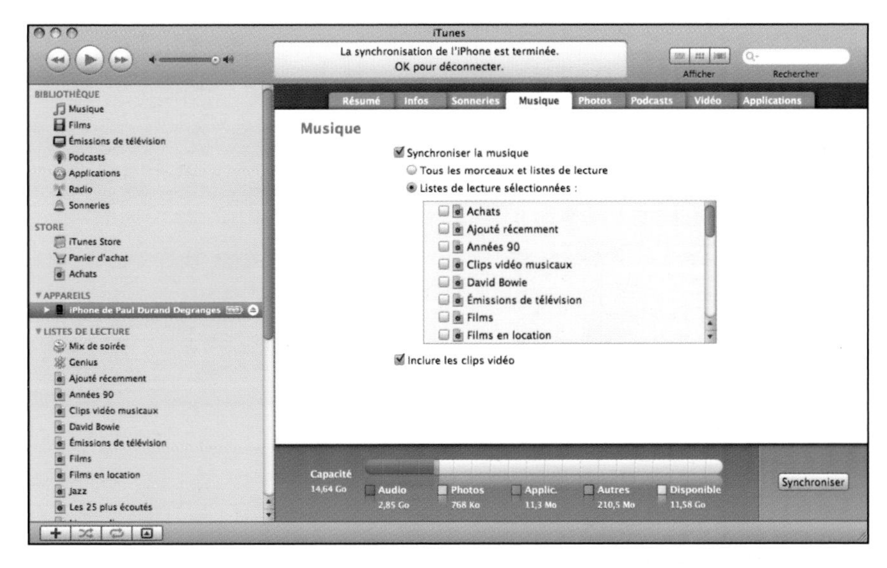

Figure 12.21 : Indiquez la musique à transférer sur l'iPod.

L'onglet Film vous permet de configurer la manière dont vous souhaitez transférer les films sur votre iPod. N'oubliez pas que les films sont gourmands en espace de stockage.

Dans l'onglet Émission de télévision, vous indiquez la manière dont vous souhaitez synchroniser les émissions de télévision que vous possédez dans iTunes.

Si vous êtes abonné à des podcasts, vous indiquez dans l'onglet Podcast la manière dont vous souhaitez les synchroniser. Vous pouvez ainsi en transférer les derniers épisodes sur votre iPod et les écouter en déplacement.

Dans l'onglet Photos, vous indiquez la manière dont vous souhaitez synchroniser les photos. Vous avez la possibilité de transférer la totalité de votre photothèque, ou vous sélectionnez des événements ou des albums. Vous avez également la possibilité d'utiliser des photos qui se trouvent dans un dossier de votre ordinateur, par exemple le dossier Images.

L'onglet Infos est découpé en plusieurs parties et, dans le cas de l'iPod Touch ou de l'iPhone, il permet de configurer la synchronisation de différents éléments, par exemple les contacts ou le calendrier (Figure 12.22).

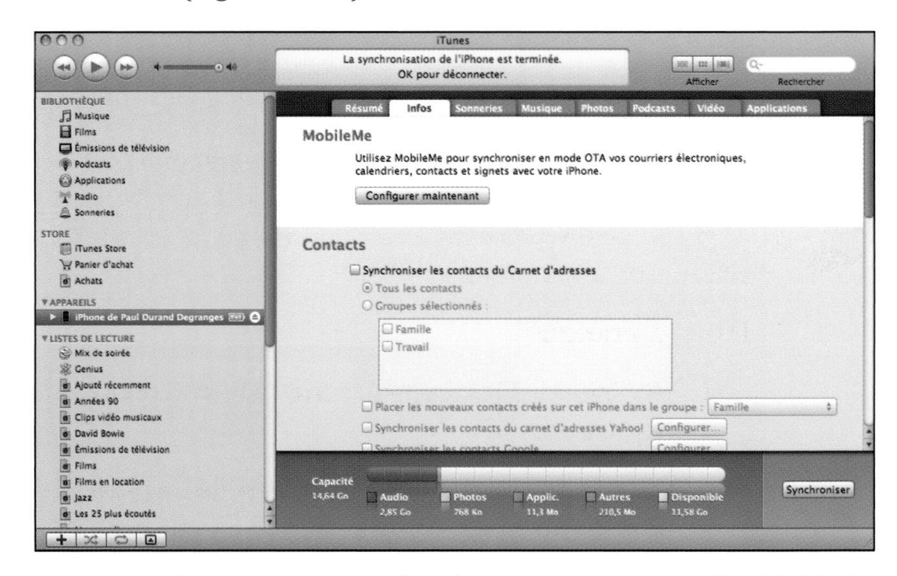

Figure 12.22 : Synchronisez votre calendrier et vos contacts ou utilisez MobileMe.

Les illustrations montrent des onglets obtenus avec un iPhone 3G. Si vous possédez un autre modèle d'iPod, les onglets seront différents, en particulier si vous possédez un iPod Shuffle. L'iPhone offre également un onglet Sonneries qui permet de configurer le transfert des sonneries utilisées par le téléphone.

Créer un CD audio

iTunes vous permet de créer vos propres CD audio. Ces CD fonctionneront sur la plupart des lecteurs portables, de voiture et de salon.

Pour créer un CD au format MP3, utilisez le Finder plutôt qu'iTunes. Pour en savoir plus à ce sujet, reportez-vous à la section "Piloter des supports amovibles — Graver un CD" du Chapitre 11.

Le principe est élémentaire : vous désignez les morceaux de votre bibliothèque que vous souhaitez transférer sur ce support en créant une liste de lecture, après quoi iTunes les convertit en fichiers audio standard, puis les grave sur le disque.

En général, la qualité audio du CD équivaut à celle que produit iTunes. Seuls les morceaux téléchargés depuis Internet et, partant, susceptibles d'être codés différemment, peuvent présenter une qualité moindre.

Dans la pratique :

1. **Choisissez Fichier/Nouvelle liste de lecture ou enfoncez les touches ⌘ + N.**

2. **Glissez les morceaux souhaités de la bibliothèque vers le nom de la liste de lecture, situé dans le panneau Source.**

3. **Présentez les morceaux dans l'ordre dans lequel vous entendez les graver.**

Au bas de la liste, s'affiche la durée totale approximative. Attention ! cette évaluation ne tient pas compte du blanc ménagé entre les morceaux, que vous définissez au niveau des préférences.

4. **Cliquez sur Graver disque, à droite de la zone Rechercher.**
5. **Insérez un CD-R vierge dans votre lecteur.**
6. **Cliquez de nouveau sur Graver disque.**

Lecteur DVD

Ce programme se déclenche spontanément dès que vous introduisez un DVD vidéo dans le lecteur de l'ordinateur.

Une télécommande virtuelle, redessinée pour l'occasion, vous donne accès aux principaux réglages. Deux modes de présentation sont toujours prévus : horizontal ou vertical. Dans le premier cas, les boutons de navigation occupent à présent la partie gauche de la télécommande. Suivent les boutons de commande du lecteur (retour et avance rapides, marche et arrêt) au-dessus desquels s'affichent désormais les temps écoulé et restant du DVD ou le chapitre en cours de lecture. Enfin, la partie de droite est identique à celle de la version précédente.

Ces commandes sont normalement faciles à maîtriser ; appelez l'aide à la rescousse si vous n'en sortez pas.

Livre des polices

Cet outil accomplit une foule de tâches en rapport avec les polices de caractères : installation, prévisualisation, organisation et gestion.

Installer une police

Pour installer une nouvelle police :

1. **Introduisez dans votre lecteur le disque contenant la police ou copiez-la sur votre disque dur.**
2. **Choisissez Fichier/Ajouter des polices ou enfoncez les touches ⌘ + O.**

   Une fenêtre d'ouverture vous est proposée.
3. **Désignez la police à installer (Figure 12.23).**

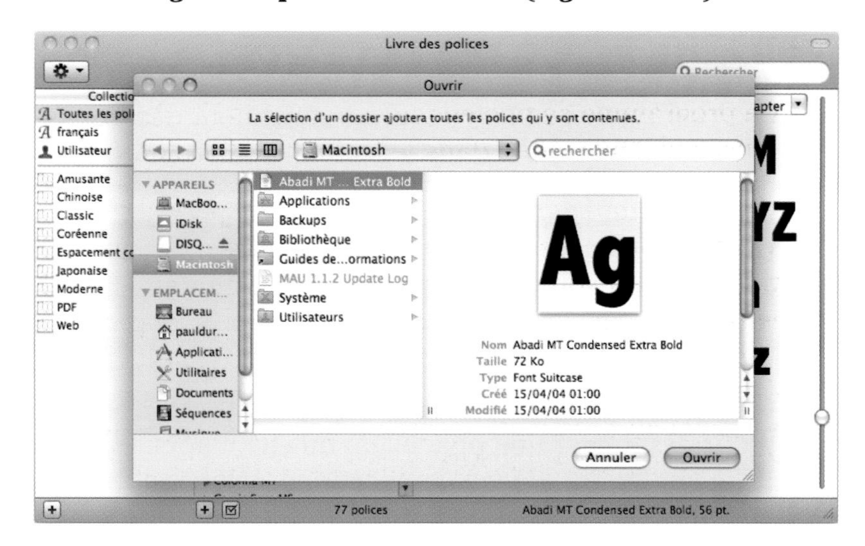

Figure 12.23 : La fenêtre d'ouverture du programme Livre des polices vous propose plusieurs destinations.

Visualiser une police

Pour visualiser une police (Figure 12.24), choisissez la collection (à gauche), puis la police (au centre). Une vue d'ensemble de ses caractères s'affiche dans le volet droit.

Pour modifier la taille proposée dans le volet droit, agissez via le menu déroulant Taille, en haut à droite, ou faites glisser le curseur bleu vers le haut ou vers le bas.

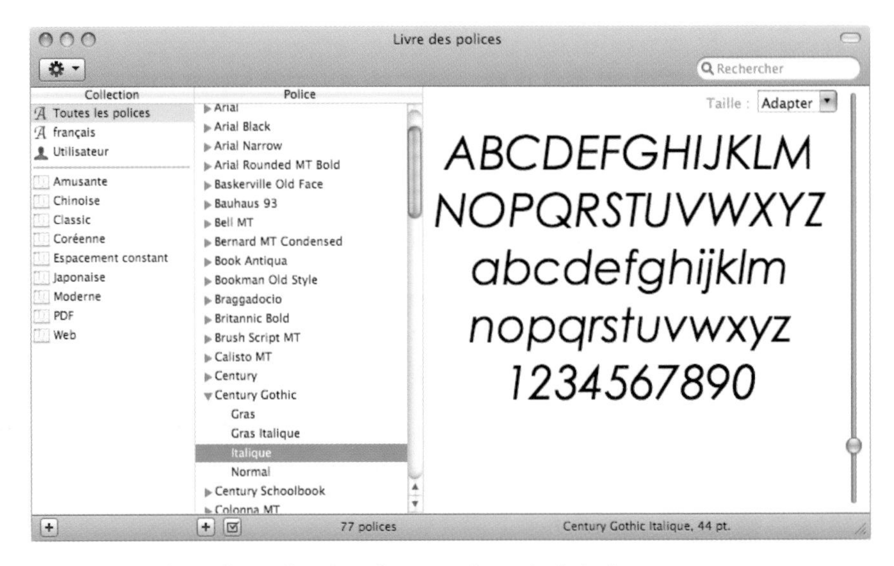

Figure 12.24 : La police sélectionnée est présentée à droite.

Désactiver une police

Pour désactiver une police afin qu'elle n'apparaisse plus dans le menu Polices de vos applications, sélectionnez-la, puis invoquez la commande Édition/Désactiver la police ou utilisez, aux mêmes fins, le bouton Désactiver du bas de la fenêtre. Confirmez votre intention.

Pour réactiver une police désactivée, sélectionnez-la, puis validez la commande Activer la police du même menu Édition, ou cliquez sur Activer dans la partie inférieure de la fenêtre.

Lorsque vous activez ou désactivez une police, la modification est automatiquement prise en compte par les applications, Mac OS X gérant ces actions de manière dynamique.

Créer une collection

Pour créer une nouvelle collection de polices :

1. **Choisissez Fichier/Nouvelle collection ou enfoncez les touches ⌘ + N.**
2. **Pour y ajouter une police, validez d'abord l'option Toutes polices de cette liste Collection, puis faites glisser les polices souhaitées de cette collection complète vers la nouvelle collection.**
3. **Pour retirer une police d'une collection, sélectionnez-la dans la liste centrale, puis validez la commande Fichier/ Supprimer la police.**

La commande Fichier/Supprimer la collection se débarrasse, elle, de la collection sélectionnée.

Si vous supprimez une police de la collection Toutes polices, elle disparaît définitivement. Cette suppression ne peut être annulée. Réfléchissez donc avant d'agir.

OmniOutliner

OmniOutliner est un programme de création de listes hiérarchiques et de tableaux que vous utilisez pour mettre en forme des idées et les partager avec d'autres personnes.

Vous pouvez consulter l'aide en ligne pour apprendre à utiliser le logiciel. Sachez également qu'il existe une version "pro" que vous pouvez acheter si la version standard livrée avec votre ordinateur ne suffit pas pour vos projets.

Photo Booth

Photo Booth est un programme très simple d'utilisation qui vous permet d'utiliser la caméra iSight qui est peut-être intégrée à votre Mac. Vous pouvez prendre des photos à l'aide de la webcam et ajouter des effets spéciaux à ces photos.

QuickTime Player

QuickTime Player vous permet de jouer vos films QuickTime, d'écouter la radio ou de regarder la télé (Figure 12.25).

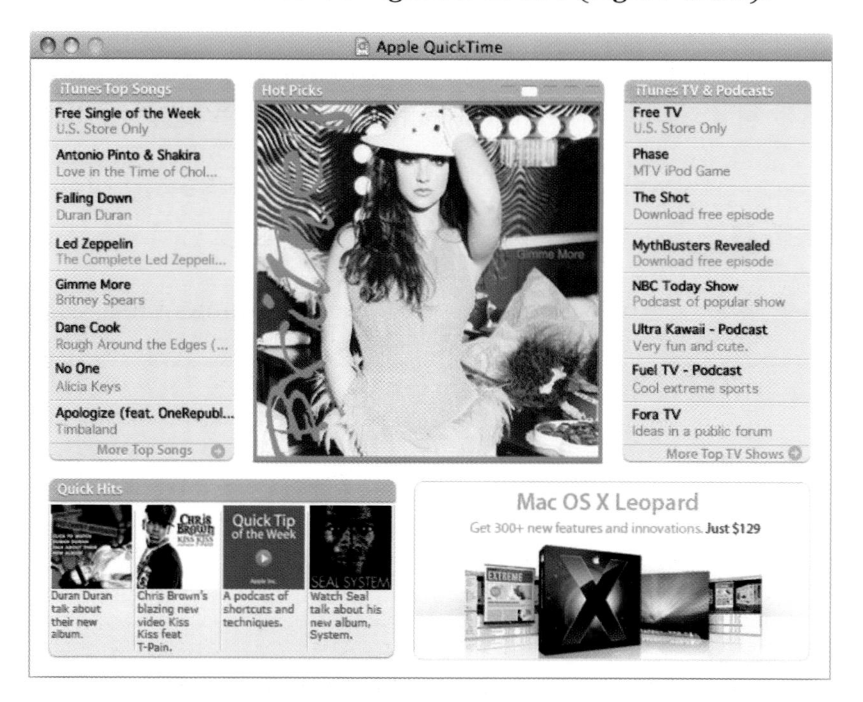

Figure 12.25 : C'est ici que ça se passe.

Côté radio et télévision, votre connexion Internet doit être active, faute de quoi vous n'aurez accès à rien.

Généralement, QuickTime Player se lance automatiquement lorsqu'il est nécessaire. Son icône n'est plus présente par défaut dans le Dock comme c'était le cas avec les précédentes versions de Mac OS X. En tant qu'utilisateur, il est en effet plus intéressant de se servir de Front Row.

Spaces

Spaces permet de créer plusieurs *espaces de travail*, c'est-à-dire plusieurs bureaux que vous utilisez pour ouvrir les programmes en fonction de thèmes.

L'icône Spaces, placée dans le dossier Applications, permet de démarrer Spaces de la même manière que si vous cliquiez l'icône Spaces placée dans le Dock ou appuyiez sur la touche F8.

TextEdit

TextEdit est un traitement de texte rudimentaire, essentiellement destiné à ouvrir les fichiers Read Me (Lisez-moi) qui accompagnent la plupart des logiciels et dans lesquels sont consignées des instructions relatives à leur installation.

Cependant, rien ne vous empêche de l'utiliser pour ce qu'il est : un traitement de texte de base, autorisant des formatages simples et proposant même une commande de vérification orthographique.

Si vos besoins sont moins limités, vous apprécierez sans doute les services d'un logiciel plus puissant, Word notamment. Le Chapitre 18 de la quatrième partie lui est consacré.

TextEdit est capable d'ouvrir ou d'enregistrer des documents au format Microsoft Word. Pratique pour ceux qui veulent lire ou produire des fichiers de ce type mais qui ne possèdent pas le traitement de texte de Microsoft. Attention toutefois : si la sauvegarde ne pose apparemment aucun problème (ce qui paraît normal puisque les possibilités de TextEdit sont bien en dessous de celles de Word), l'ouverture de documents comportant des formatages complexes n'est en revanche pas toujours convaincante. En outre, TextEdit prend en charge le format docx de Word 2007.

Time Machine

Time Machine est un nouvel utilitaire qui permet de sauvegarder le contenu du disque dur sur un disque externe, une partition sur le disque interne ou sur un second disque interne.

Lorsque vous démarrez Time Machine pour la première fois, vous devez le configurer en indiquant le disque à utiliser. Une fois cette configuration effectuée, Time Machine sauvegarde votre disque une première fois de manière tout à fait complète. Ensuite, la sauvegarde s'effectue toutes les heures, tous les jours pendant un mois et toutes les semaines, jusqu'à remplir votre disque dur. Lorsque le disque dur est plein, le programme vous avertit que les anciennes sauvegardes vont être supprimées.

Lorsque vous avez effectué des sauvegardes, vous pouvez remonter le temps en démarrant Time Machine et en parcourant les fenêtres du Finder à différentes périodes. Vous pouvez ensuite sélectionner les fichiers que vous souhaitez restaurer et cliquer sur le bouton Restaurer (Figure 12.26).

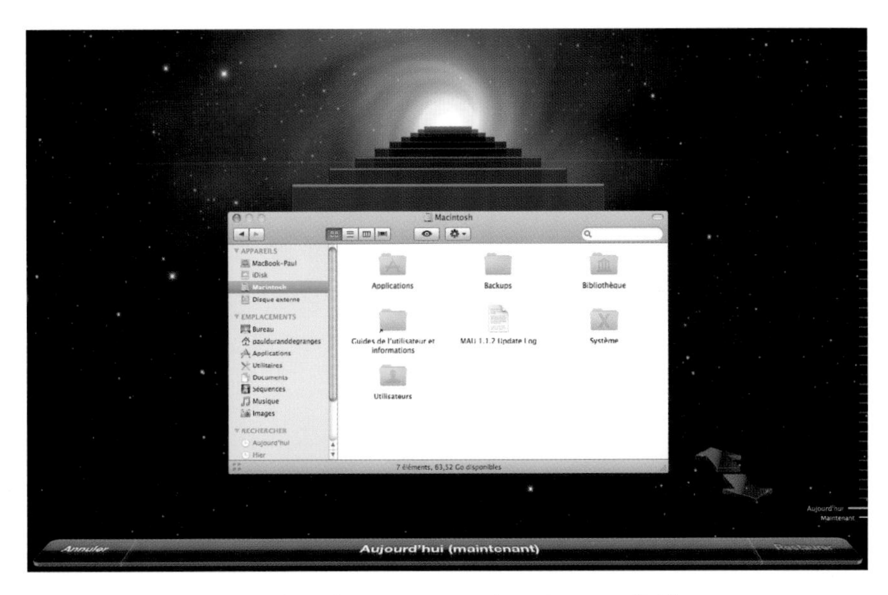

Figure 12.26 : Remontez dans le temps pour récupérer vos fichiers.

Transfert d'images

Le programme Capture d'images ne vous servira que si vous possédez un appareil photo numérique USB ou un scanner. Dans ce cas, il vous aidera à transférer vos images depuis cet appareil vers votre disque dur.

Il est capable d'automatiser en partie le téléchargement, puisqu'il peut se lancer dès que vous branchez l'appareil photo numérique au Mac ; il vous permet en outre de transférer toutes vos photos dans iPhoto afin de l'organiser.

Le programme gère un grand nombre d'appareils ; mais il peut en ignorer. Comment être fixé ? Branchez l'appareil photo numérique sur un des ports USB de votre Mac, puis lancez le programme. Si son menu Caméra indique "Aucun périphérique détecté", c'est foutu !

Chapitre 13

Découvrir le dossier Utilitaires

Dans ce chapitre :

- Administrateur ODBC.
- Assistant Boot Camp.
- Assistant migration.
- Capture.
- Colorimètre numérique.
- Configuration audio et MIDI.
- Console.
- Échange de fichiers Bluetooth.
- Grapher.
- Informations Système.
- Installation à distance de Mac OS X.
- Java.
- Moniteur d'activité.
- Répertoire.
- Terminal.
- Transfert de podcast.
- Trousseau d'accès.
- Utilitaire AirPort.
- Utilitaire ColorSync.
- Utilitaire d'annuaire.
- Utilitaire de disque.
- Utilitaire de réseau.
- Utilitaire RAID.
- VoiceOver Utility.
- X11.

Comme vous pouvez le voir, le dossier Utilitaires n'a rien à envier au dossier Applications. Il est, lui aussi, richement doté (Figure 13.1).

Toutefois, il s'agit ici de fichiers que vous n'exploiterez que rarement. Ce sont en effet les applications qui y font majoritairement appel.

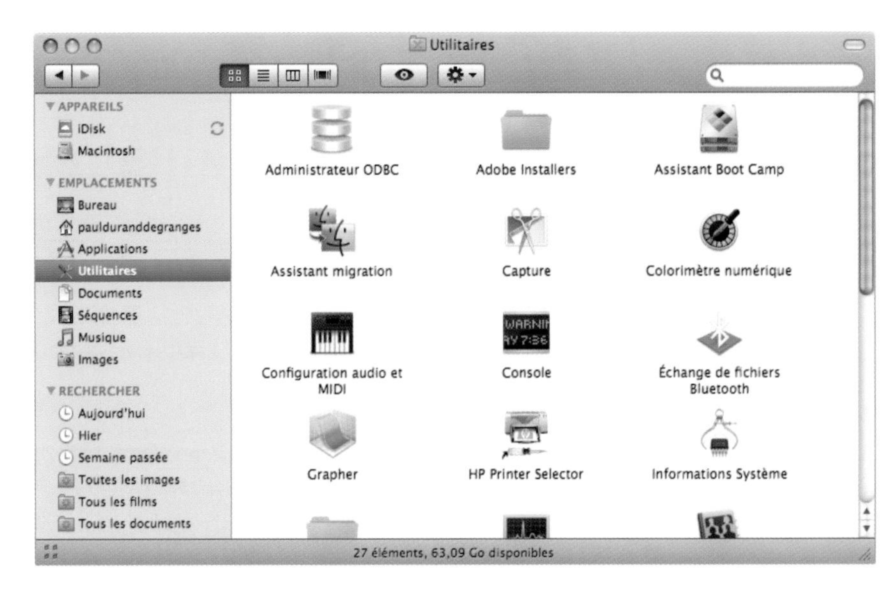

Figure 13.1 : Le contenu du dossier Utilitaires.

Administrateur ODBC

Cet utilitaire est une interface de programmation qui vous permet de relier des bases de données avec des applications respectant la norme ODBC (Open Database Connectivity). Tout ça ne vous dit rien ? Oubliez Administrateur ODBC : vous ne vous en porterez pas plus mal.

Assistant Boot Camp

Jusqu'à présent, Boot Camp était disponible uniquement en version bêta sur le site d'Apple. Avec la commercialisation de Leopard, Boot Camp est disponible uniquement sur le disque d'installation de Leopard.

Si vous possédez un Mac récent, il est équipé d'un processeur Intel ; aussi pouvez-vous y faire fonctionner le système d'exploitation Microsoft Windows XP ou Vista.

Bien entendu, vous devez posséder le disque d'installation de Windows ainsi qu'une licence d'utilisation pour pouvoir installer le système d'exploitation sur votre Mac.

Démarrez l'assistant et laissez-vous guider dans l'installation. Vous allez commencer par partager votre disque dur pour créer un espace sur lequel vous installerez Windows.

Boot Camp vous permet d'installer Windows sur votre ordinateur, puis de choisir si vous souhaitez démarrer l'ordinateur avec Lepoard ou Windows. Vous ne pourrez pas utiliser les deux systèmes d'exploitation en même temps. Sachez toutefois qu'il existe des programmes qui permettent un tel fonctionnement.

Assistant migration

Cet Assistant a pour mission de vous aider à changer de Mac ou à réinstaller le système. Une fois que vous avez démarré l'assistant, vous indiquez comment vous souhaitez transférer vos données. Celles-ci peuvent se trouver sur un autre Mac équipé de FireWire, sur un autre volume du Mac (ou sur un disque externe) ou sur une copie de sauvegarde Time Machine.

Capture

Ce petit programme, baptisé Capture, vous permet de photographier votre écran (zone définie, fenêtre ou écran complet).

Quel intérêt ? Pour vous, peut-être aucun. Pour nous qui rédigeons des manuels informatiques et devons les illustrer, énorme.

La fonctionnalité la plus intéressante de cet utilitaire est sans doute sa commande Écran à retardateur : vous disposez d'une dizaine de secondes pour préparer l'écran avant que la capture n'intervienne (ouvrir une fenêtre, dérouler un menu, activer une icône...).

Les fichiers ainsi produits sont au format TIFF, quasi universel.

Par défaut, le pointeur est invisible. Mais en agissant au niveau des préférences du programme, vous pouvez lui substituer toutes sortes de formes intéressantes (Figure 13.2).

Figure 13.2 : Les formes possibles du pointeur.

Colorimètre numérique

Ce petit programme vous permet de basculer entre un affichage RVB (rouge-vert-bleu) ou CIE (abréviation du nom de la Commission internationale de l'éclairage qui a développé ce système chromatique).

Plus concrètement, il vous aide à définir les valeurs des couleurs de votre écran en RVB et de les transcrire en espaces CIE ou en valeurs Tristimulus.

À votre niveau, il ne présente aucun intérêt, à moins que vous ne soyez un professionnel de l'industrie graphique ou que vous n'interveniez, à un titre ou à un autre, dans un processus de production de documents couleurs haute définition.

Configuration audio et MIDI

Cet utilitaire prend en charge la configuration des périphériques d'entrée et de sortie audio (Figure 13.3) et MIDI connectés à votre ordinateur.

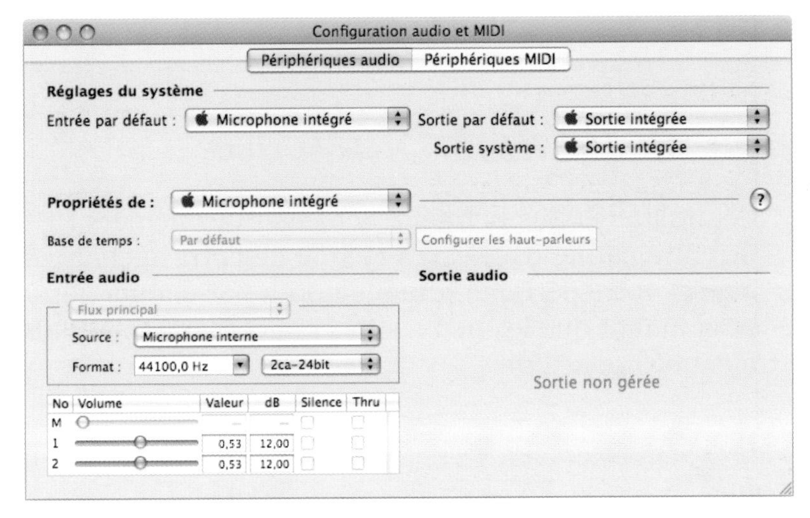

Figure 13.3: La gestion des périphériques audio.

Configuration d'imprimante

Nous avons déjà évoqué ce programme. Rappelez-vous : c'est lui qui vous aide à configurer vos imprimantes. (Reportez-vous à la section "Préparer l'impression – Configurer" du Chapitre 10.)

Console

Le Système Mac OS X et les applications qui tournent sous sa férule émettent des messages techniques auxquels Console vous permet d'accéder.

Le programme n'a d'intérêt que si vous êtes capable d'interpréter ces messages, ce qui, à ce stade, n'est sans doute pas le cas. Ils sont exprimés en langage Unix, le langage de programmation qui sous-tend Mac OS X et qui n'est pas franchement convivial.

Console ne vous servira à rien si vous ne maîtrisez pas Unix.

Échange de fichiers Bluetooth

Cet utilitaire vous permet d'échanger des fichiers (.gif, vCards de votre carnet d'adresses et vCal de votre agenda) entre votre Mac et votre périphérique Bluetooth par cliquer-glisser, sans pour autant que les deux unités concernées soient physiquement en connexion.

Grapher

Grapher est un programme qui vous permet de créer des graphiques à partir d'équations mathématiques. Ce programme vous sera utile si vous avez de bonnes connaissances en mathématiques ; dans ce cas, l'aide en ligne devrait vous permettre de l'utiliser. Dans le cas contraire, Grapher ne vous sera d'aucune utilité.

Informations Système

Cet utilitaire est votre *informateur*. Il vous livre toutes sortes de renseignements concernant votre Macintosh : version du logiciel système, type de clavier, configuration réseau, périphériques connectés, etc.

Quatre rubriques principales sont proposées dans le volet gauche : Matériel, Logiciel, Réseau et Historiques (Figure 13.4).

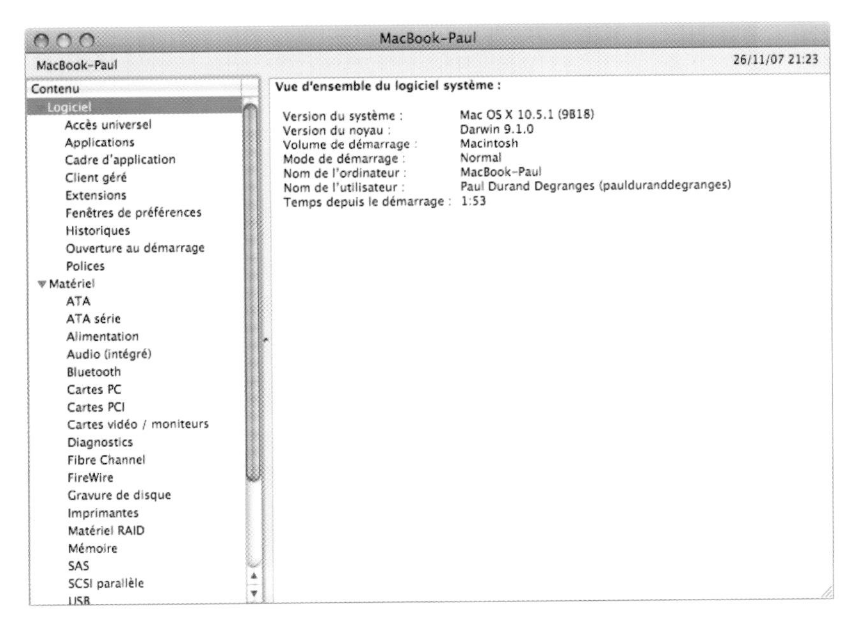

Figure 13.4 : Des infos sur le système.

A priori, ce programme ne présente guère d'intérêt. Sachez toutefois que s'il vous arrivait de contacter un service de dépannage, vous auriez sans doute à fournir au réparateur placé à l'autre bout du fil des données techniques que vous trouverez ici.

Installation à distance de Mac OS X

Comme son nom l'indique, cet utilitaire vous permet d'installer Mac OS X à distance. Il est très utile avec les modèles d'ordinateur MacBook Air qui ne sont pas équipés de lecteur de DVD-Rom. Vous devez alors utiliser un second Mac équipé d'un lecteur de disque optique dans lequel vous insérez le disque d'installation. Ensuite, vous démarrez l'assistant Installation à distance de Mac OS X, puis vous suivez les instructions pour installer le logiciel sur le MacBook Air.

Java

Il s'agit là d'un dossier qui regroupe plusieurs éléments, le principal étant Java Web Start.

Java Web Start vous permet d'exploiter la version Apple de Java, ce langage de programmation qui sert souvent pour afficher les pages Web que vous visualisez depuis Internet.

Il vous permet donc d'exécuter sur votre Macintosh des programmes écrits en Java – des applets – sans l'intervention d'aucun navigateur.

Mac OS X et Safari gérant également Java depuis des pages Web, vous avez le choix entre exécuter des applets indépendants grâce à Java Web Start ou laisser à votre navigateur le soin de charger et de lancer des programmes Java depuis une page Web.

Moniteur d'activité

Moniteur d'activité vous tient informé de la charge de travail de votre CPU (de votre processeur ; CPU signifiant Central Processing Unit ou unité de traitement centrale).

Cette surveillance peut s'avérer utile lorsque vous manipulez des programmes exigeants comme les applications graphiques, de rendu ou de montage vidéonumérique.

Répertoire

Répertoire est un programme qui vous permet d'accéder à des informations partagées sur les personnes, les groupes, les emplacements et les ressources de votre organisation. Pour cela, il convient d'utiliser un serveur de répertoire. Si votre ordinateur n'est pas relié à un tel serveur, ce programme ne vous sert à rien. Dans le cas contraire, consultez votre administrateur réseau pour plus d'informations.

Terminal

Vous le savez déjà : Mac OS X est basé sur Unix. Or, ce langage de programmation est fondé sur une interface à lignes de commande. C'est donc en tapant des commandes dans les lignes prévues à cet effet que vous pilotez votre environnement.

Où ? Dans Terminal.

Un outil qui n'intéressera que les fondus de la programmation.

Ce qui a peu de chance d'être votre cas.

Transfert de podcast

Ce programme vous sera utile uniquement si vous êtes connecté à un ordinateur exécutant Mac OS X Server et Podcast Producer. Si c'est le cas, vous devez avoir en main les éléments pour utiliser ce programme.

Trousseau d'accès

Vous en avez assez de devoir taper des mots de passe à tout bout de champ ? Utilisez Trousseau d'accès.

Cet utilitaire crée un trousseau qui rassemble tous vos mots de passe (accès à vos programmes, sites Web et serveurs) et les fournit lorsqu'ils sont sollicités, vous dispensant ainsi de les taper.

C'est très pratique, surtout lorsque vous possédez plusieurs comptes de messagerie dont chacun est associé à un mot de passe distinct. Si vous regroupez tous ces mots de passe dans un seul et même trousseau, vous accéderez alors à tous vos messages au moyen d'une seule clé d'accès.

La marche à suivre est la suivante : vous créez un trousseau (via la commande Fichier/Nouveau trousseau), lui associez un mot de passe. Vous ajoutez ensuite les autres mots de passe au trousseau. Les applications qui gèrent cette fonctionnalité utilisent alors le trousseau plutôt que de solliciter votre intervention.

Utilitaire Airport

Cet utilitaire configure l'accès de votre ordinateur à un réseau Airport existant ou définit une borne d'accès Airport.

Utilitaire ColorSync

ColorSync désigne le nom du système qu'Apple a mis au point pour assurer la parfaite correspondance entre couleurs affichées et couleurs imprimées.

Donc, ce système vous permet d'abord de choisir un profil parmi un éventail très large, correspondant aux principaux périphériques du marché. Il vous permet ensuite de vous assurer que ce profil correspond bien à vos unités d'entrée, d'affichage, de sortie et d'épreuve.

Un *profil* est un ensemble d'instructions qui expliquent au scanner, à l'écran et à l'imprimante comment afficher les couleurs afin qu'elles soient identiques à celles produites par les autres périphériques de la chaîne.

Certes, vous ne ferez appel à ColorSync que si vous devez manipuler des fichiers couleurs ou étalonner des écrans et des imprimantes afin de garantir la parfaite correspondance des couleurs entre ces différents périphériques.

Pour en revenir à l'utilitaire ColorSync, sachez qu'il se charge d'attribuer des profils aux périphériques, de les valider et de les réparer le cas échéant.

Utilitaire d'annuaire

Cet utilitaire vous permet de gérer les annuaires lorsque vous êtes connecté à un serveur OS X.

Utilitaire de disque

Utilitaire de disque est un utilitaire très... utile! Détaillons ses missions, sachant que sa vocation principale est de mettre à votre disposition les outils nécessaires à la gestion et à l'entretien de vos disques et partitions.

Obtenir des informations

Lancez le programme, choisissez, dans la colonne de gauche qui répertorie tous les disques connectés à votre poste de travail, le disque qui vous intéresse, puis cliquez sur Infos dans la barre d'outils de la fenêtre.

Si ce disque est partitionné, vous avez l'occasion de désigner une partition.

Une série de données relatives au support sélectionné s'affiche (Figure 13.5). Débarrassez-vous de cette fenêtre en cliquant dans sa case de fermeture.

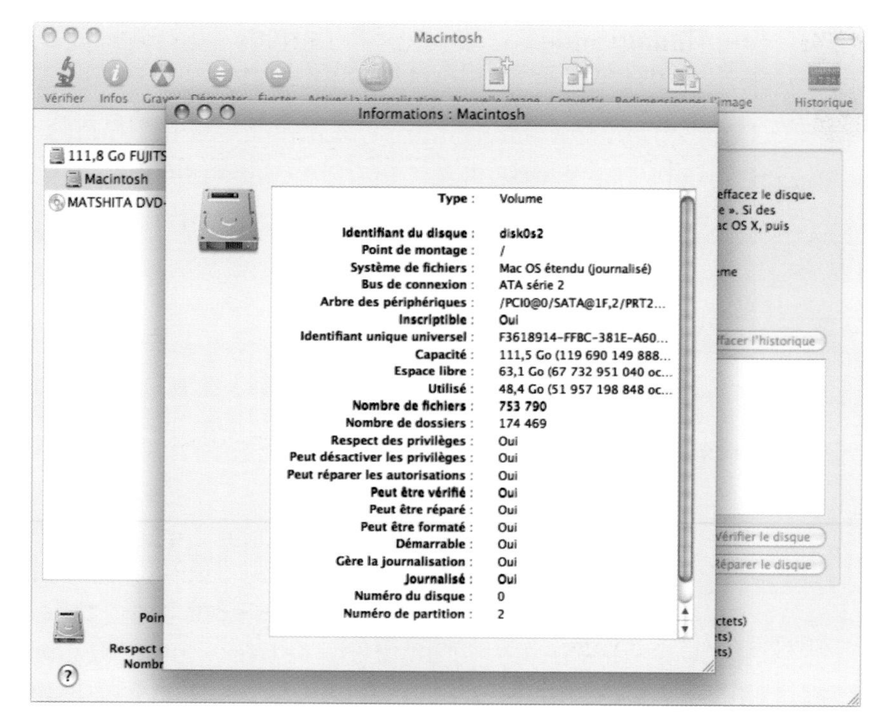

Figure 13.5 : Pour en savoir plus sur un disque.

Tester et réparer

Pour tester ou réparer un disque (disque dur interne, disques Zip, SuperDisk, DVD-RAM ou autres supports réinscriptibles), vous devez commencer par ouvrir une session en tant qu'administrateur (Chapitre 15), puis :

1. **Sélectionnez, dans la colonne de gauche, le disque à tester et/ou à réparer.**

Impossible de traiter de la sorte les CD-ROM et DVD-ROM. Ces disques sont en lecture seule, c'est-à-dire que leur contenu ne peut être modifié.

Impossible également de traiter le disque de démarrage (celui sur lequel tourne Mac OS X), à moins d'avoir au préalable redémarré depuis le CD d'installation Mac OS X. Pour ce faire : introduisez le CD dans le lecteur, choisissez Pomme/Redémarrer tout en maintenant la touche C enfoncée ; choisissez ensuite Ouvrir Utilitaire de disque dans le menu Installer.

2. **Activez l'onglet S.O.S.**

   L'onglet s'affiche.

3. **Cliquez sur Vérifier pour tester ou sur Réparer pour tester et réparer.**

   Dans le premier cas, le programme entre en action, puis dresse la liste des problèmes éventuels dont souffre l'unité traitée. Dans le second, il établit cette liste, puis se met à l'ouvrage.

4. **Quittez le programme quand tout est terminé.**

5. **Si vous avez agi depuis un CD, faites redémarrer la machine sans enfoncer la touche C de manière à "booter" (c'est-à-dire démarrer) depuis le disque dur interne.**

Effacer

L'onglet Effacer remet à zéro les données d'une partition ou d'un disque entier. Il permet de traiter les disques CD-RW ; ces disques réinscriptibles doivent, en effet, être effacés avant de pouvoir être réutilisés.

1. **Sélectionnez dans la colonne de gauche le disque à effacer.**

2. **Activez l'onglet Effacer.**

3. **Cliquez sur Effacer.**

Tous les disques CD-RW ne sont pas de qualité égale; il se peut que certains résistent moins bien aux effaçages successifs que d'autres. Vérifiez leurs caractéristiques afin de connaître leur durée de vie.

Partitionner

Une fois de plus, le bon vieux principe du "diviser pour régner" est à l'honneur.

En effet, "partitionner" signifie diviser un disque dur en sections qui fonctionneront ensuite chacune comme des disques séparés.

Qui dit "partition" dit "formatage". Et qui dit "formatage" dit "effaçage". En effet, quand vous formatez un disque, vous effacez dans la foulée toutes les données qui y sont enregistrées. Faites d'abord des copies de sauvegarde: on n'est jamais trop prudent!

1. **Sélectionnez, dans la colonne de gauche, le disque à partitionner.**

2. **Activez l'onglet Partitionner.**

   Une fois encore, impossible de traiter de la sorte le disque de démarrage.

3. **Définissez les options de partition.**

4. **Cliquez sur OK.**

Configurer en mode RAID

Si vous disposez d'au moins deux disques, un onglet supplémentaire, baptisé RAID, vous permet de traiter plusieurs disques comme s'il s'agissait d'un volume unique. C'est en réalité le même principe que la partition, mais à l'envers.

Partitionner sans exagérer

Vous pouvez sur un disque créer autant de partitions que vous le souhaitez ; évitez toutefois de partitionner à tout va. Réfléchissez avant d'agir : vous ne pourrez plus par la suite faire machine arrière.

D'une manière générale, le nombre idéal de partitions d'un PowerMac G4 équipé d'un disque dur d'une capacité de 20 Go ne devrait pas être supérieur à 2 (maximum 3).

On estime souvent qu'il convient de ne pas créer de partitions d'une taille inférieure à 2 Go (1 Go si la capacité de votre disque est égale ou inférieure à 2 Go).

Un petit truc : si vous gravez régulièrement des CD, prévoyez une partition de 650 Mo (c'est-à-dire égale à la capacité du CD) dans laquelle vous archiverez les données en attente d'immortalisation.

Restaurer

L'onglet Restaurer vous permet de rétablir votre Mac dans l'état qui était le sien lorsque vous l'avez sorti de sa boîte, en agissant depuis un CD-ROM ou depuis un fichier image disque (Figure 13.6).

Les images disques

Le plus souvent, vous installez de nouveaux logiciels depuis un CD ou depuis Internet. Souvent, ces logiciels sont accompagnés d'un programme d'installation chargé de décompresser les fichiers qui les constituent et de les installer au bon endroit sur votre disque dur. Les logiciels ainsi "installés" peuvent être exploités après redémarrage.

Mais il y a belle lurette qu'Apple a mis au point une variante : l'image disque. Il s'agit en fait d'un disque qui n'en est pas un, mais qui, une fois monté sur le Bureau (par "monté", entendez perceptible par le système d'exploitation), se comporte comme tel.

Vous pouvez ainsi l'ouvrir, en visualiser le contenu dans une fenêtre Finder, copier ce contenu vers un autre disque ou, plus prosaïquement, expédier son icône à la Corbeille pour vous en débarrasser. Vous pouvez même le faire circuler sur Internet.

Ce comportement identique aux disques et cette possibilité de navigation sur le Net font des images disques des variantes intéressantes pour les éditeurs de logiciels. Ceux-ci peuvent en effet prévoir une version CD vendue dans les magasins de logiciels classiques et une version image disque téléchargeable depuis Internet.

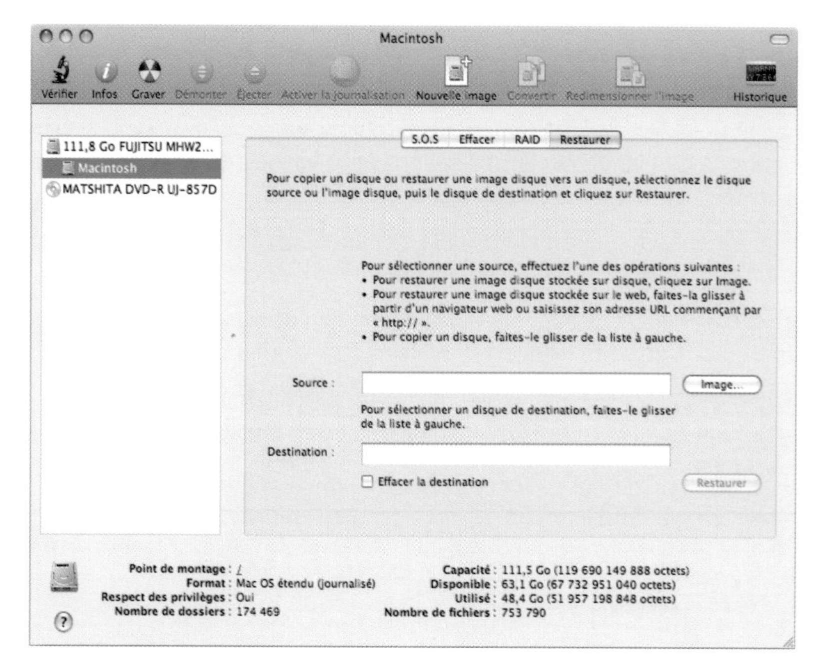

Figure 13.6 : L'onglet Restaurer.

Ainsi, le programme permet de monter une image sur le Bureau : cliquez deux fois sur le fichier image. Utilitaire de disque prend la main et affiche une icône qui ressemble à s'y méprendre à une icône de disque.

Mais cet utilitaire ne se borne pas à monter des images lorsque vous double-cliquez sur leur icône ; il vous permet aussi de créer vos propres images disques (icône Nouvelle image de la barre d'outils) et de graver des fichiers images disques sur des supports CD-ROM (icône Graver de la même barre).

Utilitaire de réseau

Il s'agit là encore d'un programme essentiellement destiné aux administrateurs réseau. Utilitaire de réseau ne s'adresse donc pas au commun des mortels.

Utilitaire RAID

Pour utiliser ce programme, votre ordinateur doit être équipé d'une carte RAID. Si tel est le cas, vous savez ce qu'est une telle carte ainsi que l'utilité de ce programme.

VoiceOver Utility

Cet utilitaire vous permet entre autres de configurer la synthèse vocale de l'ordinateur.

X11

Il s'agit d'un équivalent de Terminal. Si vous n'avez aucune connaissance d'Unix, ce programme ne vous est pas destiné.

Chapitre 14

Paramétrer les Préférences Système

Dans ce chapitre :

- Accéder aux préférences.
- Régler les préférences.

Ce sont les Préférences Système qui vous permettent de personnaliser votre environnement. N'hésitez pas à les exploiter : vous vous sentirez ensuite plus "chez vous".

Apple a profité de Leopard pour refondre certaines Préférences Système.

Accéder aux préférences

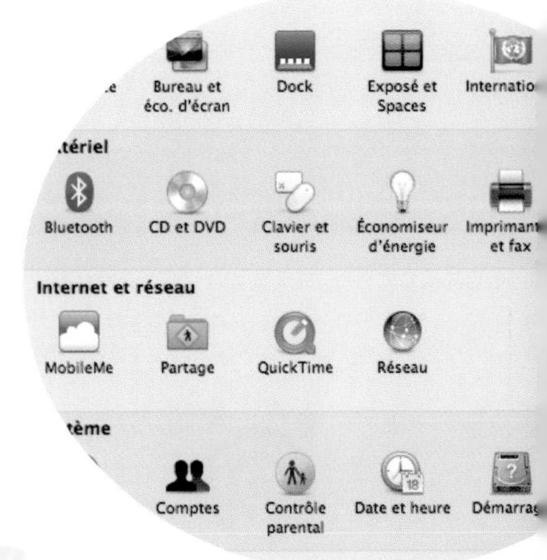

Les Préférences Système sont toutes regroupées au même endroit. Pour les atteindre :

- Choisissez Pomme/Préférences Système.
- Cliquez deux fois sur l'icône Préférences Système depuis le dossier Applications.
- Cliquez une fois sur l'icône Préférences Système depuis le Dock.

La fenêtre est divisée en sections, qui répartissent les préférences en catégories (Figure 14.1).

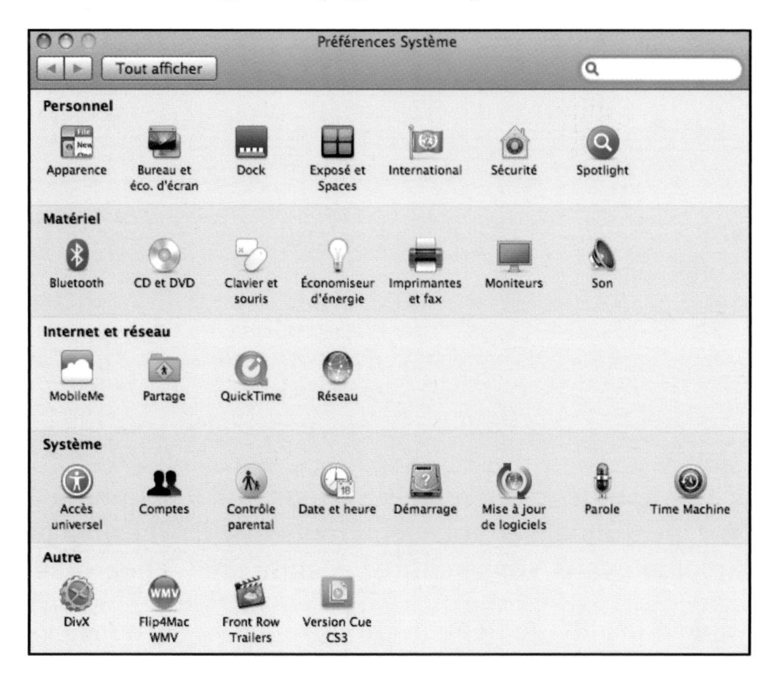

Figure 14.1 : Les Préférences Système. Que de réglages en perspective !

Gérer la fenêtre

Dès que vous activez une icône de la fenêtre (un simple clic suffit), le contenu de cette dernière se modifie de manière à proposer les réglages correspondants. (Vous pouvez également agir via le menu Présentation, qui regroupe toutes les préférences disponibles.)

Quand vous vous trouvez ainsi dans la fenêtre d'une préférence particulière, le bouton Tout afficher, en haut à gauche, vous permet de revenir à la fenêtre principale.

Avez-vous remarqué la présence d'une zone de recherche, en haut à droite de la fenêtre ? Saisissez vos mots clés dans cette zone, par exemple *clavier*, pour obtenir une liste d'éléments correspondants. Les icônes de la fenêtre s'"éclairent" pour indiquer les réglages correspondants. Afin d'affiner la recherche, vous saisissez plusieurs mots clés.

Au bas de la fenêtre, vous pouvez trouver la section Autre dans laquelle sont placés des éléments de configuration de programmes ou de matériels non fournis par Apple.

Déverrouiller une préférence

Il arrive que certaines préférences soient verrouillées. Un cadenas, accompagné d'une mention, apparaît alors en bas à droite (Figure 14.2).

Figure 14.2 : Cette préférence est verrouillée.

Vous ne pourrez ouvrir le cadenas et, partant, libérer la préférence, que si vous jouissez de privilèges d'administrateur. Voyez à ce sujet le chapitre suivant.

Dans la pratique:

1. **Cliquez sur le cadenas.**

   Le Système ouvre une fenêtre Authentification dans laquelle il sollicite votre mot de passe (Figure 14.3).

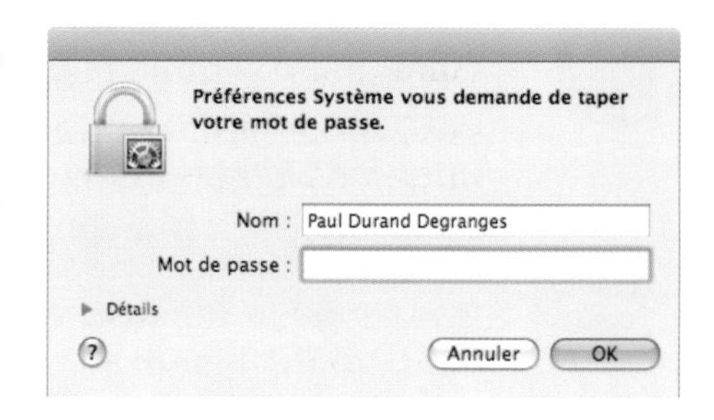

Figure 14.3: Identifiez-vous.

2. **Entrez votre mot de passe.**
3. **Cliquez sur OK.**

   Le Système déverrouille la préférence.

Vous souhaitez rétablir le verrouillage après modification? Cliquez de nouveau sur le cadenas.

Régler les préférences

Pressé d'en découdre? Allons-y.

Nous traiterons les volets ou "catégories" dans l'ordre dans lequel ils se présentent:

Ces catégories sont:

- **Personnel**: Apparence, Bureau et économiseur d'écran, Dock, Exposé et Spaces, International, Sécurité, Spotlight.
- **Matériel**: Bluetooth, CD et DVD, Clavier et souris, Économiseur d'énergie, Imprimantes et fax, Moniteurs, Son.
- **Internet et réseau**: MobileMe, Partage, QuickTime, Réseau.
- **Système**: Accès universel, Comptes, Contrôle parental, Date et heure, Démarrage, Mise à jour de logiciels, Parole, Time Machine.

Apparence

Définissez, grâce à Apparence, certains paramètres de votre environnement comme l'aspect général des boutons, menus et fenêtres, la couleur de contraste, la position des flèches de défilement… (Figure 14.4).

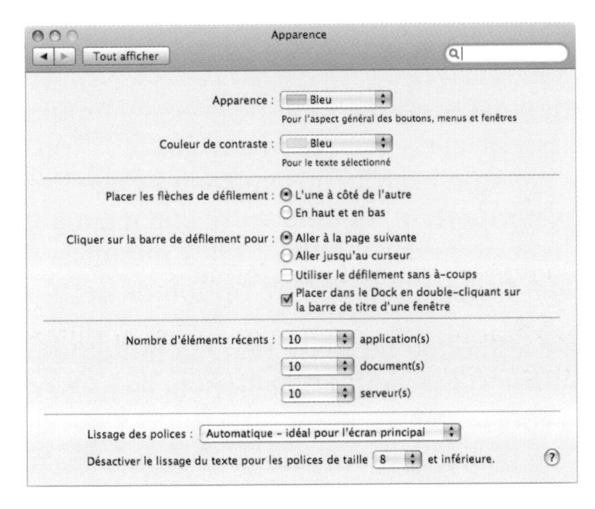

Figure 14.4 : Personnalisez ici votre environnement de travail.

Notamment :

- **Apparence** : Contrôle la couleur des boutons, menus et fenêtres. À ce jour, seuls deux choix sont disponibles : bleu ou graphite. Il n'est pas exclu que d'autres possibilités soient disponibles sur Internet, mais jusqu'à présent Apple n'en a pas fait état.
- **Couleur de contraste** : Contrôle la couleur dans laquelle s'affiche le texte sélectionné (qu'il s'agisse des noms des icônes dans les fenêtres Finder ou des caractères que vous sélectionnez dans une application quelconque). L'éventail des possibilités est plus vaste que dans le cas précédent. Tant mieux.
- **Placer les flèches de défilement** : Place ces flèches en haut et en bas ou, au contraire, les regroupe.

- **Cliquer sur la barre de défilement pour**: Permet de faire en sorte qu'un clic dans cette barre au-dessus ou en dessous de l'ascenseur vous fasse monter ou descendre d'une page (option prédéfinie "aller à la page suivante") ou, au contraire, qu'il vous déplace vers l'endroit de la fenêtre ou du document qui correspond, proportionnellement, à l'endroit de la barre où vous avez cliqué (option "défiler jusqu'au curseur").

Cette option est pratique lorsque vous manipulez de longs documents, car elle y facilite la navigation. D'un autre côté, n'oubliez pas que les touches spéciales Page Préc. et Page Suiv. vous permettent, depuis votre clavier, d'afficher la page du haut ou la page du bas; elles remplissent donc une mission identique à la première option de cette rubrique.

- **Désactiver le lissage du texte pour la taille de police 8 et plus petite**: Cette option améliore la lisibilité des petits caractères puisqu'elle permet de désactiver le lissage des polices – en tailles 4, 6, 8, 9, 10 ou 12 – dans les applications de votre choix.

Bureau et économiseur d'écran

Cette préférence propose deux onglets.

Le premier, Bureau, vous permet de choisir un fond pour votre Bureau. Mais vous le connaissez déjà: vous l'avez découvert au Chapitre 2, à la section "Modifier l'arrière-plan".

Le second, Économiseur d'écran, vous permet de désigner et de paramétrer un économiseur d'écran. Le but d'un économiseur est de soulager votre écran quand vous ne vous en servez pas en faisant en sorte que l'image qu'il affiche varie afin de ne pas solliciter constamment les mêmes pixels. Nous avons aussi déjà abordé cet aspect des choses (Chapitre 1, section "Mettre en veille").

Dock

Le Dock est décrit en détail au Chapitre 6. Ses préférences y font l'objet de la section intitulée "Gérer – Paramétrer".

Exposé et Spaces

Exposé permet de miniaturiser les fenêtres pour vous aider à trouver la bonne, ou de les chasser vers l'extrême périphérie de l'écran pour vous permettre d'accéder à un élément placé sur le Bureau. Il représente, à ce titre, un excellent adjoint du Finder.

Mais revenons en arrière. Si vous êtes un habitué du Macintosh, vous avez sans l'ombre d'un doute déjà été confronté à un problème récurrent : vous y retrouver quand plusieurs fenêtres sont ouvertes simultanément et, partant, superposées au Bureau (Figure 14.5).

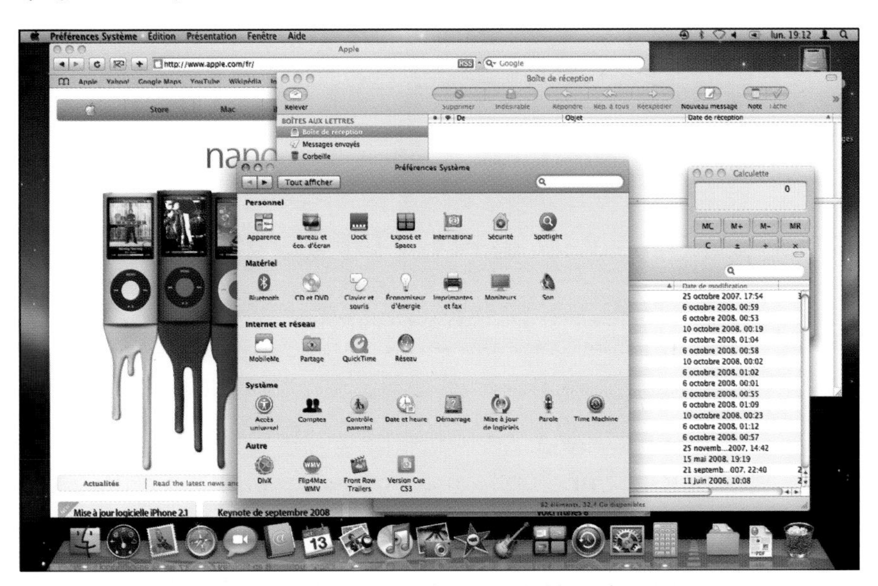

Figure 14.5 : Exposé n'est pas actif.

Exposé apporte à ce problème une solution élégante, vous permettant en toute simplicité de jongler avec ces fenêtres.

Le principe est simple : il repose sur le recours à trois touches, F9, F10 et F11.

F9 réduit la taille de toutes les fenêtres ouvertes (quelle que soit l'application) afin qu'elles soient toutes visibles (Figure 14.6). Promenez votre pointeur sur chacune d'entre elles (son nom apparaît en transparence), puis cliquez sur celle qui vous intéresse : toutes les fenêtres retrouvent instantanément leur taille normale ; celle dans laquelle vous avez cliqué s'affiche au premier plan.

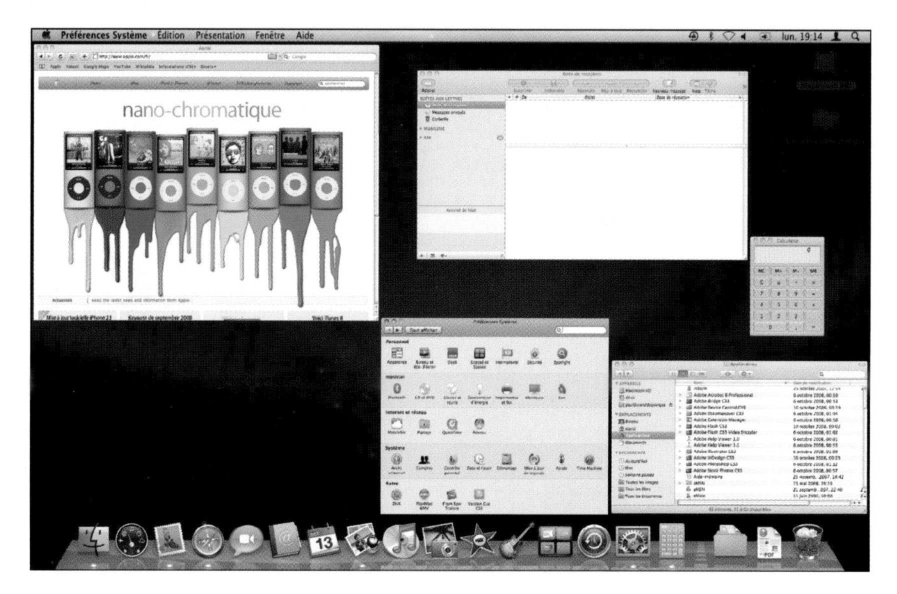

Figure 14.6 : Résultat de l'activation de la touche F9.

F10 produit le même effet que F9, mais limite son action aux fenêtres de l'application active (Figure 14.7).

Enfin, F11 libère le Bureau en poussant toutes les fenêtres ouvertes à sa périphérie (Figure 14.8). Fini les fenêtres enchevêtrées qui masquent le Finder ! F11 dégage l'espace en un tournemain ; un simple filet en rappelle la présence.

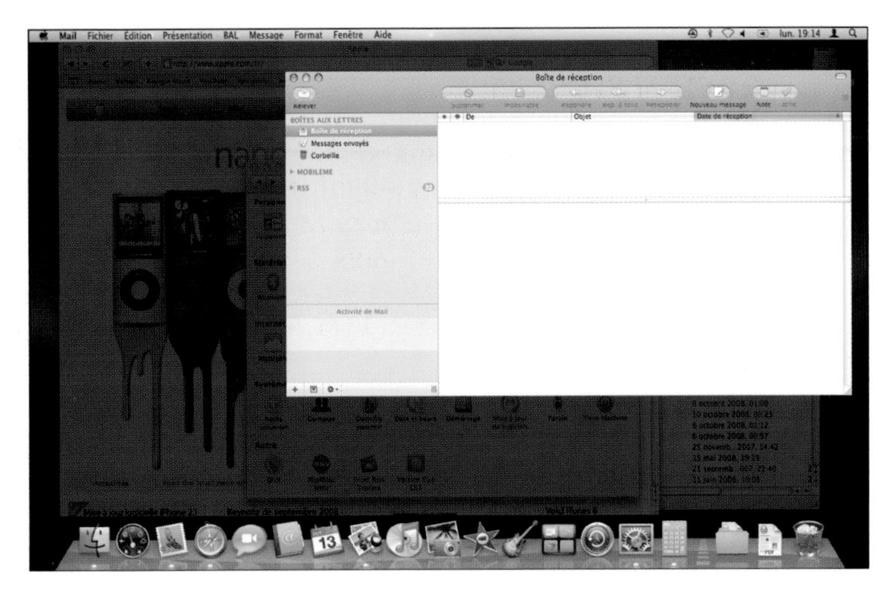

Figure 14.7 : F10.

Figure 14.8 : F11.

Exposé est tellement pratique que vous en viendrez, tout naturellement, à l'invoquer sans modération. Y compris au sein d'un même programme. Imaginez que vous manipuliez dans Word plusieurs documents simultanément. Inutile d'aller les solliciter par le menu : activez la touche F10 et voilà tous vos fichiers Word miniaturisés. Vous n'avez plus qu'à faire votre choix.

L'onglet Exposé de la préférence système dont il est question ici vous permet de personnaliser le fonctionnement d'Exposé (Figure 14.9).

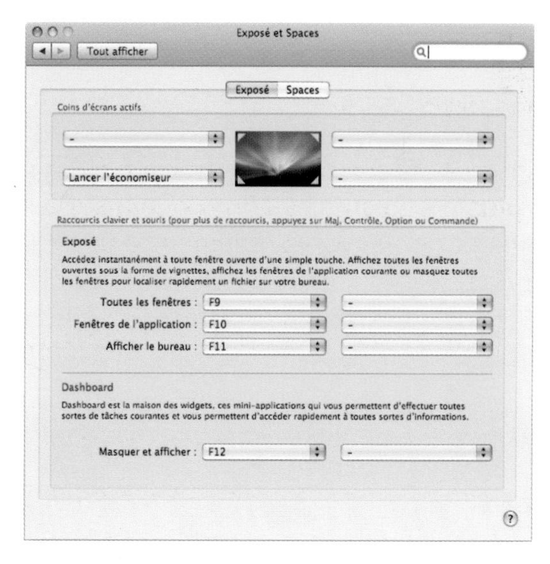

Figure 14.9 : Les préférences d'Exposé.

Trois possibilités vous sont proposées : utiliser un coin actif de l'écran, recourir à d'autres touches que celles proposées par défaut ou y consacrer un bouton de votre souris (si elle en comporte trois).

Vous avez aussi la possibilité de configurer la touche du clavier et le bouton de la souris permettant de démarrer le Dashboard.

Pour seconder Exposé, Apple a prévu une petite application bien pratique, qui vous permet de permuter rapidement d'une application ouverte à une autre (Figure 14.10).

Pour l'invoquer, enfoncez les touches ⌘ + Tabulation et maintenez-les. Une palette transparente s'affiche au centre de l'écran : elle regroupe les icônes de tous les programmes ouverts, encadrant en outre celui qui est actif. Sélectionnez le programme à activer en lieu et place de celui qui l'est actuellement.

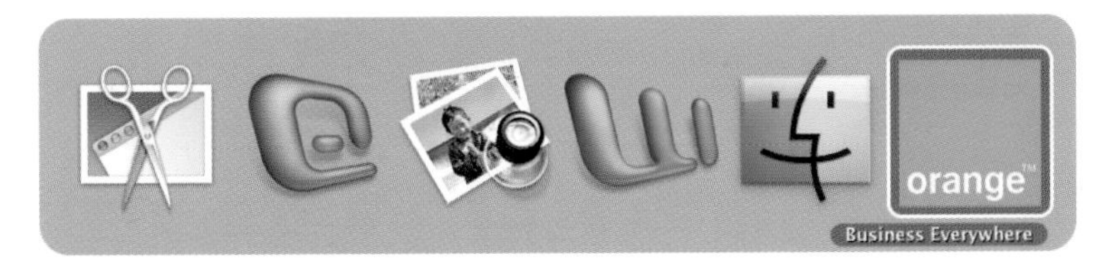

Figure 14.10 : Une palette tombée du ciel.

Spaces est une nouvelle fonctionnalité de Leopard qui vous permet de créer plusieurs espaces afin d'organiser les fenêtres de vos applications et de passer rapidement d'un espace à l'autre.

En cliquant sur l'onglet Spaces (Figure 14.11), vous avez la possibilité :

- D'activer ou de désactiver la fonction Spaces.
- D'afficher les espaces dans la barre des menus. En activant cette option, une icône s'affiche dans la barre des menus et vous permet de basculer rapidement d'un espace à l'autre à l'aide de votre souris.
- À l'aide des boutons + et -, vous ajoutez ou supprimez des rangées et des colonnes.
- Indiquez éventuellement les touches et le bouton de souris à utiliser pour activer Spaces et pour basculer d'un espace à l'autre.

Lorsque vous activez Spaces à l'aide de la touche F8 (ou de la touche que vous avez configurée), les différents espaces s'affichent et vous pouvez faire glisser les fenêtres des applications d'un espace vers l'autre (Figure 14.12).

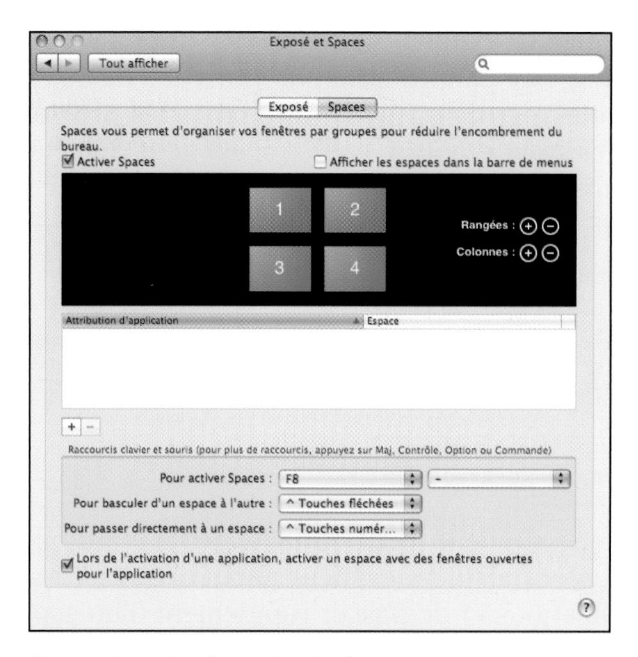

Figure 14.11 : Configuration de Spaces.

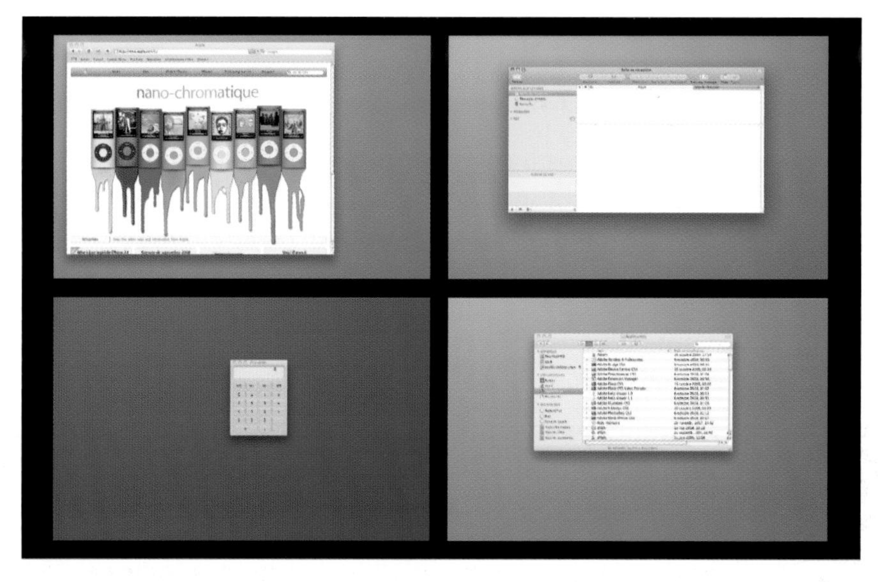

Figure 14.12 : Les espaces dans lesquels vous pouvez faire glisser les fenêtres.

Vous basculez rapidement d'un espace à l'autre à l'aide des touches du clavier. Par défaut, vous utilisez la touche Ctrl combinée aux touches de direction. Vous avez aussi la possibilité de l'utiliser combinée à une touche numérotée (du pavé numérique ou de la partie supérieure du clavier) pour accéder directement à l'espace souhaité.

Lorsque vous utilisez l'une de ces deux dernières fonctions, une palette s'affiche et vous permet de vous repérer dans les espaces (Figure 14.13).

Figure 14.13 : La palette vous permet de vous diriger dans les espaces.

International

International vous permet d'opérer différents réglages relatifs au pays dans lequel vous vous trouvez.

Cette fenêtre compte trois onglets : Langues, Formats et Menu Saisie. Détaillons-les.

Langues

Dans la liste Langues (Figure 14.14), le Système vous permet de définir l'ordre de préférence des langues à employer dans les menus et fenêtres de vos applications. Agissez par cliquer-glisser, tout simplement.

Le principe est le suivant : si un programme utilise la première langue de cette liste, c'est dans cette langue qu'il affiche ses menus et ses commandes. Sinon, il les présente dans la prochaine langue de la liste qu'il est capable de gérer.

Le bouton Modifier la liste vous donne accès à la liste des langues. Sélectionnez celle que vous voulez que votre Macintosh utilise ; désélectionnez les autres ; confirmez par OK.

L'option Ordre des listes triées permet d'indiquer la langue utilisée pour effectuer les tris. L'option Césure permet de spécifier la langue utilisée pour la césure des mots.

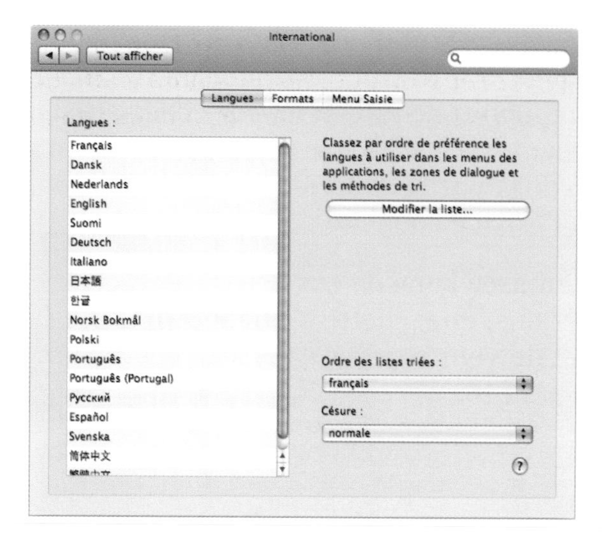

Figure 14.14 : Mac OS X, une vraie Tour de Babel.

Formats

Cet onglet vous permet de préciser les formats des dates, des heures et des nombres tels que vous souhaitez qu'ils se présentent dans vos applications (Figure 14.15).

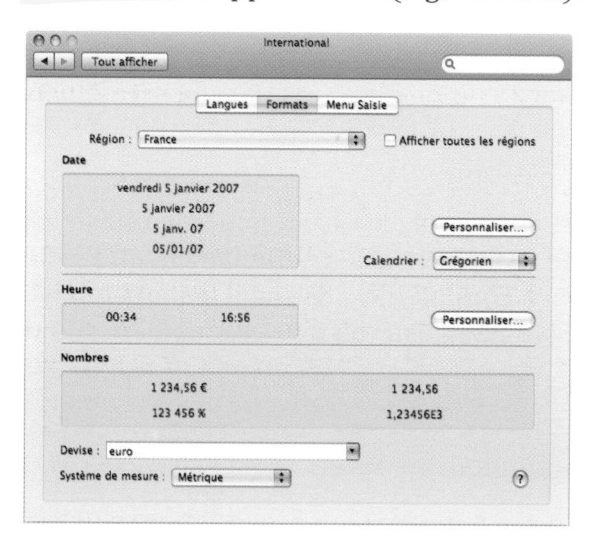

Figure 14.15 : L'onglet Formats autorise plusieurs réglages.

Commencez par choisir votre région dans le menu local du haut. Les réglages prédéfinis correspondants s'affichent. Définissez ensuite les formats de date et d'heure en cliquant sur les boutons Personnaliser correspondants.

En ce qui concerne la date (Figure 14.16) :

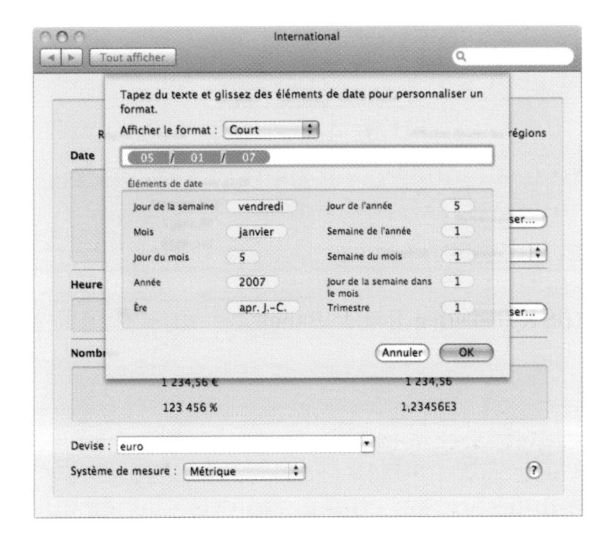

Figure 14.16 : Le format de date.

- Sélectionnez l'un des formats dans la liste Afficher le format.
- Cliquez sur les éléments du format pour les modifier.

Les éléments de date affichés dans la partie inférieure changent en fonction du type de calendrier que vous avez sélectionné dans l'onglet Formats (reprenez la Figure 14.15). Par défaut, Leopard utilise le calendrier grégorien pour la configuration française.

En ce qui concerne l'heure (Figure 14.17) :

- Sélectionnez l'un des formats dans la liste Afficher le format.
- Cliquez sur les éléments du format pour les modifier.

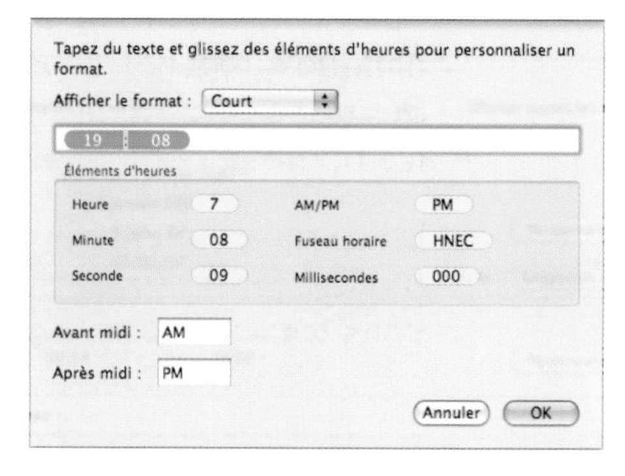

Figure 14.17 : La fenêtre Heure offre, elle aussi, plusieurs options.

Vous ne pouvez pas modifier le format des nombres. Celui-ci change automatiquement en fonction de la région que vous avez sélectionnée. Vous pouvez toutefois modifier la devise ainsi que le système de mesure.

Menu Saisie

Dernier onglet de cette fenêtre (Figure 14.18), l'onglet Menu Saisie propose une série de configurations clavier qui varient selon les pays ainsi que deux palettes qui peuvent s'avérer très utiles.

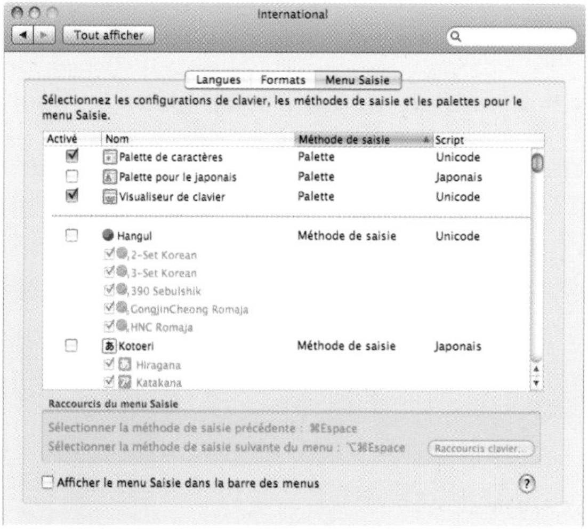

Figure 14.18 : L'onglet Menu Saisie.

Vous avez besoin de plusieurs configurations ? Cochez-les ici. À chaque choix correspond un menu qui s'affiche dans la partie droite de la barre des menus afin de vous y assurer un accès facile.

Deux outils sont susceptibles d'intéresser un grand nombre d'utilisateurs : Palette de caractères et Visualiseur clavier. Si vous les cochez ici, vous y aurez accès depuis la barre des menus chaque fois que vous l'estimerez nécessaire.

La palette met à portée de main une foule de caractères spéciaux (Figure 14.19). Son bouton Insérer vous permet d'introduire le caractère sélectionné au niveau du point d'insertion.

Quant au Visualiseur clavier (Figure 14.20), il vous permet de visualiser le clavier complet d'une police donnée. Choisissez cette police dans le menu local du bas ; visualisez-en le contenu dans la partie centrale de la fenêtre. Au besoin, activez les touches Majuscule et/ou Option pour afficher d'autres caractères.

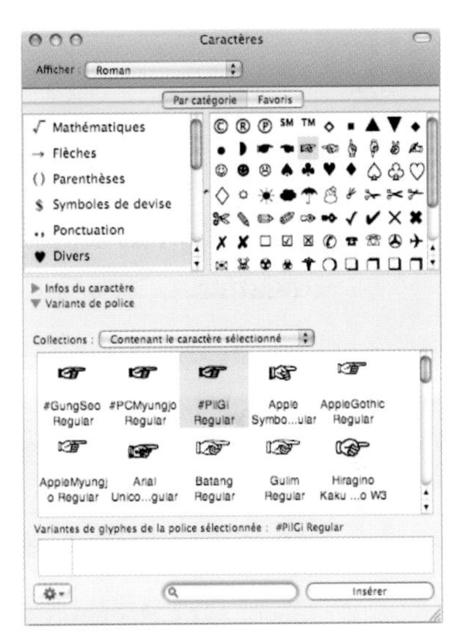

Figure 14.19 : Vous n'avez que l'embarras du choix.

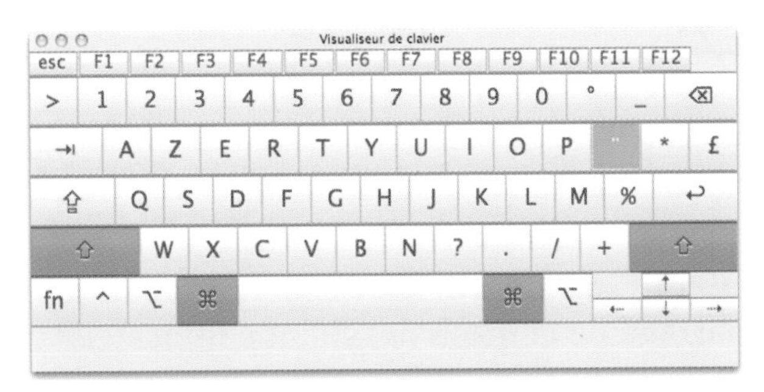

Figure 14.20 : L'accessoire Clavier, revu et corrigé.

Sécurité

Vous trouvez trois onglets permettant de configurer les paramètres de sécurité de votre ordinateur (Figure 14.21).

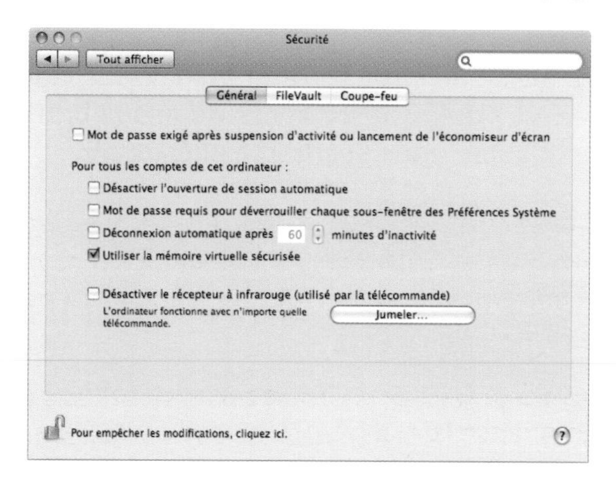

Figure 14.21 : L'onglet Général de la préférence système Sécurité.

Général

Vous trouvez dans cet onglet (Figure 14.21) des paramètres généraux concernant la sécurité de votre ordinateur.

- **Mot de passe exigé après suspension d'activité ou lancement de l'économiseur d'écran** : Votre mot de passe vous sera demandé lorsque vous souhaiterez activer l'économiseur d'écran ou réveiller le Mac en veille.

  Cette option n'empêche nullement un autre utilisateur d'éteindre puis de rallumer la machine, et d'entamer une séance de travail sous son nom. Veillez donc à sauvegarder vos fichiers avant de mettre votre Mac au repos.

- **Désactiver l'ouverture de session automatique** : À chaque redémarrage de la machine, chaque utilisateur devra fournir son nom et sa clé d'accès. Impossible donc de se connecter automatiquement.

Pour pouvoir démarrer sans être contraint de fournir ces données, ouvrez la préférence système Comptes, cliquez sur le bouton Options de session, puis validez l'option Ouvrir une session automatiquement en tant que.

- **Mot de passe requis pour déverrouiller les préférences des systèmes sécurisés** : Verrouille toutes les Préférences Système concernant tous les utilisateurs et ne les déverrouille que sur mot de passe administrateur.
- **Déconnexion automatique après... minutes d'inactivité** : Met le Mac hors service au terme d'un délai réglable si, pendant cette durée, vous n'avez exécuté aucune action clavier ni souris.
- **Utiliser la mémoire virutelle sécurisée** : Activez cette option (ce qui est le cas par défaut) pour faire en sorte que les informations provenant de la mémoire RAM écrites sur le disque dur par la mémoire virtuelle soient bien effacées.
- **Désactiver le récepteur à infrarouge (utilisé par la télécommande)** : il est possible d'utiliser n'importe quelle télécommande Apple avec les modèles de Mac équipés d'un récepteur à infrarouge pour Front Row. Ici, vous avez la possibilité de désactiver le récepteur pour que l'ordinateur ne puisse plus réagir aux télécommandes. En cliquant sur le bouton Jumeler, vous pouvez aussi jumeler votre télécommande avec l'ordinateur afin que seule cette télécommande puisse être utilisée.

FileVault

FileVault (Figure 14.22) vous permet de blinder l'accès à votre dossier Départ, puisqu'il est capable, en un clic de souris, d'en sécuriser totalement le contenu grâce à un cryptage 128 bits des données. Mieux, ce cryptage s'opérant en temps réel, l'opération est tout à fait transparente pour l'utilisateur.

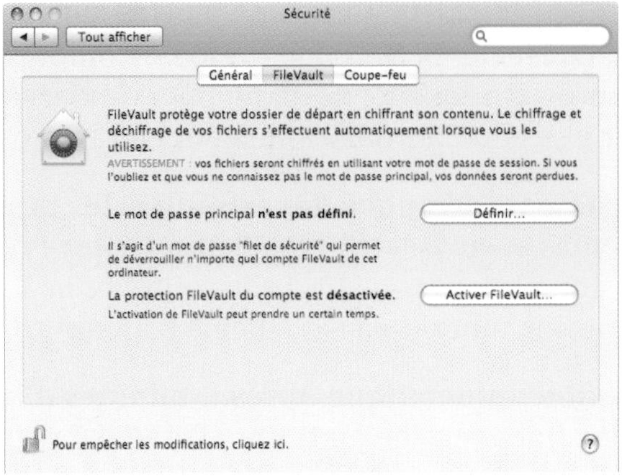

Figure 14.22 : L'onglet FileVault.

Dans la pratique, il est sage de commencer par faire une copie de sauvegarde de ce dossier pour parer à toute éventualité (problème lors du cryptage en 128 bits, perte du mot de passe, panne du disque dur...).

Attribuez ensuite un mot de passe principal à votre système Mac OS X. Cette clé d'accès n'est ni le mot de passe d'administrateur du système ni celui de l'utilisateur root. C'est un mot de passe spécifique, qui permet de déverrouiller n'importe quel compte utilisateur crypté à l'aide de FileVault.

Quittez ensuite toutes les applications ouvertes, puis cliquez sur Activer FileVault. Mac OS X quitte votre session, crypte votre dossier Départ et affiche son panneau de connexion, vous engageant ainsi à vous connecter à votre compte. Le système décode vos données à la volée et crypte tout ce que vous enregistrez.

Coupe-feu

Dans cet onglet (Figure 14.23), vous indiquez si vous souhaitez autoriser toutes les connexions entrantes ou limiter les services. Dans ce cas, vous avez la possibilité de sélectionner les programmes pour lesquels vous autorisez les connexions entrantes. Cliquez sur le bouton +, puis sélectionnez le programme dans la fenêtre qui s'affiche.

Le bouton Avancé permet d'ouvrir une fenêtre dans laquelle vous activez ou désactivez la conservation de l'historique du coupe-feu. Vous avez aussi la possibilité d'empêcher l'ordinateur d'envoyer des réponses aux applications non désirables.

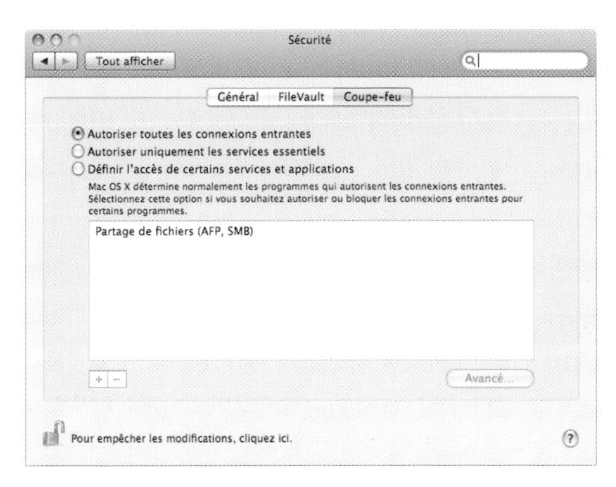

Figure 14.23 : L'onglet Coupe-feu.

Spotlight

Spotlight vous permet d'effectuer des recherches sur votre ordinateur. Vous y accédez en cliquant sur l'icône en forme de loupe placée en haut à gauche, dans la barre des menus.

La préférence système Spotlight se compose de deux onglets : Résultats de la recherche et Confidentialité. Quel que soit l'onglet sélectionné, vous trouvez en bas de la fenêtre des options qui vous permettent de configurer les raccourcis clavier à utiliser pour accéder à Spotlight.

Résultats de la recherche

L'onglet Résultats de la recherche (Figure 14.24) vous permet de sélectionner les catégories que vous souhaitez voir s'afficher lors des recherches ainsi que l'ordre dans lequel elles apparaissent. Pour désactiver une catégorie, décochez la case correspondante. Pour modifier l'ordre d'apparition, faites glisser la catégorie.

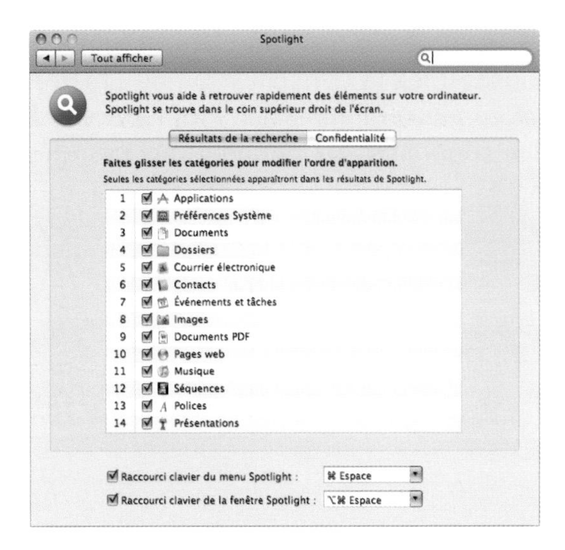

Figure 14.24 : L'onglet Résultats de la recherche de Spotlight.

Confidentialité

Dans l'onglet Confidentialité (Figure 14.25), vous indiquez les dossiers ou les lecteurs pour lesquels vous souhaitez empêcher Spotlight d'effectuer des recherches. Pour ajouter un dossier, cliquez sur le bouton + placé au bas de la liste, puis sélectionnez le dossier dans la boîte de dialogue qui s'affiche.

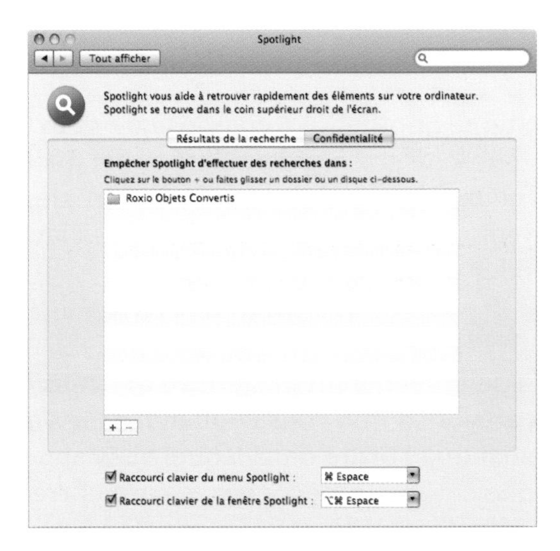

Figure 14.25 : L'onglet Confidentialité de Spotlight.

Bluetooth

Si votre Macintosh est équipé de Bluetooth (un système de communication sans fil), cette préférence vous permet de configurer les différents paramètres de communication.

CD et DVD

Cette préférence vous permet de paramétrer le comportement du Mac à chaque insertion d'un CD ou bien d'un DVD vierge ou préenregistré.

Clavier et souris

Vous stipulez dans cette fenêtre la manière dont vous souhaitez que le clavier et la souris réagissent à vos frappes.

Clavier

Dans cet onglet (Figure 14.26):

- Réglez d'abord la **répétition des touches**: Ce curseur contrôle le temps que vous devez attendre lorsque vous maintenez une touche enfoncée pour qu'elle se répète à l'infini.
- Réglez ensuite la **vitesse de répétition**: Faites glisser le curseur Pause avant répétition.
- Si cela s'applique à votre modèle d'ordinateur, configurez l'utilisation du rétroéclairage du clavier.

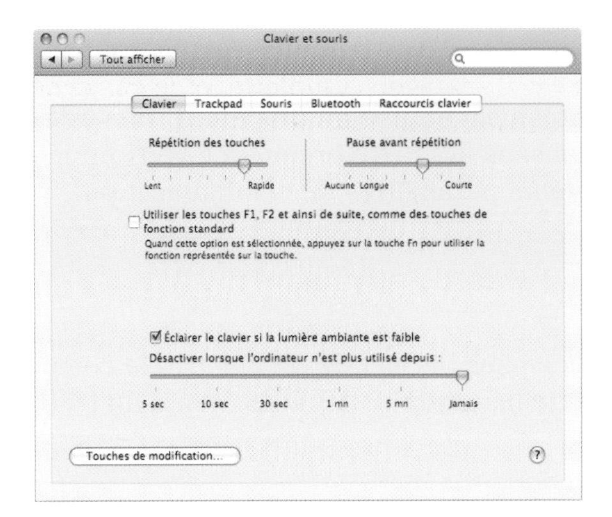

Figure 14.26 : Faites-vous obéir au doigt et à l'œil.

Souris

Dans cet onglet (Figure 14.27), vous trouvez les éléments suivants :

- **Vitesse de déplacement.** Ce curseur définit la vitesse de glissement du pointeur à l'écran.
- **Vitesse de défilement.** Ce curseur définit la vitesse de défilement lorsque vous utilisez la molette.
- **Vitesse du double-clic.** Il s'agit de définir le temps qui doit s'écouler entre deux clics pour que le système interprète cette action souris comme un double-clic plutôt que comme deux simples clics consécutifs.
- **Principal bouton de la souris.** Indiquez si le clic doit s'effectuer avec le bouton gauche ou le bouton droit de la souris. Ce peut être utile si vous utilisez la souris de la main gauche et souhaitez effectuer le clic avec l'index, donc avec le bouton droit.

- **Zoom avec la molette.** Indiquez si vous souhaitez pouvoir effectuer un zoom avec la molette, et le cas échéant la touche à utiliser pour obtenir le zoom.

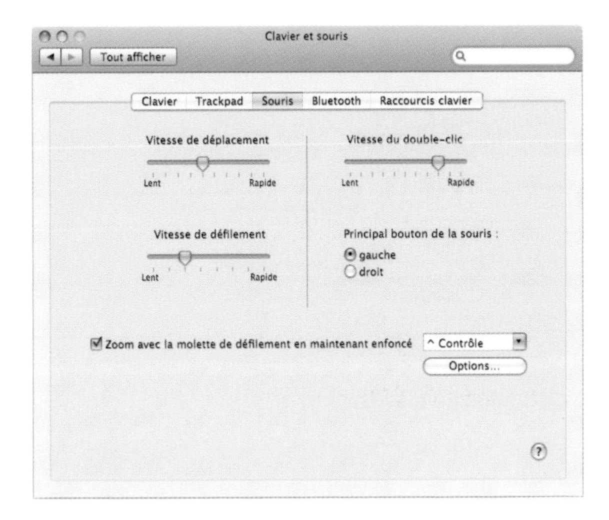

Figure 14.27 : Les réglages souris.

Si vous possédez un Mac portable (PowerBook ou iBook) équipé d'un trackpad, l'onglet TrackPad assure la gestion de ce périphérique.

Si votre ordinateur est équipé de Bluetooth et que vous utilisez un clavier ou une souris Bluetooth, vous trouverez des informations spécifiques à ces matériels dans l'onglet Bluetooth.

Raccourcis clavier

L'onglet Raccourcis clavier (Figure 14.28) vous permet de gérer (ajouter, supprimer, modifier) les raccourcis clavier attribués à la plupart des tâches assumées par Mac OS X comme prendre une photo de l'écran ou choisir, via le clavier, des commandes dans les menus ou des icônes dans le Dock. Vous pouvez même y contrôler les raccourcis clavier de certains programmes.

Figure 14.28 : Pour les fondus du clavier.

Économiseur d'énergie

Tous les Mac proposent un système d'économie d'énergie qui est, en fait, un mode faible consommation : après une période d'inactivité d'une durée déterminée, le Mac suspend son activité. Vous pouvez paramétrer indépendamment la suspension d'activité de l'ordinateur et de l'écran.

1. **Accédez à la préférence Économiseur d'énergie ; activez si nécessaire l'onglet Suspendre (Figure 14.29).**

2. **Réglez la suspension d'activité de l'ordinateur : faites glisser le premier curseur.**

3. **Réglez la suspension d'activité du moniteur : validez l'option, puis faites glisser le deuxième curseur.**

4. **Validez, le cas échéant, l'option Suspendre l'activité du/des disque(s) dur(s) chaque fois que possible.**

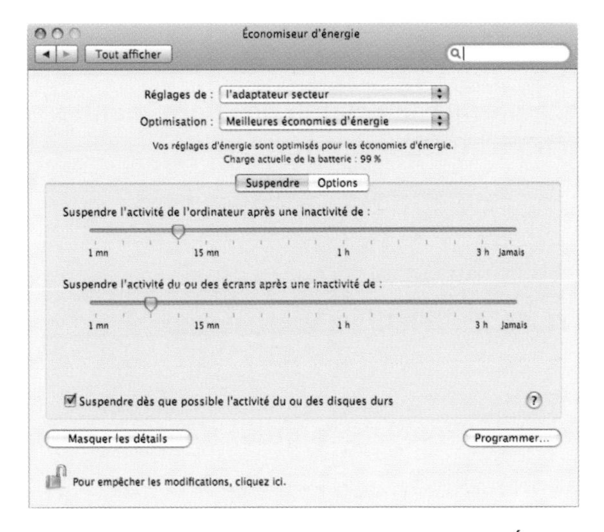

Figure 14.29: L'onglet Suspendre de la fenêtre Économiseur d'énergie.

Avec les ordinateurs portables, vous trouvez les options Réglages de et Optimisation qui permettent de configurer le portable lorsqu'il fonctionne avec l'adaptateur secteur ou la batterie.

Suspendre l'activité du disque dur s'avère surtout utile si vous possédez un PowerBook, puisqu'elle vous permet d'économiser la batterie.

Le bouton Programmer (Figure 14.30) donne accès à une boîte de dialogue qui permet de programmer l'extinction ou la mise en veille du Mac ainsi que son allumage automatique.

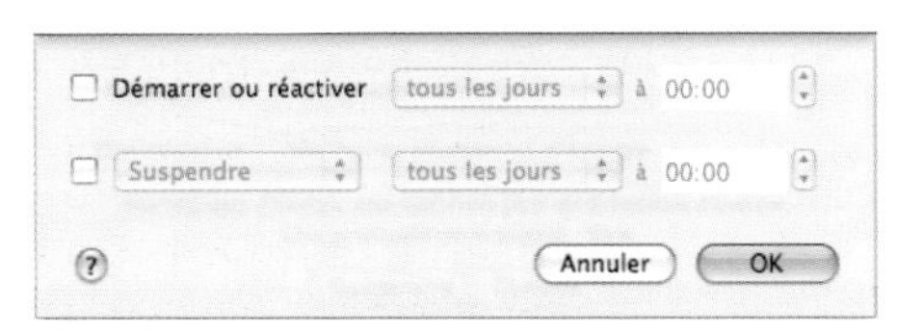

Figure 14.30: Les fonctions de programmation.

Pour réveiller votre Mac, il vous suffit de déplacer la souris ou d'enfoncer une touche quelconque de votre clavier.

Imprimantes et fax

Cette préférence permet la gestion des imprimantes et des fax. Elle a été présentée au Chapitre 10.

Moniteurs

Opérez ici les réglages relatifs à votre écran.

Moniteur

Agissez d'abord dans l'onglet Moniteur (Figure 14.31).

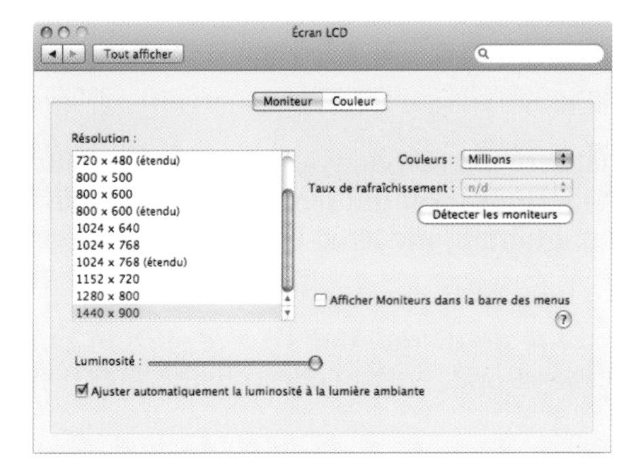

Figure 14.31 : L'onglet Moniteur affiche les réglages courants.

Sélectionnez une résolution, un nombre de couleurs et un taux de rafraîchissement. Certains écrans et cartes vidéo, en effet, gèrent plusieurs résolutions et acceptent plusieurs taux de rafraîchissement.

Optez, si vous le souhaitez, pour l'affichage de cette préférence système depuis la barre des menus (en haut à droite) depuis laquelle vous pourrez agir rapidement. Un peu inutile : on ne règle pas son écran tous les jours !

Enfin, sachez qu'avec les deux curseurs du bas vous contrôlez le contraste et la luminosité. De plus, sur certains modèles, vous trouvez une option permettant d'agir automatiquement sur la luminosité en fonction de l'éclairage ambiant.

Géométrie

Certains écrans vous permettent de régler les dimensions, l'angle et/ou l'inclinaison de l'image. C'est le cas de votre unité d'affichage si vous avez accès à l'onglet Géométrie.

Sélectionnez, à gauche, le type de réglage à effectuer, puis faites glisser, à droite, les bords de l'icône du moniteur.

Couleur

Dernier de la série, l'onglet Couleur vous permet de désigner un profil d'affichage préconfiguré (si votre écran est de marque Apple) ou de l'étalonner vous-même (grâce au bouton du même nom).

Trop technique à ce stade.

Son

Réglez ici la manière dont votre Mac joue et enregistre les sons.

Effets sonores

Sélectionnez dans cet onglet (Figure 14.32) un son d'alerte (une variante du fameux "bip") et réglez-en le volume.

Le menu local Émettre alertes et effets sonores via vous permet, au cas où vous disposez de plusieurs sorties, de choisir celle par laquelle ce son doit être diffusé.

L'option Émettre les effets sonores de l'interface utilisateur autorise à associer des effets sonores à des manipulations, comme jeter un fichier à la Corbeille.

L'option Émettre un son lorsque vous appuyez sur les touches de volume provoque l'émission d'un son à chaque activation d'une de ces touches (il s'agit, en général, de F4 et de F5).

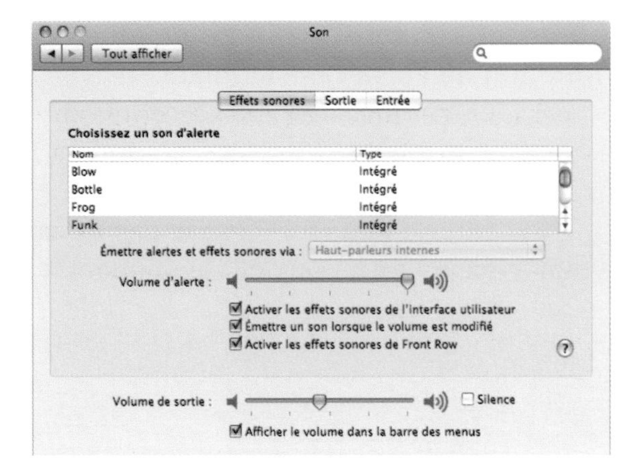

Figure 14.32: Les réglages du son d'alerte.

Enfin, l'option Activer les effets sonores de Front Row permet d'activer ou de désactiver les sons lorsque vous utilisez Front Row.

Vous n'êtes pas limité aux sons de la liste: vous pouvez en installer d'autres. Stockez les fichiers correspondants (que vous aurez éventuellement glanés sur Internet) dans le dossier Sounds du dossier Audio du dossier Bibliothèque de la racine de votre disque dur. Vous ne souhaitez pas partager ces sons ? Alors, archivez-les dans le dossier Sounds du dossier Audio du dossier Bibliothèque de votre dossier Départ.

Sortie

Cet onglet vous permet de régler individuellement le niveau audio de chacun de vos périphériques de sortie et de faire la balance.

Entrée

Il agit comme l'onglet précédent, à cette différence près qu'il prend en charge les périphériques d'entrée.

MobileMe

MobileMe (Figure 14.33) permet de régler la configuration de votre éventuel compte MobileMe et l'iDisk qui lui est associé.

Figure 14.33 : La configuration de votre compte MobileMe.

Introduisez, dans les zones d'édition de cet onglet, votre nom de membre et votre mot de passe ; vous serez ainsi dispensé de les fournir à chaque utilisation de votre iDisk.

Si vous n'avez pas de compte, vous pouvez cliquer sur Inscription pour gagner la page d'abonnement d'Apple. Vous aurez alors la possibilité de tester gratuitement le service ou de vous abonner pour un an.

Lorsque vous êtes connecté, vous avez accès aux onglets Synchronisation, iDisk et Accès à mon Mac qui vous permettent de configurer les différents éléments de votre compte.

Partage

Les réglages disponibles dans cette fenêtre concernent le *partage*, c'est-à-dire l'utilisation conjointe d'un même Mac par plusieurs utilisateurs ou l'échange de fichiers via un réseau d'entreprise ou via Internet.

Le partage du Mac fait l'objet du chapitre suivant ; Internet, pour sa part, est décrit dans la cinquième partie de cet ouvrage.

QuickTime

QuickTime est la technologie multimédia développée par Apple, un standard qui évolue tant sur Mac que sur PC. D'une manière générale, toutes les séquences animées que vous visionnez sur votre Mac sont des fichiers QuickTime.

Il y a de fortes chances pour que l'application soit déjà correctement paramétrée. Ses réglages sont regroupés dans cinq onglets : Enregistrer, Navigateur, Mettre à jour, Diffusion en continu et Avancé.

Le premier onglet, Enregistrer, vous permet d'enregistrer la version Professionnelle de QuickTime. Cette version possède des fonctionnalités supplémentaires par rapport à la version livrée en standard.

L'onglet Navigateur (Figure 14.34) contrôle la façon dont votre navigateur Internet traite les fichiers multimédias.

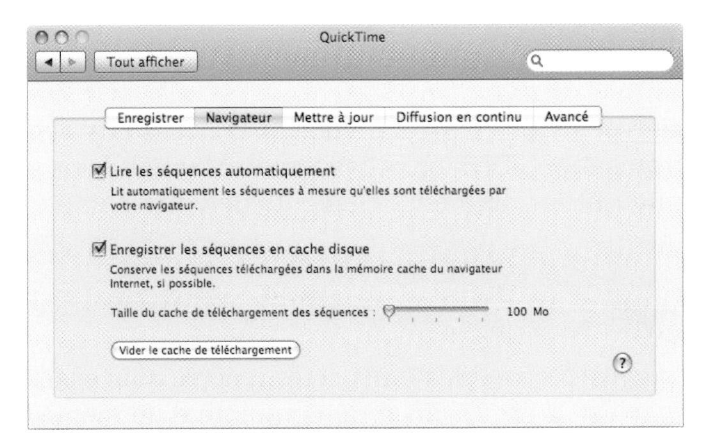

Figure 14.34 : L'onglet Navigateur de QuickTime.

- **Lire les séquences automatiquement** : Validez cette option ; elle fait en sorte que les séquences soient lues automatiquement à mesure que votre navigateur les télécharge.
- **Enregistrer les séquences en cache disque** : Stocke dans le cache disque de votre navigateur les séquences QuickTime que vous téléchargez. Le curseur permet de configurer la taille du cache.

L'onglet Mettre à jour possède un bouton Installer qui vous conduit sur une page Web contenant différents programmes complémentaires fonctionnant avec QuickTime.

L'onglet Diffusion en continu contient des éléments permettant de configurer la lecture en fonction de la vitesse de votre connexion à Internet. Le mieux est de conserver la valeur Automatique.

Dans l'onglet Avancé, vous pouvez éventuellement modifier les options suivantes :

- **Activer le mode Kiosque** : Masque les réglages QuickTime dans la fenêtre de votre navigateur.
- **Activer le contenu Flash** : Pour lire des séquences QuickTime contenant des pistes Adobe Flash, activez cette option.

Vous pouvez ignorer les options Synthétiseur par défaut et Config. de transport. Ignorez également le bouton Clés d'accès.

Réseau

Vous paramétrez ici votre connexion réseau local (LAN) ou Internet.

Les réglages n'ont guère changé, si ce n'est qu'à l'ouverture de la préférence vous obtenez une liste des différents éléments de connexion dans un volet de navigation placé à gauche de la fenêtre.

Vous faites partie d'un réseau de grande envergure? N'agissez pas à l'aveuglette: sollicitez l'intervention de votre administrateur. Ou adressez-vous à votre prestataire de services pour valider les bonnes options dans les différents volets de la fenêtre.

Une parenthèse: dans la partie supérieure, se trouve un menu local baptisé Configuration. Si votre Mac dispose d'une simple connexion réseau ou Internet (c'est le cas de la plupart des utilisateurs), bornez-vous à choisir Automatique dans ce menu. Ce réglage est d'ailleurs validé par défaut si c'est votre premier passage après l'installation de Mac OS X. En effet, cette configuration dite "automatique" est celle qu'a créée l'installateur sur la base des renseignements que vous lui avez communiqués pendant l'installation.

Mais si vous utilisez votre machine depuis plusieurs sites distincts (votre bureau, votre domicile, quand vous êtes en voyage), vous pouvez, pour chacun d'eux, prévoir une configuration particulière que vous n'aurez plus alors qu'à choisir dans ce menu. Vous pouvez créer autant de configurations que vous le souhaitez.

Par *configuration*, entendez l'ensemble des réglages que vous validez dans les différents volets de la préférence Réseau. Pour en créer une:

1. **Déroulez le menu Configuration et sélectionnez l'option Modifier les configurations.**

   Une fenêtre s'ouvre.

2. **Cliquez le bouton +.**

3. **Nommez votre configuration dans la case prévue à cet effet.**

4. **Cliquez sur Terminé.**

5. **Configurez les différents éléments.**

Il vous suffira ensuite de sélectionner ce nom dans le sous-menu Pomme/Configuration réseau pour activer, en un seul mouvement de souris, tous les réglages qui la constituent.

Si toutes ces technologies ne vous sont pas familières, laissez-vous prendre en main par l'Assistant Réglages de réseau. Vous pouvez le mettre en service via le bouton Assistant.

Selon l'élément sélectionné dans la liste de gauche, les informations qui s'affichent dans la partie centrale varient. Vous pouvez cliquer sur le bouton Avancé pour afficher plus d'options. Toutefois, vous n'y agirez que téléguidé par votre prestataire de services. Sachez malgré tout vaguement de quoi il s'agit :

- **Modem** : Si vous avez choisi un modem dans la liste, l'onglet Modem vous permet de désigner votre modem, d'en fixer quelques options, d'en débrancher éventuellement le haut-parleur, ou encore d'opter pour une numérotation fréquences ou impulsions (Figure 14.35).
- **AppleTalk** : Si vous avez choisi Ethernet intégré, un onglet AppleTalk fait son apparition ; AppleTalk étant le protocole réseau d'Apple. Pour en apprendre davantage sur AppleTalk et sur les imprimantes, reportez-vous au Chapitre 10.
- **PPP ou PPPoE** : L'onglet PPP (Point-to-Point Protocol) ou PPPoE (Point-to-Point Protocol Over Ethernet) regroupe des informations générales. Remplissez les cases en suivant les instructions de votre fournisseur.
- **TCP/IP** : TCP/IP est le langage d'Internet. Dans cet onglet aussi vous entrerez les données que vous fournira votre prestataire comme adresse IP, serveurs de noms et domaines de recherche.

- **Proxys** : Si vous évoluez sur un réseau de grande envergure ou si votre Mac se trouve placé derrière un pare-feu, vous devez spécifier un ou plusieurs serveurs proxy. Demandez à votre prestataire de vous indiquer la marche à suivre.

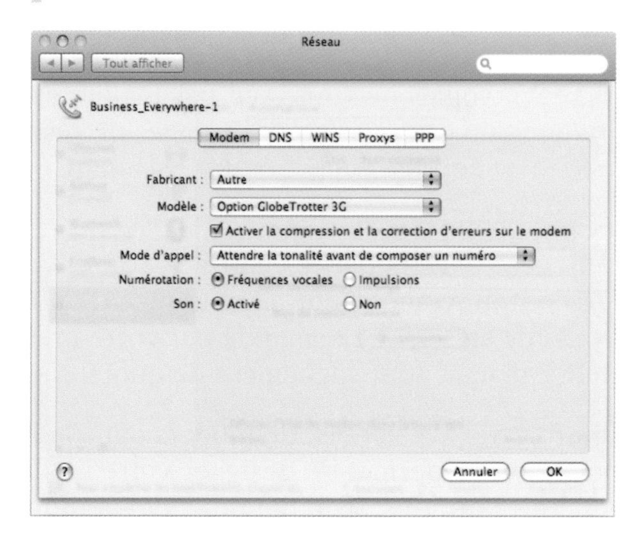

Figure 14.35 : Les réglages du modem.

Accès universel

Vous avez des difficultés pour lire, entendre ou encore piloter la souris ou le clavier ? Tournez-vous vers Accès universel : il vous facilitera l'utilisation de votre ordinateur.

Vous retrouverez deux options dans tous les onglets de cette préférence. La première, Activer l'accès pour les périphériques d'aide, vous permet d'utiliser des matériels spéciaux pour piloter la machine. La seconde, Activer la synthèse vocale pour les préférences d'Accès universel, vous lit le contenu du volet à voix haute.

Vue

Si vous avez des problèmes de vue, agissez ici (Figure 14.36). Vous pourrez notamment activer un zoom très puissant et en régler les options (comme la possibilité – très intéressante – d'afficher un rectangle d'aperçu lors d'un zoom arrière), ainsi que paramétrer d'autres réglages comme l'affichage en blanc sur fond noir ou le contrôle du contraste.

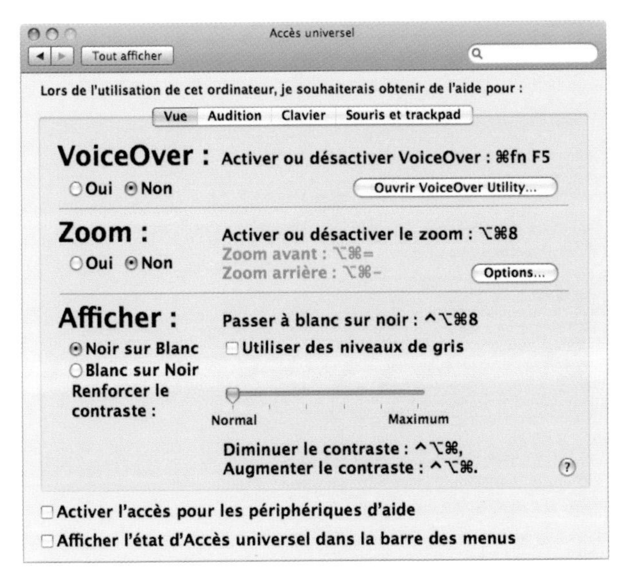

Figure 14.36 : Les options de l'onglet Vue.

Audition

Cet onglet peut faire clignoter l'écran dès qu'un signal d'alerte retentit.

Prévue a priori pour les malentendants, cette commande rendra un fier service aux utilisateurs qui sont appelés à utiliser leur ordinateur dans une atmosphère bruyante.

Clavier

Cet onglet vous permet de régler le mode de saisie des commandes au clavier (Figure 14.37). Deux rubriques sont disponibles : la première concerne les touches à automaintien, la seconde les touches lentes.

- **Touches à automaintien** : Permettent de remplacer des combinaisons de touches par des successions de touches.
- **Touches lentes** : Créent une pause entre le moment où la touche est activée et celui où elle est acceptée.

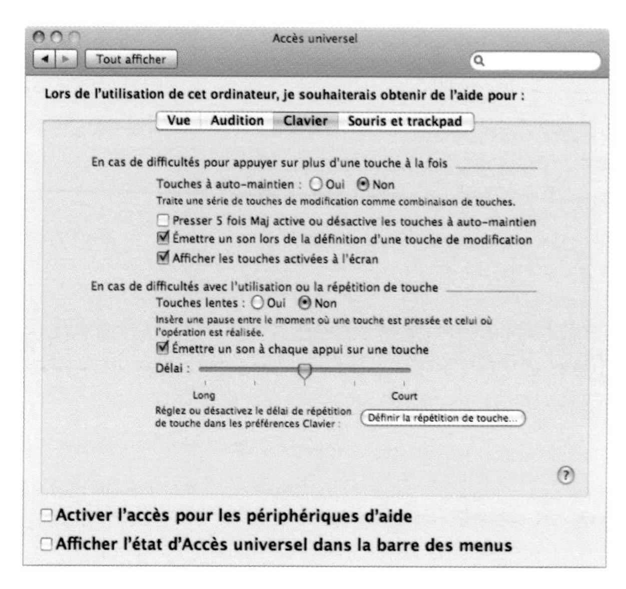

Figure 14.37 : Options des touches à automaintien et des touches lentes.

Souris

Ce dernier onglet vous permet d'employer les touches du pavé numérique en lieu et place de la souris.

Dans cette configuration, le chiffre 5 représente la position centrale. Toutes les touches situées au-dessus opèrent un déplacement vers le haut, celles en dessous vers le bas, celles à gauche vers la gauche et celles à droite vers la droite. C'est simple !

Comptes

Cette préférence ne servira qu'à ceux qui jouissent d'un statut d'administrateur. Le Chapitre 15 vous en apprend plus à ce sujet.

Contrôle parental

Cette préférence permet de modifier les paramètres du contrôle parental appliqué à un compte. Consultez le Chapitre 15 pour plus d'informations.

Date et heure

Cette fenêtre propose trois onglets : Date et heure, Fuseau horaire et Horloge. Chacun d'eux vous permet d'opérer un réglage distinct. Détaillons-les.

Date et heure

Il vous sera impossible de régler ces deux paramètres si vous validez l'option Régler automatiquement qui synchronise votre Mac avec un serveur horloge de réseau. `time. euro. apple. com` est le serveur horloge de réseau d'Apple. Vous avez l'autorisation d'en faire usage, bien entendu.

Sinon, pour régler la date, agissez dans la partie gauche de l'onglet (Figure 14.38). Cliquez dans le calendrier ou agissez dans la zone d'édition du haut : entrez les valeurs ou utilisez les flèches de défilement.

Pour régler l'heure, agissez dans la même fenêtre, mais cette fois dans la partie droite. Faites glisser les aiguilles de l'horloge ou agissez dans la zone d'édition du haut : entrez les valeurs ou utilisez les flèches de défilement.

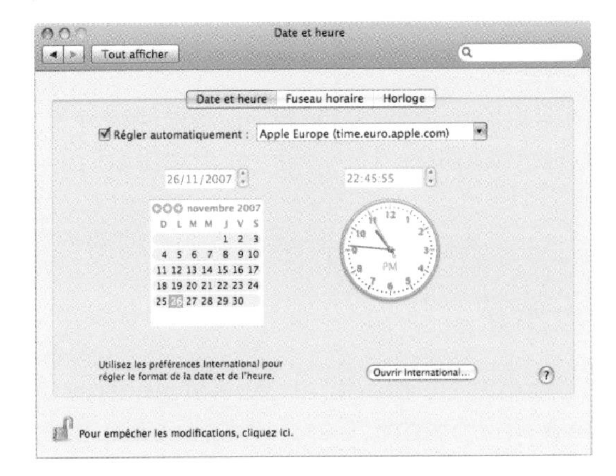

Figure 14.38 : L'onglet Date et heure.

Vous regrettez votre action ? Cliquez sur Revenir : les réglages précédents sont restaurés.

Fuseau horaire

Pour choisir un fuseau horaire, agissez dans l'onglet Fuseau horaire. Cliquez dans la carte ou choisissez un pays dans la liste. Et le tour est joué !

Horloge

L'onglet Horloge vous permet, comme son nom l'indique, de paramétrer l'horloge qui s'affiche à l'extrémité droite de la barre des menus (Figure 14.39).

Pour que l'horloge n'apparaisse pas, désactivez l'option Afficher date et heure.

Sinon, fixez les options disponibles. Parmi celles-ci, la possibilité d'afficher ces données dans la barre des menus ou dans une palette flottante, de les présenter sous forme numérique ou analogique, d'afficher les secondes, de prévoir des séparateurs clignotants ou encore de faire annoncer l'heure.

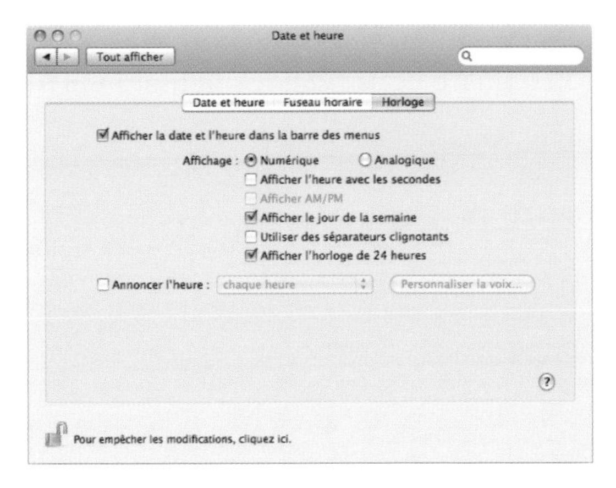

Figure 14.39 : L'onglet Horloge du menu.

Démarrage

Utilisez cette préférence pour désigner le Système sous lequel devra s'effectuer le prochain démarrage de la machine.

Seuls sont répertoriés dans cette fenêtre les disques ou volumes sur lesquels est installé un système d'exploitation opérationnel.

C'est ici que vous trouverez la partition contenant le système d'exploitation Windows que vous avez installé à l'aide de Boot Camp. Vous sélectionnez cette partition pour redémarrer l'ordinateur en utilisant Windows.

Mise à jour de logiciels

Régulièrement, Apple édite de nouvelles versions de tout ou partie de ses systèmes d'exploitation, programmes d'application et autres utilitaires. Malheureusement, vous n'êtes pas forcément au courant de ces mises à jour.

Heureusement, tout est prévu : grâce à cette préférence système (Figure 14.40), vous pouvez (à condition de disposer d'une connexion Internet) être informé de ces nouvelles éditions et télécharger sur votre poste de travail les fichiers correspondants.

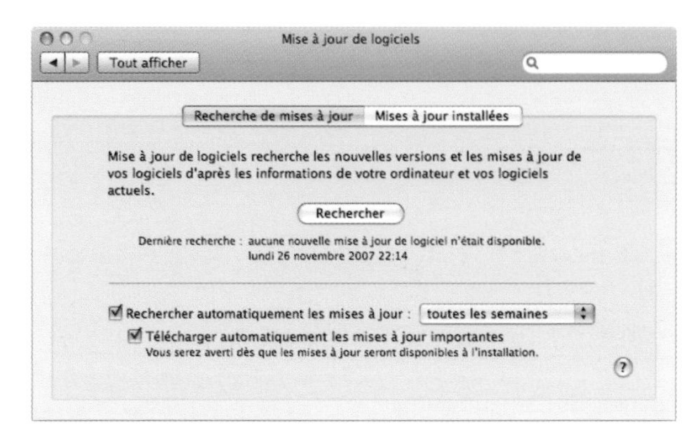

Figure 14.40 : Soyez à jour !

La procédure peut être manuelle ou automatique avec, dans cette seconde éventualité, la possibilité de définir la périodicité de la mise à niveau : quotidienne, hebdomadaire ou mensuelle.

Parmi les changements, on remarquera d'abord la présence d'une option qui autorise le téléchargement en tâche de fond, l'utilisateur recevant une notification en fin de téléchargement l'avisant qu'il peut alors réaliser l'installation. On notera ensuite l'apparition d'un onglet baptisé Mises à jour installées, qui dresse la liste des mises à jour qui ont été effectuées.

Parole

La préférence système Parole propose trois onglets.

Reconnaissance vocale

Ce premier onglet paramètre la capacité qu'a le Mac de vous parler et de vous comprendre lorsque vous vous adressez à lui via un microphone.

Il faut que ce micro soit de qualité, ce qui n'est pas le cas de l'éventuel micro intégré. Toutefois, vous pouvez facilement installer un micro externe, soit sur l'entrée micro, soit en connectant un micro USB. Si vous utilisez votre ordinateur pour téléphoner sur Internet, vous avez certainement un micro adapté.

Ce micro vous permettra de lancer des programmes et de mener quelques autres actions de base (vider la Corbeille, par exemple). Pas très évolué. Il ne suffira toutefois pas si vous souhaitez dicter du texte à votre Mac.

Synthèse vocale

Cet onglet de la préférence vous permet de demander au Mac de vous lire le contenu des zones de dialogue et autres messages d'alerte. Mais la lecture se fait avec un fort accent anglais !

Choisissez ici (Figure 14.41) la voix que le Mac utilisera pour les applications qui énoncent le texte. L'onglet vous permet en outre d'en régler le débit, c'est-à-dire d'en ralentir ou d'en accélérer la diction. Cliquez sur Lire pour avoir un avant-goût.

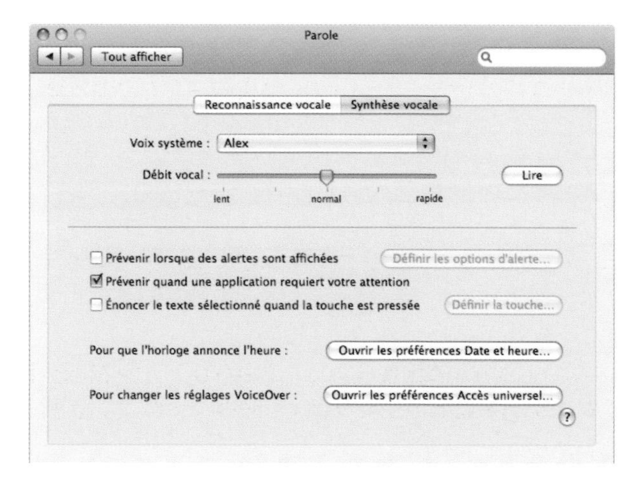

Figure 14.41 : Configuration de la synthèse vocale.

Time Machine

Ici, vous activez ou désactivez Time Machine et pouvez éventuellement changer le disque dédié.

Chapitre 15

Partager un Mac

Dans ce chapitre :

- Connaître les principes de base.
- Gérer les comptes utilisateurs.
- Activer le contrôle parental.
- Partager des dossiers.
- Paramétrer l'ouverture de session.
- Que vous le vouliez ou non, Mac OS X est multi-utilisateur.

Même si vous êtes le seul utilisateur de votre poste, le système d'Apple fonctionne en mode multi-utilisateur, ce qui, vu son obédience Unix, suppose une gestion sophistiquée de droits et de privilèges.

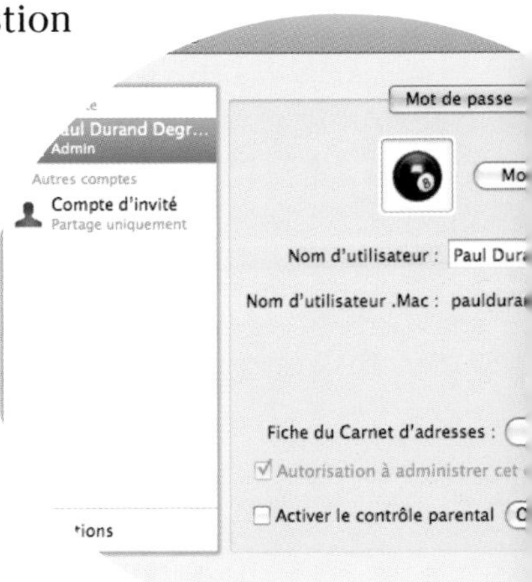

Dans la pratique, l'administrateur d'un Mac accorde à d'autres personnes le droit d'accéder à son poste en leur ouvrant un compte. Celles-ci peuvent ensuite accéder à la machine après avoir fourni leur nom d'utilisateur et leur mot de passe.

Vous apprendrez dans ce chapitre à prévoir des comptes pour les différents utilisateurs d'un même poste de travail, et à partager votre Mac avec eux en toute simplicité.

Vous apprendrez également à configurer le contrôle parental sur les comptes d'utilisateurs. Si vous partagez votre ordinateur avec vos enfants, vous pouvez limiter et contrôler l'utilisation qu'ils font de l'ordinateur grâce à ce contrôle parental.

Si vous travaillez seul, sautez allègrement ce chapitre.

Connaître les principes de base

Pour bien maîtriser les différents aspects de la cohabitation, il importe avant tout que vous compreniez clairement ce que recouvrent les termes *administrateur* et *utilisateur.*

Administrateur et utilisateur

Il faut bien que quelqu'un soit aux commandes : c'est l'*administrateur.*

Quand vous configurez votre Mac pour la première fois, vous obtenez, *ipso facto*, le statut de premier utilisateur. Celui-ci a automatiquement les pleins pouvoirs. Il est en effet administrateur et peut, à ce titre, exploiter pleinement l'ensemble du système. Il peut notamment :

- Accéder à tous les dossiers du disque dur ;
- Modifier les Préférences Système ;
- Verrouiller et déverrouiller ces dernières ;
- Créer des comptes pour les autres personnes désireuses d'utiliser le Mac ;
- Accorder le cas échéant à certaines d'entre elles des pouvoirs aussi étendus que ceux dont il dispose lui-même.

Par "utilisateur", entendez toute personne qui partage votre Mac.

Chaque utilisateur peut évoluer sur le Mac : y faire tourner des applications, y gérer ses fichiers, y modifier ses préférences sans affecter pour autant celles des autres, bref vivre sa vie.

Il a donc accès à l'ensemble du système, mais sa mobilité est extrêmement restreinte en dehors de son dossier Utilisateur, car ses droits d'accès et privilèges d'utilisation et de modification sont réduits à leur plus simple expression. En fait, il est contraint d'évoluer dans le cadre du compte que Mac OS X a créé pour lui lors de son installation ou qu'un administrateur a mis en place par la suite.

Les invités peuvent accéder au dossier Public, mais c'est tout. On appelle "invité" toute personne qui se connecte à votre Mac via un système de partage de fichiers. Ils ne doivent fournir ni nom d'utilisateur ni mot de passe.

Architecture des comptes

Vous savez à présent qui est qui. Mais savez-vous quoi est quoi ? Non. Il vous reste à découvrir l'architecture des comptes utilisateurs.

Ainsi, le répertoire Départ – votre compte utilisateur – comporte par défaut différents dossiers. Certains sont essentiels (comme Bibliothèque) ; d'autres sont anecdotiques (comme Séquences).

Vous les avez déjà découverts au Chapitre 11, à la section "Le dossier Départ".

Si vous avez la mémoire courte :

- **Documents** : Sert de rangement à vos fichiers.
- **Bibliothèque** : C'est le dossier le plus important de votre compte utilisateur. Il se comporte un peu comme un mini-dossier Système local. C'est là que les applications Mac OS X écrivent et stockent vos habitudes, vos goûts.

Des applications y créent même des dossiers spécifiques, hors du dossier Préférences.

- **Bureau** : Regroupe les éléments que vous stockez sur votre Bureau. Si vous devez utiliser un même document à plusieurs reprises sur une même journée de travail, déposez-le sur le Bureau. Mais ne l'y laissez pas : dès que vous avez terminé, rangez ce document dans un dossier. D'une manière générale, évitez de tout laisser traîner : créez des dossiers et des sous-dossiers au cœur même de votre dossier Documents et rangez-y toutes vos petites affaires. Le cas échéant, glissez votre répertoire Départ dans le Dock afin d'y accéder ensuite facilement.
- **Musique** : Stocke vos fichiers audio ; c'est ici notamment qu'iTunes archive les fichiers audio.
- **Séquences** : Regroupe vos films QuickTime, iMovie…
- **Images** : Abrite vos photos. C'est également à cet endroit que se trouve le dossier contenant les photos gérées par iPhoto et que sont automatiquement placées les photos extraites d'un appareil photo numérique.
- **Public** : Ce dossier abrite une Boîte de dépôt, c'est-à-dire une boîte aux lettres dans laquelle les autres utilisateurs de votre Mac peuvent glisser les fichiers qu'ils vous destinent (sans jamais, eux, pouvoir accéder à son contenu).
- **Sites** : Dans ce dossier, vous placez votre site Web lorsque vous utilisez le partage Web personnel.
- **Téléchargement** : C'est dans ce dossier que sont placés les fichiers que vous téléchargez à l'aide de Safari.

Ne modifiez pas les noms de ces sous-dossiers. Ne les déplacez pas non plus.

Gérer les comptes utilisateurs

C'est à l'administrateur qu'il incombe de gérer les comptes utilisateurs, c'est-à-dire de les créer, de les modifier et… de les supprimer !

Créer un compte utilisateur

1. **Choisissez Pomme/Préférences Système ou activez l'icône correspondante du Dock.**

2. **Cliquez sur l'icône Comptes de la rubrique Système et assurez-vous que l'onglet Mot de passe est activé.**

   La fenêtre Comptes s'affiche (Figure 15.1). Elle recense les noms des personnes habilitées à exploiter le Mac et renseigne sur leur statut. Au départ, on trouve l'administrateur et le compte d'invité dans la liste.

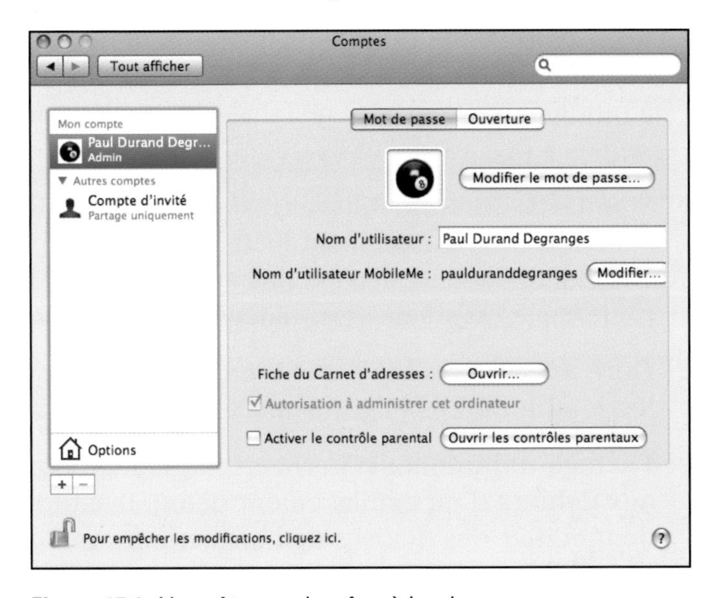

Figure 15.1 : Vous êtes seul maître à bord.

Pour rappel, le premier utilisateur créé (en général pendant l'installation du Système) dispose systématiquement des privilèges d'administrateur.

3. **Cliquez sur le signe + (plus) placé en bas à gauche (au-dessus du cadenas).**

Une feuille permettant la saisie des informations sur le compte s'affiche (Figure 15.2).

Si ce bouton est grisé, c'est que la préférence est verrouillée. Déverrouillez-la.

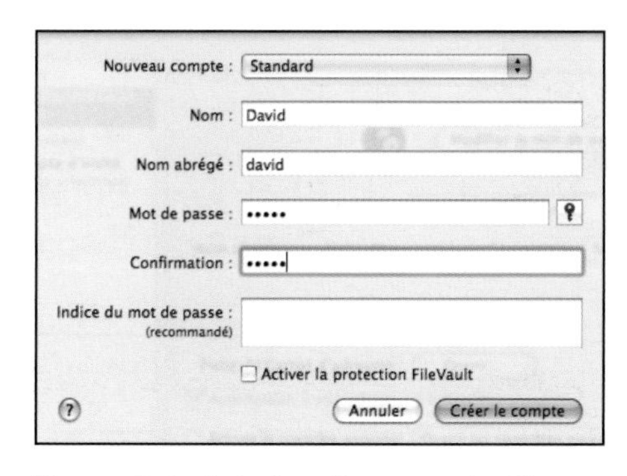

Figure 15.2 : Création d'un nouvel utilisateur.

4. **Dans la liste Nouveau compte, sélectionnez le type de compte à créer.**

   Administrateur : Un administrateur est autorisé à créer et à supprimer des comptes, à installer des logiciels, à modifier les réglages système ainsi qu'à modifier les réglages des autres utilisateurs.

   Standard : Compte utilisateur standard. Un utilisateur standard peut uniquement installer des logiciels pour le compte utilisateur ; il n'est pas autorisé à modifier des préférences système verrouillées ou à créer des comptes.

   Géré avec contrôles parentaux : Compte dont les privilèges sont limités et gérés par les contrôles parentaux.

   Partage uniquement : Permet uniquement d'accéder aux fichiers d'un emplacement défini. Il est impossible de modifier des fichiers de l'ordinateur ou d'ouvrir une session via la fenêtre d'ouverture de session.

   Groupe : Compte comprenant des utilisateurs sélectionnés.

5. **Dans la case Nom, entrez le nom complet du nouvel utilisateur.**

6. **Enfoncez la touche Tabulation.**

   Le Mac introduit un nom abrégé dans la case correspondante.

   C'est ce nom abrégé que le Système utilise pour reconnaître l'utilisateur et affecte à son dossier particulier, chaque utilisateur disposant d'un dossier à son nom stocké dans le dossier Utilisateurs du disque dur.

7. **Acceptez ce nom abrégé ou introduisez-en un autre.**

   Il n'est pas possible d'utiliser des espaces dans le nom abrégé. Bien qu'il soit possible de modifier la suggestion de Mac OS X, sachez que le Système choisit ici un nom adapté à sa base d'utilisateurs.

8. **Dans la case Mot de passe, entrez le mot de passe.**

   Si vous avez besoin d'aide pour créer un mot de passe fiable, cliquez sur le bouton en regard de Mot de passe pour afficher l'Assistant Mot de passe.

9. **Dans la case Confirmation, répétez le mot de passe.**

10. **Introduisez éventuellement un commentaire dans la case Indice mot de passe.**

    Ce commentaire est destiné à rafraîchir la mémoire de l'utilisateur qui aurait oublié son mot de passe. Ne soyez pas trop explicite (du style "Ton numéro de téléphone") pour éviter que n'importe qui puisse déduire cette clé d'accès.

11. **Pour protéger efficacement les données du compte, vous pouvez cocher la case Activer la protection FileVault.**

12. **Cliquez sur le bouton Créer le compte.**

13. **Si l'ouverture automatique est activée, une boîte de dialogue s'affiche et vous demande si vous souhaitez conserver cette ouverture automatique.**

14. **Le nouveau compte est créé (Figure 15.3). Vous pouvez éventuellement cliquer sur l'image pour la modifier.**

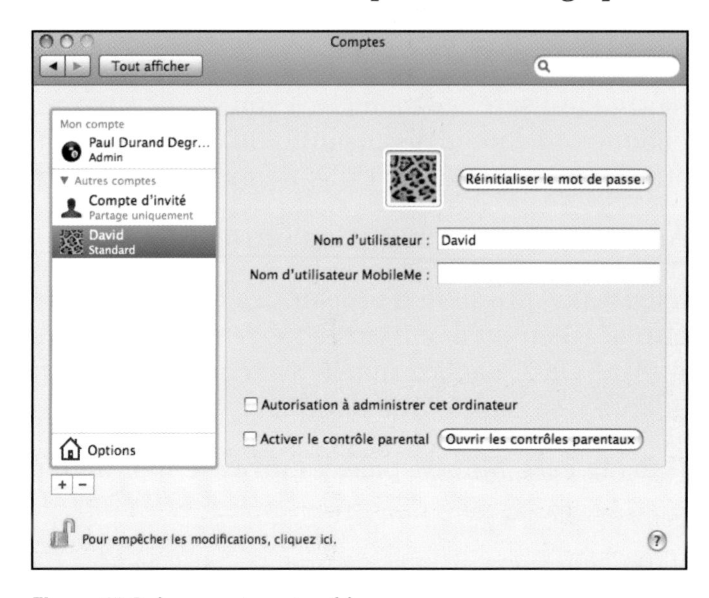

Figure 15.3 : Le compte est créé.

C'est l'image qui sera reprise dans la fenêtre de connexion de Mac OS X, sur la fiche du Carnet d'adresses ainsi que dans la fenêtre d'identification iChat. Faites votre choix parmi les images de l'album d'OS X ou cliquez sur Modifier l'image pour sélectionner une image sur le disque dur ou prendre une photo à l'aide de Photo Booth.

15. **À ce stade, vous avez la possibilité de transformer le compte en compte d'administrateur en cochant la case Autorisation à administrer cet ordinateur ou vous pouvez activer le contrôle parental.**

16. **Répétez l'opération pour les différents utilisateurs à créer (Figure 15.4).**

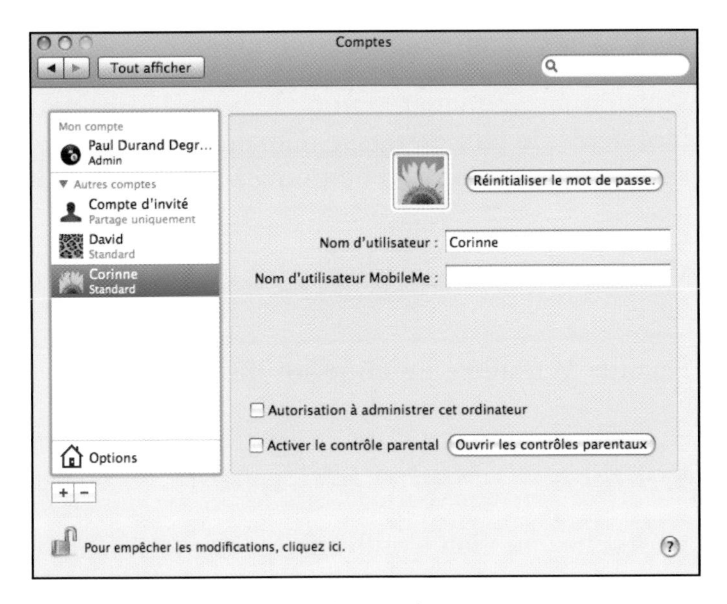

Figure 15.4 : Vous êtes trois, désormais.

17. Fermez la fenêtre en cliquant dans sa case de fermeture.

Chaque utilisateur se voit attribuer un répertoire Départ dans le dossier Utilisateurs. Ce dossier occupe le premier niveau de l'arborescence de votre disque de démarrage Mac OS X. Il comporte donc autant de dossiers nominatifs que le Mac compte d'utilisateurs référencés.

Modifier un compte utilisateur

Pour modifier tout ou partie des réglages d'un utilisateur donné :

1. **Choisissez Pomme/Préférences Système ou activez l'icône correspondante du Dock.**
2. **Cliquez sur l'icône Comptes de la rubrique Système.**
3. **Sélectionnez, dans la liste de gauche, l'utilisateur à modifier.**

4. **Opérez les changements souhaités.**

   Vous pouvez changer le nom, le nom d'utilisateur MobileMe, le mot de passe, l'image, le statut et/ou les restrictions, mais vous ne pouvez pas modifier le nom abrégé.

   Vous ne pourrez agir que si vous êtes dûment habilité à le faire.

5. **Fermez la fenêtre en cliquant dans sa case de fermeture.**

Supprimer un compte utilisateur

Vous intervenez au même endroit :

1. **Choisissez Pomme/Préférences Système ou activez l'icône correspondante du Dock.**

2. **Cliquez sur l'icône Comptes de la rubrique Système.**

3. **Sélectionnez, dans la liste de gauche, l'utilisateur à supprimer.**

4. **Cliquez sur le signe – (moins) placé en bas à gauche (au-dessus du cadenas).**

5. **Indiquez ce que vous souhaitez faire du dossier Départ de l'utilisateur (Figure 15.5). Vous avez la possibilité de l'enregistrer dans une image disque, de le conserver ou de le supprimer.**

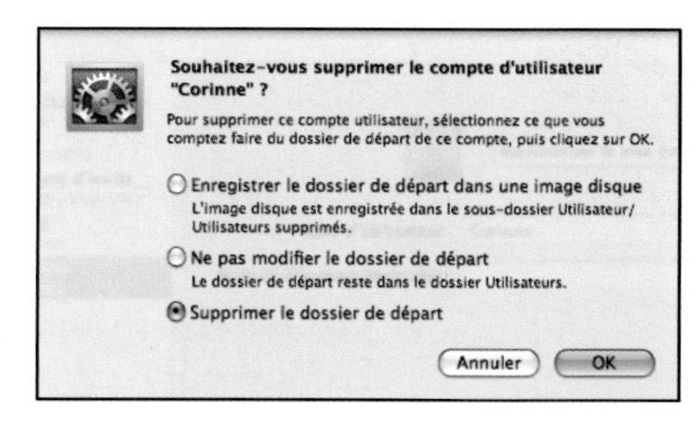

Figure 15.5: Faites le vide autour de vous !

6. **Cliquez ensuite sur OK.**

   Pour ne pas supprimer l'utilisateur, cliquez sur Annuler.

Comme dans le cas précédent, vous ne pourrez intervenir que si vos privilèges d'administrateur vous y autorisent.

7. **Fermez la fenêtre en cliquant dans sa case de fermeture.**

Activer le contrôle parental

Dans la liste des comptes d'utilisateurs, vous trouvez l'option Activer le contrôle parental. Après avoir sélectionné un utilisateur, vous pouvez cocher cette case, pour limiter la mobilité de cet utilisateur. Pratique, par exemple, pour interdire à un enfant l'accès à certains programmes.

1. **Choisissez Pomme/Préférences Système ou activez l'icône correspondante du Dock.**
2. **Cliquez sur l'icône Comptes de la rubrique Système.**
3. **Sélectionnez, dans la liste de gauche, l'utilisateur à restreindre.**

Vous ne pouvez limiter la mobilité d'un utilisateur qui dispose de privilèges d'administrateur.

4. **Cochez la case Activer le contrôle parental.**
5. **Cliquez sur le bouton Ouvrir les contrôles parentaux.**

La fenêtre qui s'affiche est celle que vous obtenez en cliquant sur l'icône Contrôle parental de la rubrique Système des Préférences système.

Vous allez pouvoir affiner ce que l'utilisateur fera de son compte (Figure 15.6).

Figure 15.6 : Spécifiez les restrictions.

6. **Dans l'onglet Système, activez les options souhaitées.**

   L'option Finder simplifié remplace le Finder classique par une version épurée.

   En cochant N'autoriser que les applications sélectionnées, vous activez la liste des applications, puis vous cochez celles que vous autorisez à l'utilisateur.

   Par défaut, l'utilisateur peut administrer les imprimantes, changer son mot de passe, graver des CD et des DVD et modifier son Dock. Décochez les éléments que vous ne souhaitez pas autoriser.

7. **Cliquez sur l'onglet Contenu (Figure 15.7).**

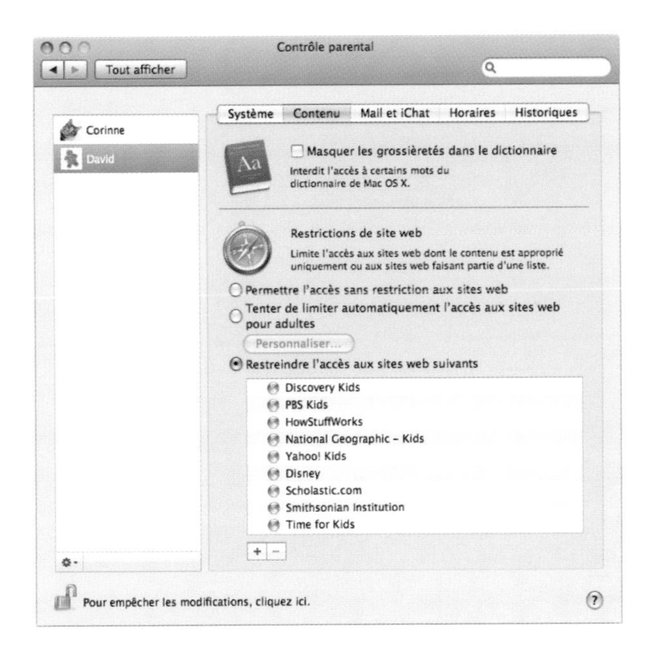

Figure 15.7 : Spécifiez les restrictions sur le contenu.

Vous pouvez masquer les grossièretés du dictionnaire d'OS X.

Vous pouvez limiter l'accès aux sites Web. Soit vous utilisez un filtre automatique, soit vous saisissez une liste de sites Web autorisés.

8. **L'onglet Mail et iChat vous permet de restreindre l'utilisation du courrier électronique et de la messagerie instantanée (Figure 15.8).**

9. **L'onglet Horaires vous permet de préciser le temps d'utilisation maximal de l'ordinateur en semaine et durant le week-end. Vous précisez aussi les heures de coucher, afin d'interdire l'utilisation de l'ordinateur au-delà de l'heure indiquée (Figure 15.9).**

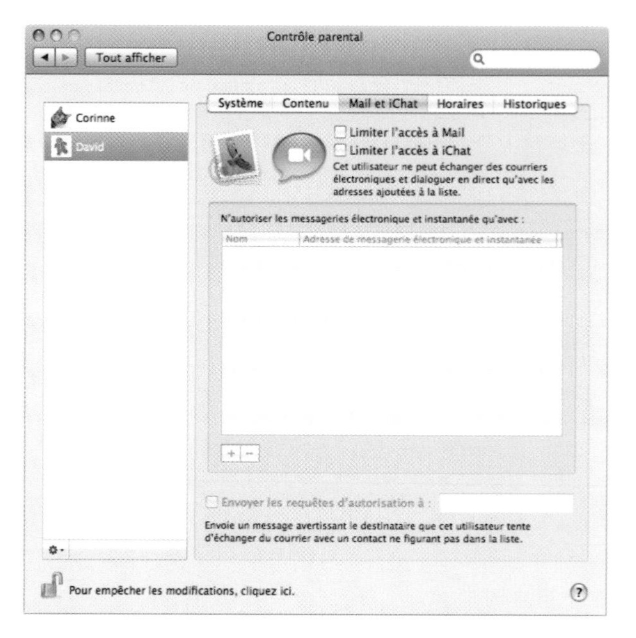

Figure 15.8: Limitez l'utilisation des messageries.

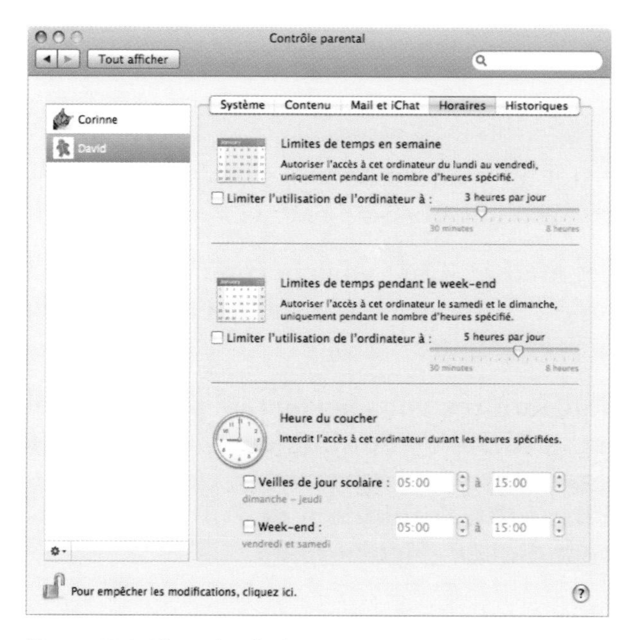

Figure 15.9: Fixez des limites de durée et d'horaire.

10. **L'onglet Historique vous permet de connaître l'historique de l'utilisation de l'ordinateur pour le compte de l'utilisateur (Figure 15.10).**

Figure 15.10 : Consultez l'historique d'utilisation de l'ordinateur.

11. **Lorsque vous avez terminé de configurer le contrôle parental pour le compte, fermez la fenêtre.**

Partager des dossiers

Certains le sont d'emblée (voyez ci-dessous "Connaître les dossiers partagés par défaut); d'autres le sont à la demande (voyez plus bas "Partager d'autres dossiers").

Connaître les dossiers partagés par défaut

Vous savez déjà que dès que vous créez un compte utilisateur, Mac OS X ouvre à ce nouveau venu un dossier personnel qu'il stocke dans le dossier Utilisateurs de votre disque dur.

Ce nouvel utilisateur a d'emblée accès aux dossiers suivants :

- Ce dossier personnel (qui porte son nom abrégé) ;
- Tous les dossiers Public ;
- Le dossier Partagé du dossier Utilisateurs.

Vous êtes seul maître à bord dans votre compte utilisateur, c'est-à-dire dans le dossier Départ établi à votre nom. Les autres utilisateurs du Mac n'y ont pas accès, même le ou les administrateurs.

Le dossier Départ de l'utilisateur courant est facile à identifier : il est signalé par l'icône d'une maison.

En ce qui concerne les dossiers Public, Mac OS X en prévoit un dans chaque dossier personnel. Ces dossiers sont accessibles à tous les utilisateurs. Tous ces dossiers Public abritent à leur tour un dossier Boîte de dépôt. Si vous entendez communiquer des données à un utilisateur bien précis, c'est dans cette boîte que vous devez déposer les fichiers correspondants. Seul le possesseur du dossier Public correspondant y a accès.

Le dossier Partagé, quant à lui, est un dossier auquel ont accès toutes les personnes qui exploitent le Mac.

Partager d'autres dossiers

Sachez avant tout que beaucoup de dossiers appartiennent au Système, c'est-à-dire à Mac OS X. Si vous sélectionnez un de ces dossiers et consultez ses autorisations, vous verrez la mention "système" (Figure 15.11).

En fait, c'est simple : tous les dossiers qui ne se trouvent pas dans les répertoires Utilisateurs appartiennent au Système ; vous ne pouvez modifier leurs autorisations.

Votre liberté d'action est donc limitée aux dossiers personnels, chaque utilisateur gérant les siens, exception faite des dossiers Public et Partagé où, là encore, c'est Mac OS X qui contrôle tout.

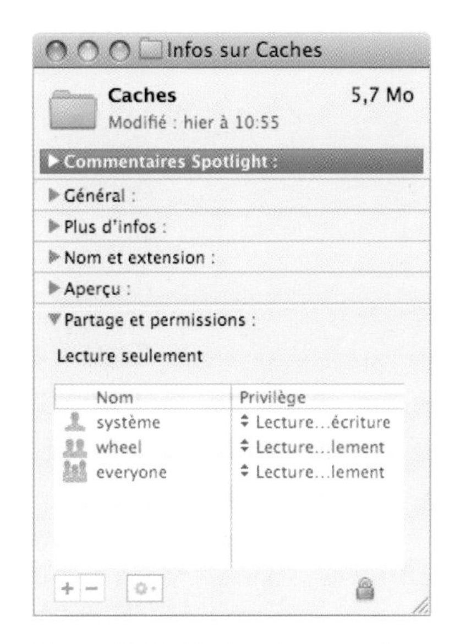

Figure 15.11 : Ce dossier appartient au Système : chasse gardée.

1. **Sélectionnez l'icône du dossier à partager.**
2. **Choisissez Fichier/Lire les informations ou enfoncez les touches ⌘ + I.**

   La fenêtre d'infos s'affiche.

3. **Développez le volet Partage et permissions. Si nécessaire, cliquez sur le cadenas pour débloquer les modifications.**

   La liste des autorisations s'affiche (Figure 15.12). Vous découvrez ainsi quels sont les droits d'accès à l'élément sélectionné.

4. **Définissez les autorisations en sélectionnant les privilèges. Si nécessaire, cliquez sur le bouton + pour ajouter un nom ou sur le bouton – pour en supprimer un.**

Figure 15.12 : Les autorisations du dossier Envoyés.

Les options disponibles sont :

- **Lecture et écriture** : Permet de visualiser le contenu du dossier, d'y ajouter ou d'y supprimer des fichiers, d'en déplacer ou d'en modifier.
- **Lecture seulement** : Permet de visualiser le contenu du dossier et, en aucun cas, d'agir sur celui-ci.
- **Écriture seulement** : Permet de déposer des fichiers dans le dossier.
- **Accès interdit** : Toute action est impossible, puisque cette option ne permet ni de voir ni de modifier le contenu du dossier de quelque manière que ce soit.

5. **Fermez la fenêtre en cliquant dans sa case de fermeture.**

Paramétrer l'ouverture de session

Une fois votre compte défini et vos utilisateurs ajoutés, il vous reste encore quelques paramètres à régler.

Il faut savoir que normalement Mac OS X est configuré pour ouvrir automatiquement au démarrage une session pour un utilisateur donné.

Si vous préférez qu'il n'en soit pas ainsi, sachez que deux choix s'offrent à vous :

- Soit demander qu'une **liste** des utilisateurs référencés soit proposée, ce qui facilite l'ouverture, notamment pour les néophytes.
- Soit, pour plus de sécurité, faire en sorte que lors de tout allumage du Mac une fenêtre ne comportant que **deux champs** de saisie soit ouverte ; elle vous demandera de vous identifier via votre nom d'utilisateur et votre mot de passe.

Pour accéder à ces réglages :

1. **Choisissez Pomme/Préférences Système ou activez l'icône correspondante du Dock.**
2. **Cliquez sur l'icône Comptes de la rubrique Système.**
3. **Cliquez, dans le bas de la liste de gauche, sur Options de session.**

   La fenêtre des options s'affiche (Figure 15.13).

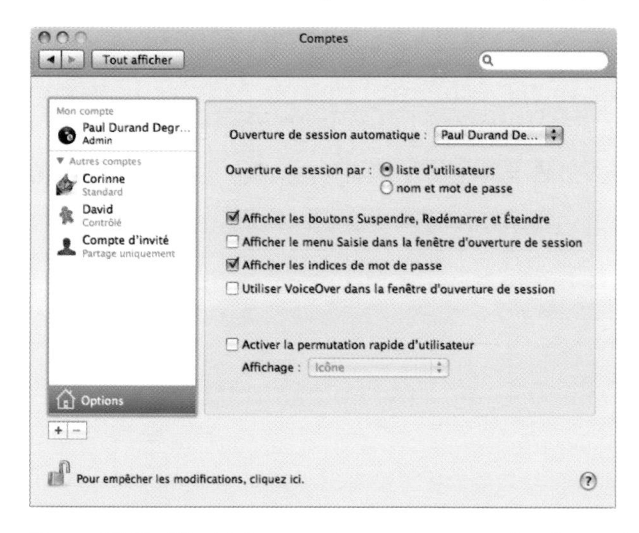

Figure 15.13 : C'est ici que se trouvent regroupées les options de session.

C'est l'option Ouverture de session automatique qui permet l'ouverture d'une session avec l'utilisateur désigné dans le menu local. (Sélectionnez-le, puis tapez son mot de passe lorsque vous y êtes invité.) Pour inhiber cette ouverture automatique, sélectionnez Désactivé dans le menu local.

4. **Pour vous faire accueillir par une fenêtre qui vous demande de vous identifier, validez l'option Nom et mot de passe.**
5. **Pour vous mettre en présence d'une liste qui recense les utilisateurs définis, validez l'option Liste d'utilisateurs.**

6. **Décochez l'option Afficher les boutons Suspendre, Redémarrer et Éteindre, pour éviter qu'un utilisateur ne contourne la fenêtre d'ouverture de session.**

7. **Si nécessaire, activez l'option Afficher le menu Saisie dans la fenêtre d'ouverture de session.**

8. **Si nécessaire, pour plus de sécurité, décochez Afficher les indices de mot de passe.**

9. **Si nécessaire, cochez la case Activer VoiceOver dans la fenêtre d'ouverture de session.**

10. **Validez le cas échéant l'option Activer la permutation rapide d'utilisateur, puis sélectionnez un type d'affichage dans le menu local.**

    Voyez à ce propos l'encadré suivant.

11. **Fermez la fenêtre en cliquant dans sa case de fermeture.**

Changer de session à la volée

Grâce à cette option, baptisée fort à propos Activer la permutation rapide d'utilisateur, vous pouvez, grâce à un nouveau menu qui s'installe définitivement dans l'angle supérieur droit de votre barre des menus et qui regroupe les utilisateurs référencés (c'est-à-dire l'ensemble des comptes configurés), passer instantanément d'un utilisateur à un autre. Cette fonctionnalité rend donc possible l'ouverture d'une session d'un utilisateur A sans contraindre à quitter un utilisateur B.

Imaginez que vous soyez en train de clôturer vos comptes mensuels et que votre fils souhaite subitement consulter ses mails. Pas de problème ! Il lui suffit de choisir son nom dans la liste et la permutation est immédiate. L'effet est saisissant : l'écran permute avec un effet 3D très réussi, laissant en l'état la session de l'utilisateur précédent avec toutes ses applications actives et basculant, en une fraction de seconde, vers le dossier Départ du nouvel utilisateur.

Mieux, mettez la fonction à profit pour vous créer différents environnements de travail. Prévoyez un cadre pour vos opérations de gestion, un autre pour votre travail de graphiste, un autre encore pour vos loisirs et… passez de l'un à l'autre comme cela vous chante. Vous pouvez ainsi, à titre privé, jongler encore plus facilement que par le passé avec des environnements de travail distincts.

Quatrième partie

Découvrir les principaux logiciels

"Tu ferais mieux d'utiliser Keynote et iPhoto pour présenter notre exploitation".

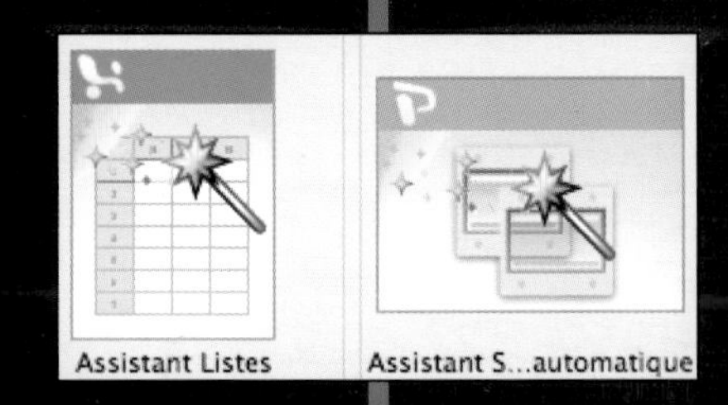

Dans cette partie...

Nous vous proposons de partir à la découverte de quatre logiciels de base : iWork '08, Word, iMovie et iPhoto.

iWork '08 est une suite logicielle proposée par Apple. Cette suite contient les logiciels Keynote, qui permet de réaliser des présentations, Pages, un traitement de texte, et Numbers, un tableur.

Word est le traitement de texte de Microsoft, mais il existe une version pour le Mac.

iMovie et iPhoto font partie de la suite iLife '08. Le premier permet de réaliser des films et de graver des DVD vidéo en utilisant iDVD (un autre programme de la suite) ; le second de gérer ses photos et de réaliser, entre autres, des diaporamas.

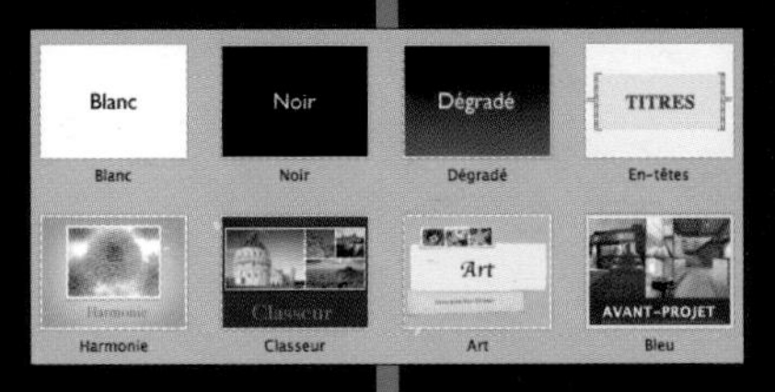

Chapitre 16

iWork '08

Dans ce chapitre :

- Faire connaissance.
- Créer une présentation.
- Découvrir le traitement de texte.
- Aborder le tableur.

iWork '08 est le successeur du logiciel AppleWorks dont la commercialisation est totalement abandonnée. Toutefois, AppleWorks intégrait des programmes que l'on ne retrouve pas dans iWork : une base de données et un programme de dessin.

iWork '08 n'est peut-être pas en mesure de concurrencer Office. Cependant, les fonctionnalités du programme ainsi que son prix en font un outil idéal pour les particuliers, les sociétés unipersonnelles ou les petites entreprises.

Faire connaissance

Commencez par installer le logiciel. Une fois que cette installation est terminée, vous trouvez trois nouvelles icônes dans le Dock. Ces icônes se trouvent également dans le dossier iWork '08 du dossier Applications (Figure 16.1).

- **Keynote** : Il s'agit d'un programme de présentation. Vous créez des diapositives afin de présenter, par exemple, un projet à plusieurs personnes. Ce logiciel est l'équivalent de PowerPoint de Microsoft Office. D'ailleurs, Keynote sait manipuler les fichiers au format PowerPoint.

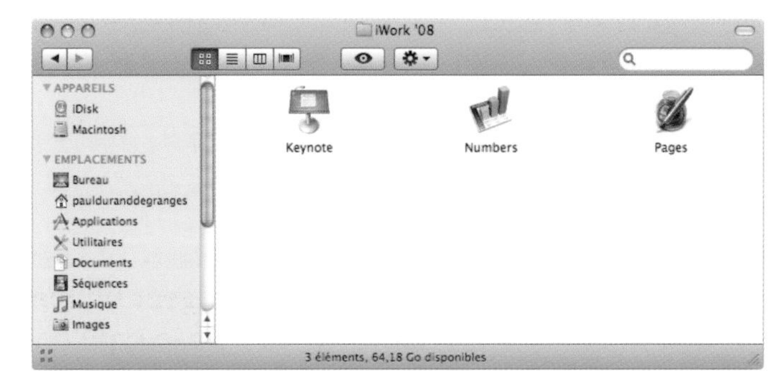

Figure 16.1 : La fenêtre d'iWork '08.

- **Numbers** : Il s'agit d'un tableur, c'est-à-dire un logiciel permettant de créer des feuilles de calcul. Numbers est l'équivalent d'Excel de Microsoft Office ; il est d'ailleurs possible de manipuler les classeurs d'Excel 2007.
- **Pages** : Il s'agit d'un traitement de texte, pendant de Microsoft Word. Pages sait manipuler les fichiers issus de Word 2007.

Créer une présentation

Keynote vous permet de réaliser une *présentation*. Il s'agit d'un ensemble d'écrans, appelés *diapositives*, sur lesquels vous placez du texte, des images ou tout autre contenu multimédia.

Les présentations sont très utilisées afin de montrer un projet à un groupe de personnes, en utilisant un vidéoprojecteur si nécessaire. Toutefois, pour les particuliers, elles peuvent être utilisées afin de créer une suite d'images ou de textes que l'on envoie par courrier électronique.

Vous avez la possibilité de faire défiler les diaporamas :

- Automatiquement (par exemple, une diapositive toutes les quatre secondes).
- Manuellement : vous contrôlez le processus en cliquant sur le bouton de la souris pour faire apparaître la diapo suivante.

Commencer une nouvelle présentation

Si vous avez déjà assisté à des présentations de ce genre, vous savez sans doute que toutes les vues partagent un même thème de base. Vous commencez donc par choisir le type de présentation que vous souhaitez utiliser.

1. **Démarrez Keynote pour obtenir l'écran Choisissez le thème de votre présentation (Figure 16.2).**

Figure 16.2 : Choisissez un thème pour le diaporama.

2. **Dans le menu local Taille de la diapo, choisissez la taille qui vous convient.**

3. **Cliquez sur Choisir.**

Keynote affiche une nouvelle diapositive qui utilise le thème que vous avez sélectionné précédemment (Figure 16.3).

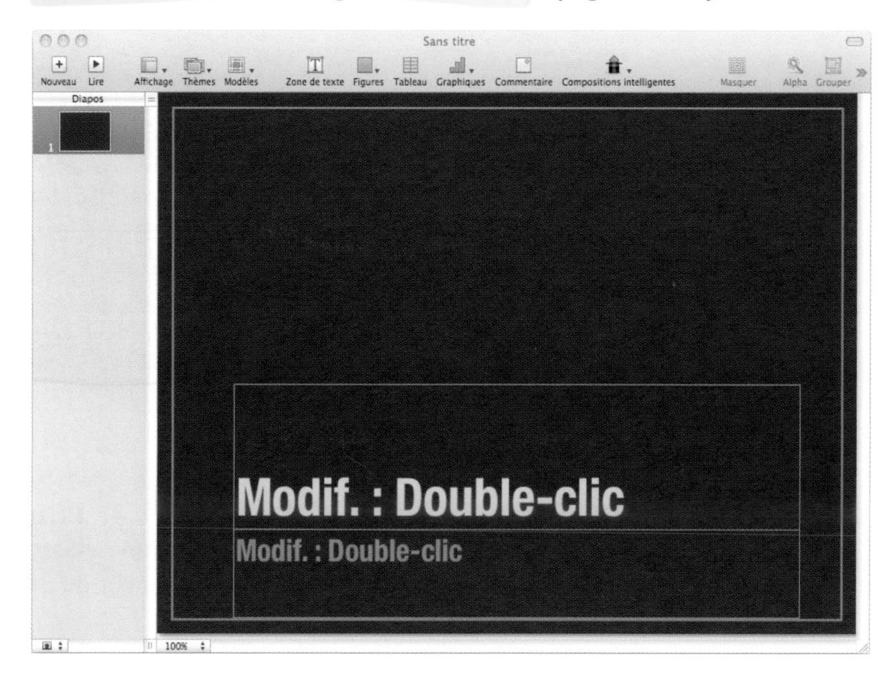

Figure 16.3: La première diapositive s'affiche.

Vous remarquerez des zones dans lesquelles se trouve le texte *Modif. : Double-clic*. Le programme vous indique simplement que pour saisir du texte dans les espaces réservés il vous suffit de double-cliquer dedans. Une fois que vous avez double-cliqué dans un espace réservé, le texte *Modif. : Double-clic* disparaît et vous pouvez saisir votre texte (Figure 16.4).

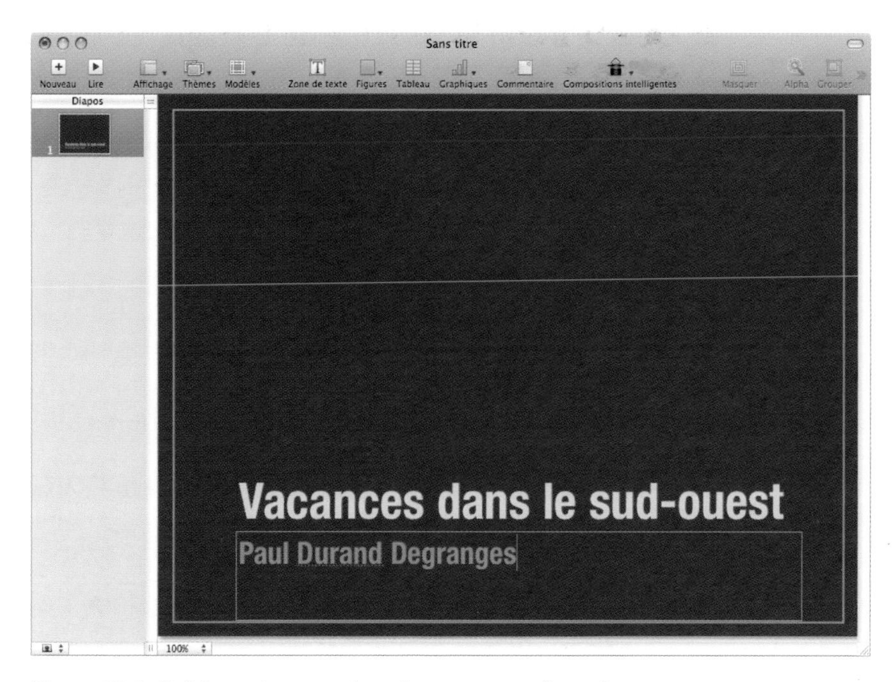

Figure 16.4 : Saisissez le texte dans les espaces réservés.

La première diapositive qui s'affiche dans le logiciel est une diapositive de titre. Elle présente le diaporama ; vous y indiquez des informations rapides comme le titre du diaporama, le nom de l'auteur ou le nom de votre société.

Utilisez le menu Format pour modifier les attributs du texte (gras, italique ou souligné), la taille des caractères, la police utilisée ainsi que la disposition (gauche, droite, centrée).

Ajouter des diapositives

Pour compléter votre diaporama, vous ajoutez ensuite des diapositives. Pour cela, cliquez sur le bouton Nouveau de la barre d'outils. Immédiatement, une nouvelle diapositive s'affiche dans l'espace de travail.

Pour modifier le type de diapositive, cliquez sur le bouton Modèles de la barre d'outils puis sélectionnez un modèle de diapositive.

Vous avez également la possibilité de changer de thème pour le diaporama en cliquant sur le bouton Thèmes, puis en sélectionnant un nouveau thème.

Là encore, le principe reste le même : vous saisissez votre texte dans les espaces réservés. Si vous avez sélectionné un modèle avec des photos, vous pouvez utiliser celles qui se trouvent dans un dossier ou dans iPhoto. Dans ce dernier cas :

1. **Cliquez sur Présentation/Afficher le navigateur de médias.**
2. **Dans la fenêtre Multimédia, cliquez sur l'onglet Photos.**
3. **Cliquez sur la photo et faites-la glisser dans l'espace réservé de la diapositive (Figure 16.5).**
4. **Si nécessaire, répétez l'opération pour chacune des photos à placer dans la diapositive.**

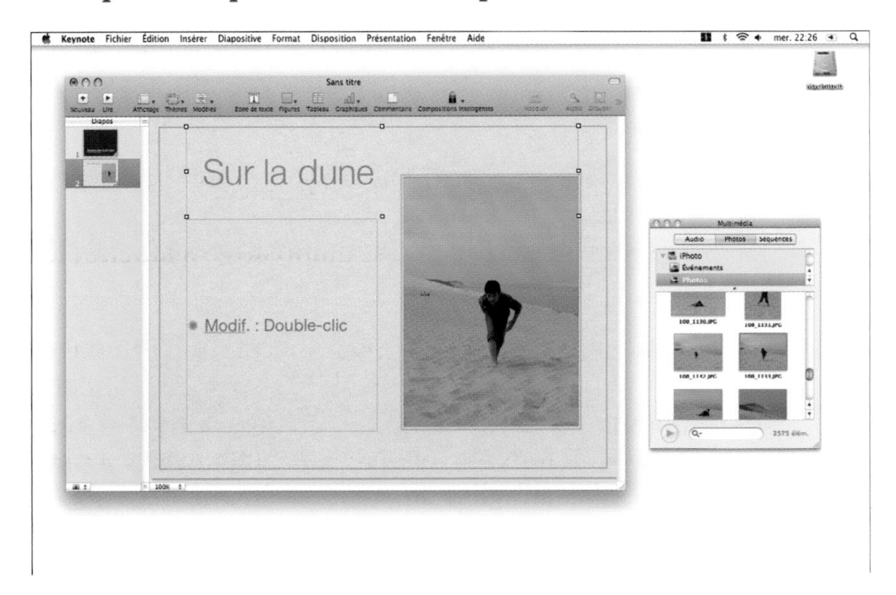

Figure 16.5 : Placez des photos dans votre diapositive.

Notez qu'il est possible de déplacer, de dimensionner ou de supprimer les cadres des espaces réservés afin d'adapter le contenu de la diapositive à votre projet.

Les différents modes d'affichage

Jusqu'à présent, pour créer les diapositives, nous avons utilisé le mode Navigateur. Dans ce mode, vous trouvez la liste des diapositives dans la colonne de gauche et le centre de la fenêtre affiche le contenu de la diapositive sélectionnée. Avec ce mode, vous naviguez rapidement d'une diapositive à l'autre pour les modifier ou les créer.

Le menu Présentation offre quatre modes d'affichage différents de la présentation. Vous pouvez aussi changer rapidement de mode d'affichage en cliquant sur le bouton Affichage de la barre d'outils.

- **Navigateur** : Il s'agit du mode que nous venons de présenter.
- **Structure** : Dans ce mode (Figure 16.6), la colonne Diapos est remplacée par la colonne Structure dans laquelle vous trouvez le titre de la diapositive ainsi que le contenu des puces. Lorsque vous modifiez le texte dans la colonne, la diapositive elle-même est modifiée.
- **Diapositive** : Ici, seule la diapositive s'affiche ; le volet de gauche est masqué.
- **Table lumineuse** : Les diapositives sont affichées dans la fenêtre de l'application sous forme de miniatures (Figure 16.7). Ce mode d'affichage permet d'accéder rapidement à une diapositive ou d'organiser les diapositives en les faisant glisser.

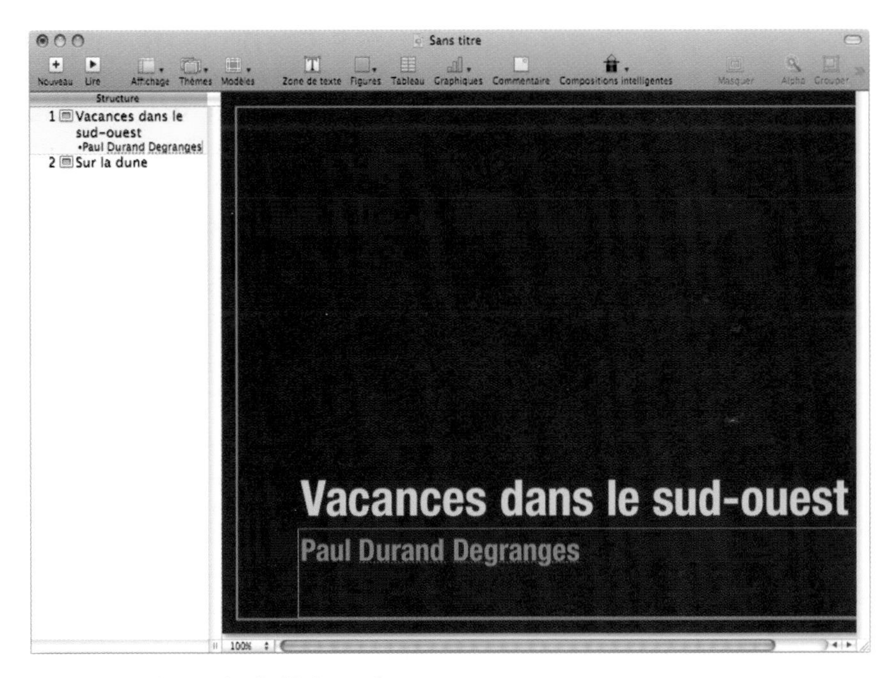

Figure 16.6 : Le mode d'affichage Structure.

Figure 16.7 : Placez des photos dans votre diapositive.

Définir les transitions

Lorsque vous avez créé vos diapositives, vous pouvez indiquer comment vous souhaitez effectuer les transitions entre chacune d'elles. Par défaut, vous cliquez pour changer de diapositive et il n'y a aucun effet (la nouvelle remplace celle qui est affichée).

Le changement de diapositive peut s'effectuer automatiquement et vous pouvez ajouter des effets lors des transitions. Par exemple, la diapositive affichée s'ouvre comme un portail et laisse apparaître la nouvelle diapositive.

Pour modifier les transitions :

1. **Sélectionnez la première diapositive pour laquelle vous souhaitez modifier la transition.**

2. **Cliquez sur Présentation/ Afficher l'inspecteur.**

   Notez que lorsque la fenêtre Inspecteur est affichée, la commande devient Masquer l'inspecteur.

3. **Dans la fenêtre de l'inspecteur, cliquez sur le bouton contenant une diapositive (le deuxième en partant de la gauche).**

4. **Dans l'inspecteur des diapos qui s'affiche (Figure 16.8), cliquez sur l'onglet Transition puis modifiez les paramètres de la transition. Un exemple s'affiche immédiatement dans le cadre placé en haut de la boîte de dialogue.**

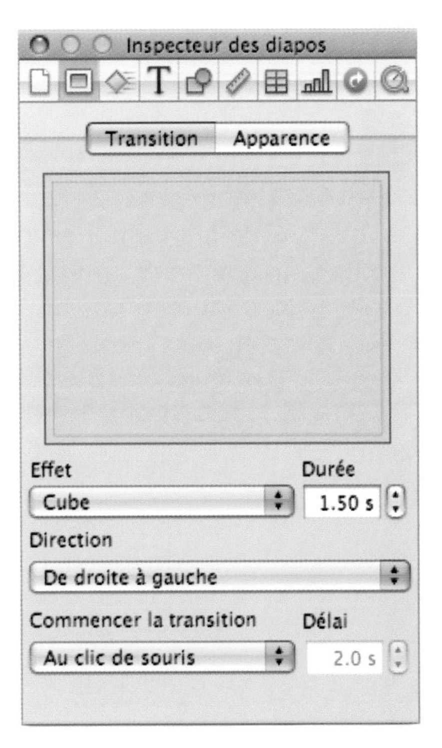

Figure 16.8 : ConFigurez la transition.

Vous pouvez modifier la durée de l'effet et la direction. Pour le paramètre Commencer la transition, vous pouvez sélectionner Automatiquement puis indiquer un délai. Cela permet de changer automatiquement de diapositive.

L'onglet Apparence vous permet de modifier l'apparence de la diapositive.

5. **Sélectionnez une autre diapositive pour laquelle vous souhaitez modifier la transition.**

Si vous souhaitez que la totalité de votre diaporama défile automatiquement, vous devez modifier le paramètre Commencer la transition, pour toutes les diapositives.

Effets dans les diapositives

Lorsque vous affichez le contenu d'une diapositive, par défaut, tous les éléments apparaissent en même temps. Lors d'une présentation, il est parfois souhaitable de faire apparaître les éléments les uns après les autres afin de commenter les différents points. Avec un diaporama automatique, il est possible de faire afficher les éléments les uns après les autres automatiquement, afin de laisser au spectateur le temps de découvrir les points un par un.

1. **Sélectionnez la diapositive pour laquelle vous souhaitez modifier l'affichage du contenu.**

2. **Sélectionnez un élément de la diapositive.**

3. **Si nécessaire, cliquez sur Présentation/Afficher l'inspecteur.**

4. **Dans la fenêtre de l'inspecteur, cliquez sur le bouton contenant un losange jaune (le troisième en partant de la gauche).**

5. **Dans l'inspecteur des compositions qui s'affiche (Figure 16.9), modifiez les paramètres dans les trois onglets afin d'obtenir le résultat souhaité.**

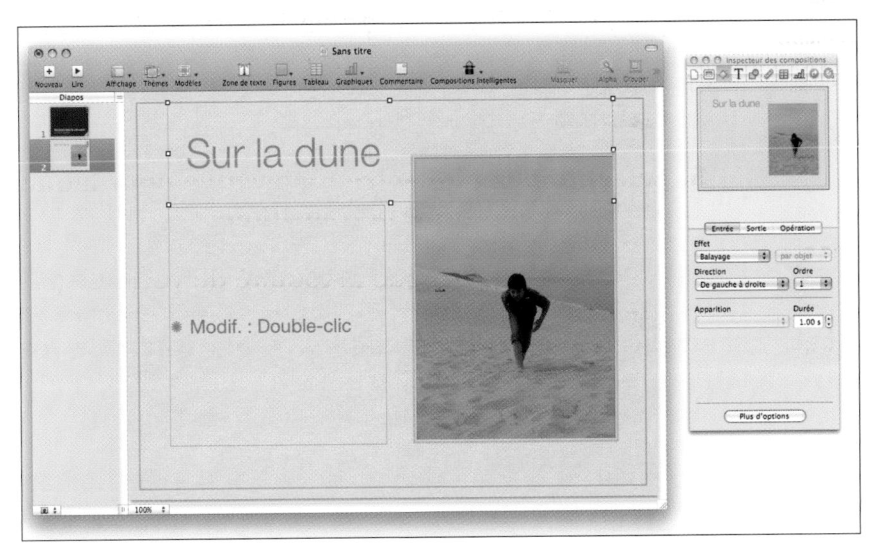

Figure 16.9 : ConFigurez l'affichage du contenu.

6. **Répétez les opérations pour chacun des éléments de la diapositive.**

7. **Si nécessaire, effectuez ces opérations sur les autres diapositives de votre présentation.**

Compléter le diaporama

Vous avez vu comment créer une présentation et rapidement quelques diapositives. Le logiciel vous réserve encore de nombreuses fonctionnalités. Vous avez par exemple la possibilité de lire une bande-son pendant le diaporama, un fichier audio ou d'enregistrer vos commentaires sur chacune des diapositives. Vous pouvez également indiquer si la lecture du diaporama démarre automatiquement lors de l'ouverture du fichier, et si elle doit s'effectuer en boucle. Vous configurez ces paramètres dans la fenêtre de l'inspecteur présenté dans les deux étapes précédentes.

Afficher le diaporama

Vous avez la possibilité de tester le diaporama avant de l'afficher devant un public ou de le distribuer. Pour cela, cliquez sur Présentation/Tester le diaporama. Dans ce mode, deux diapositives s'affichent à l'écran : la diapositive actuelle et la diapositive suivante. L'heure de démarrage ainsi que la durée écoulée s'affichent au bas de l'écran. Vous pouvez ainsi chronométrer votre présentation et, par exemple, vérifier que les changements automatiques de diapositives ont une durée correcte. Vous pouvez aussi vous entraîner à faire votre présentation en lisant votre texte et en faisant défiler les diapositives manuellement afin de connaître la durée totale de votre présentation. Vous pourrez ainsi estimer si elle est trop longue ou trop courte par rapport au temps qui vous est imparti.

Pour démarrer la lecture à proprement parler du diaporama, cliquez sur le bouton Lire de la barre d'outils ou sur Présentation/Lancer le diaporama. Votre diaporama s'affiche en plein écran et vous passez d'une diapositive à l'autre en cliquant sur la souris (ou en patientant si vous avez créé un diaporama automatique). Vous pouvez interrompre le diaporama à tout instant en appuyant sur la touche Esc.

Utiliser un traitement de texte avec Pages

Pages est un programme de traitement de texte. Vous l'utilisez pour créer des courriers que vous imprimez et envoyez par La Poste, ou encore pour mettre en page des documents plus longs tels que des rapports, des mémoires ou un roman.

Démarrer un nouveau document

Lorsque vous démarrez Pages ou sélectionnez la commande Nouveau du menu Fichier, une liste de modèles de documents s'affiche. Vous avez le choix entre deux types de modèles en sélectionnant Tout (Figure 16.10) :

- **Traitement de texte :** Il s'agit de modèles que vous utilisez pour créer des documents contenant essentiellement du texte, par exemple une lettre.

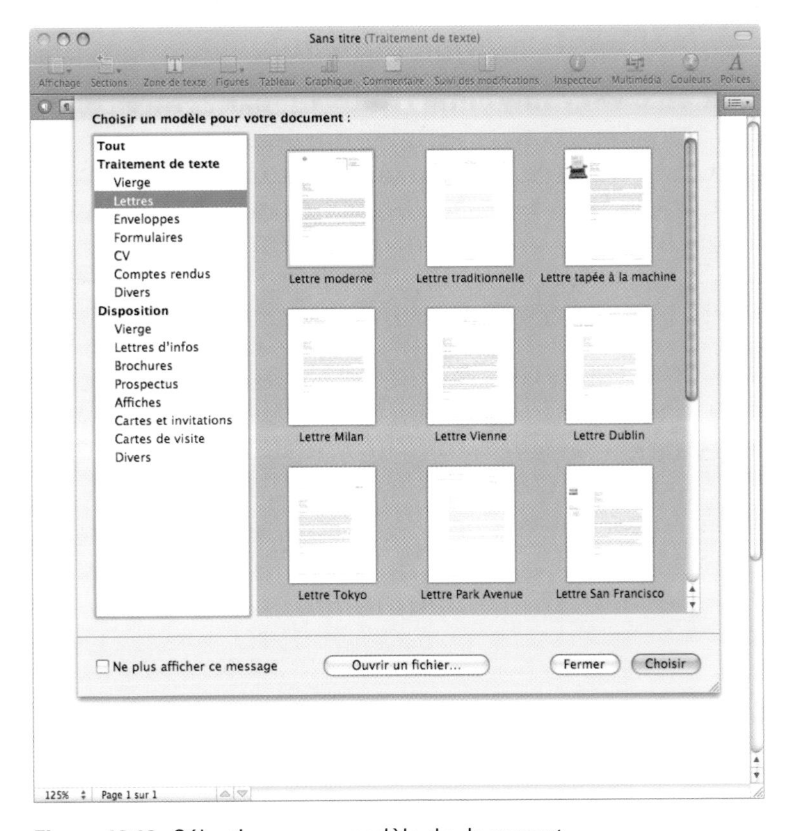

Figure 16.10 : Sélectionnez un modèle de document.

- **Disposition :** Il s'agit de modèles que vous utilisez pour créer des documents contenant des photos et du texte, par exemple des brochures.

1. **Sélectionnez une catégorie de modèles, puis un modèle dans la liste de droite.**

Pour ouvrir un document existant que vous avez enregistré sur votre disque dur, cliquez sur le bouton Ouvrir un document, puis sélectionnez le document à ouvrir.

2. **Cliquez sur Choisir.**

3. **Un nouveau document utilisant le modèle sélectionné s'affiche.**

4. **Lorsque vous cliquez sur les différentes parties du document, les mots, les phrases ou les paragraphes sont automatiquement sélectionnés (Figure 16.11). Il ne vous reste plus qu'à saisir le texte de remplacement.**

Figure 16.11 : Le texte est sélectionné.

Plutôt que de modifier ou d'effacer la totalité d'un modèle, choisissez un modèle vierge. Le document que vous obtenez est totalement vide et vous mettez le texte en forme comme vous le souhaitez.

Mettre en forme le document

La barre d'outils offre un accès rapide aux fonctions les plus courantes. Vous pouvez donc l'utiliser pour mettre en forme rapidement le texte de votre document.

Utiliser un style de paragraphe

Selon le modèle de document que vous avez sélectionné, vous avez accès à différents styles de paragraphes. Un *style de paragraphe* permet de mettre en forme très rapidement la totalité d'un paragraphe, le retrait de la première ligne, l'alignement du texte, la taille et la police des caractères utilisés…

Pour changer rapidement de style de paragraphe :

1. **Placez le curseur n'importe où dans le paragraphe à modifier.**
2. **Cliquez sur le premier menu déroulant de la barre de titre (Figure 16.12).**
3. **Cliquez sur le style à utiliser.**

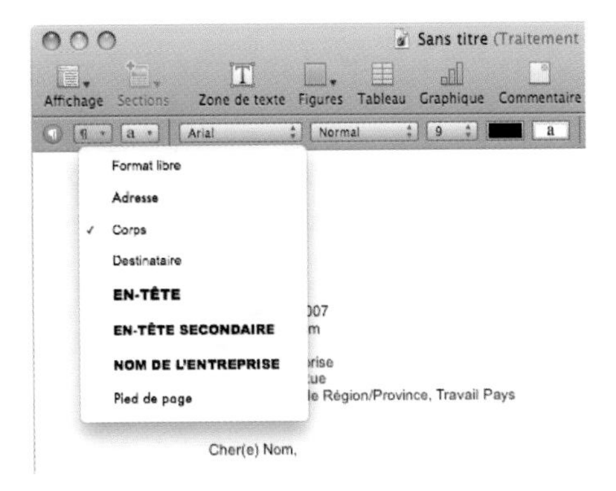

Figure 16.12 : Appliquez un style de paragraphe.

Pour appliquer un style à plusieurs paragraphes, sélectionnez-les avant d'ouvrir la liste déroulante.

Modifier les caractères

Pour mettre en forme des caractères, par exemple pour modifier la police ou changer la taille du texte, commencez par sélectionner les caractères concernés. Utilisez ensuite les boutons de la barre d'outils. De gauche à droite, à partir du troisième bouton :

- **Style de caractères :** Cliquez sur le bouton pour choisir dans une liste le style de caractères.
- **Famille de polices :** Sélectionnez la police de caractères à utiliser.
- **Type de caractères :** Sélectionnez le type de caractères (gras, italique, souligné) à utiliser.
- **Taille de police :** Sélectionnez une taille pour les caractères. En cliquant sur Panneau police, vous ouvrez le panneau du même nom dans lequel vous configurez un grand nombre de paramètres, dont la taille. Vous sélectionnez celle-ci dans une liste ou vous saisissez une valeur si celle souhaitée ne se trouve pas dans la liste.
- **Couleur du texte :** Sélectionnez une couleur pour le texte ou cliquez sur Autre couleur pour obtenir des couleurs complémentaires.
- **Couleur d'arrière-plan pour le texte :** Sélectionnez une couleur d'arrière-plan pour le texte ou cliquez sur Autre couleur pour obtenir des couleurs complémentaires.
- **Gras, Italique et Souligné :** Ce groupe de boutons vous permet d'obtenir des caractères gras, italiques ou soulignés.

En ce qui concerne les caractères soulignés, vous obtenez plus de choix dans la fenêtre Police (Polices dans la barre d'outils, Format/Police/Afficher les polices ou ⌘ + T). Vous pourrez sélectionner une barre de soulignement simple, double ou en couleur. De plus, vous aurez la possibilité de barrer le texte avec un trait simple, double ou en couleur.

Modifier l'alignement des paragraphes

À droite des boutons B, I et U, vous trouvez un groupe de quatre boutons qui permettent de modifier l'alignement des paragraphes ; dans l'ordre : Aligner le texte à gauche, Centrer le texte, Aligner le texte à droite et Justifier le texte (aligner le texte à gauche et à droite). La Figure 16.13 montre le résultat de chacune des commandes sur des paragraphes (de haut en bas). Les marges de gauche et de droite sont représentées par un trait vertical afin de bien voir la différence dans le placement du texte sur la page.

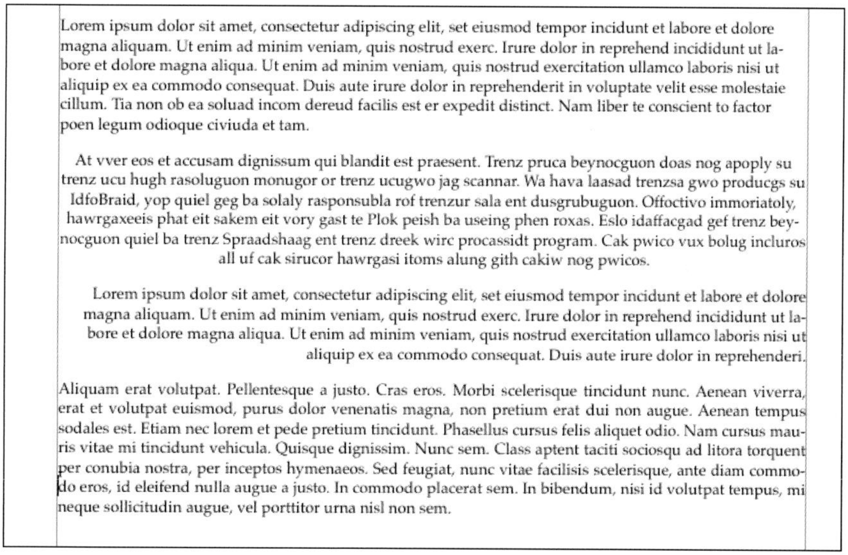

Lorem ipsum dolor sit amet, consectetur adipiscing elit, set eiusmod tempor incidunt et labore et dolore magna aliquam. Ut enim ad minim veniam, quis nostrud exerc. Irure dolor in reprehend incididunt ut labore et dolore magna aliqua. Ut enim ad minim veniam, quis nostrud exercitation ullamco laboris nisi ut aliquip ex ea commodo consequat. Duis aute irure dolor in reprehenderit in voluptate velit esse molestaie cillum. Tia non ob ea soluad incom dereud facilis est er expedit distinct. Nam liber te conscient to factor poen legum odioque civiuda et tam.

At vver eos et accusam dignissum qui blandit est praesent. Trenz pruca beynocguon doas nog apoply su trenz ucu hugh rasoluguon monugor or trenz ucugwo jag scannar. Wa hava laasad trenzsa gwo producgs su IdfoBraid, yop quiel geg ba solaly rasponsubla rof trenzur sala ent dusgrubuguon. Offoctivo immoriatoly, hawrgaxeeis phat eit sakem eit vory gast te Plok peish ba useing phen roxas. Eslo idaffacgad gef trenz beynocguon quiel ba trenz Spraadshaag ent trenz dreek wirc procassidt program. Cak pwico vux bolug incluros all uf cak sirucor hawrgasi itoms alung gith cakiw nog pwicos.

Lorem ipsum dolor sit amet, consectetur adipiscing elit, set eiusmod tempor incidunt et labore et dolore magna aliquam. Ut enim ad minim veniam, quis nostrud exerc. Irure dolor in reprehend incididunt ut labore et dolore magna aliqua. Ut enim ad minim veniam, quis nostrud exercitation ullamco laboris nisi ut aliquip ex ea commodo consequat. Duis aute irure dolor in reprehenderi.

Aliquam erat volutpat. Pellentesque a justo. Cras eros. Morbi scelerisque tincidunt nunc. Aenean viverra, erat et volutpat euismod, purus dolor venenatis magna, non pretium erat dui non augue. Aenean tempus sodales est. Etiam nec lorem et pede pretium tincidunt. Phasellus cursus felis aliquet odio. Nam cursus mauris vitae mi tincidunt vehicula. Quisque dignissim. Nunc sem. Class aptent taciti sociosqu ad litora torquent per conubia nostra, per inceptos hymenaeos. Sed feugiat, nunc vitae facilisis scelerisque, ante diam commodo eros, id eleifend nulla augue a justo. In commodo placerat sem. In bibendum, nisi id volutpat tempus, mi neque sollicitudin augue, vel porttitor urna nisl non sem.

Figure 16.13 : Les différents alignements de paragraphes.

Espacement des lignes, colonnes et puces

Les trois derniers boutons de la barre d'outils sont :

- **Sélectionner l'espacement :** Cliquez sur le bouton pour choisir l'interligne pour le paragraphe en cours ou les paragraphes sélectionnés.
- **Sélectionner le nombre de colonnes :** Cliquez sur le bouton pour choisir le nombre de colonnes dans le document. Par

défaut, les documents utilisent une colonne. Toutefois, si vous souhaitez créer une brochure ou une lettre d'information, vous pouvez utiliser plusieurs colonnes pour placer le texte comme dans un journal ou un magazine.

- **Sélectionnez un style de liste :** Cliquez sur le bouton pour choisir un style de liste à puces ou numérotée.

Compléter le document

Les menus ou les icônes placées dans la barre d'outils supérieure donnent accès à un grand nombre de fonctions qui vous permettent de produire un document d'aspect professionnel. Vous pouvez, entre autres, insérer des images ou créer des cadres de texte (une zone de texte à l'intérieur du texte).

Pages donne aussi accès à des outils de vérification de l'orthographe. D'ailleurs, la vérification lors de la frappe est activée par défaut et lorsqu'un mot est mal orthographié, un trait rouge en pointillé s'affiche sous le mot.

Aborder le tableur avec Numbers

Pour la plupart des gens, le tableur de référence, c'est Excel. Mais le tableur Numbers d'iWork se défend plus qu'honorablement et coûte beaucoup moins cher !

Un tableur sert à tout : faire des calculs mathématiques, dresser des budgets, établir des plans d'amortissement, représenter graphiquement des résultats…

La douloureuse

Imaginons que vous rentriez des Seychelles où vous venez de passer une lune de miel idyllique, et que vous trouviez dans votre boîte aux lettres une impressionnante pile de factures : le repas de noces, la location du château, le tailleur, le photographe…

À la question que vous vous êtes posée pendant des mois – est-ce bien la femme avec laquelle j'ai envie de vivre toute l'éternité ? – succède une autre question : l'éternité me suffira-t-elle pour payer cette montagne de factures ?

Posez la question à Numbers !

1. **Lancez le programme, à moins qu'il ne soit déjà en service.**

2. **Dans la fenêtre Choisissez un modèle pour votre document, cliquez sur Vierge, puis sur le bouton Choisir. Si Numbers était déjà en service, cliquez sur Fichier/ Nouveau pour choisir une feuille de calcul vierge.**

   Une feuille de calcul vierge s'affiche à l'écran.

   Elle est constituée d'une série de colonnes (identifiées par des lettres) et d'une série de lignes (identifiées par des numéros). À l'intersection de chaque colonne et de chaque ligne, se trouve une *cellule*, unité de base de la feuille. Chaque cellule est identifiée par une *adresse*, constituée de la lettre de sa colonne suivie du numéro de sa ligne. Ainsi, la cellule A1 se trouve au croisement de la colonne A et de la ligne 1.

   Calculez à présent combien votre fastueux mariage vous aura coûté.

3. **Cliquez dans la cellule A3. Tapez** Dépenses, **puis enfoncez la touche Retour (16.14).**

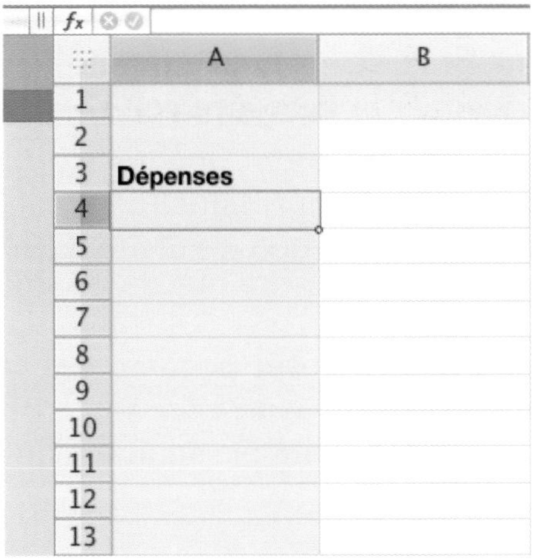

Figure 16.14 : Votre saisie est validée.

4. **Tapez la liste de vos dépenses comme illustré Figure 16.15 (Location salle, Traiteur, etc.) ; confirmez chaque saisie par l'activation de la touche Retour et gagnez ainsi la cellule du dessous. Dans la dernière cellule, tapez** TOTAL, **puis enfoncez la touche Retour.**

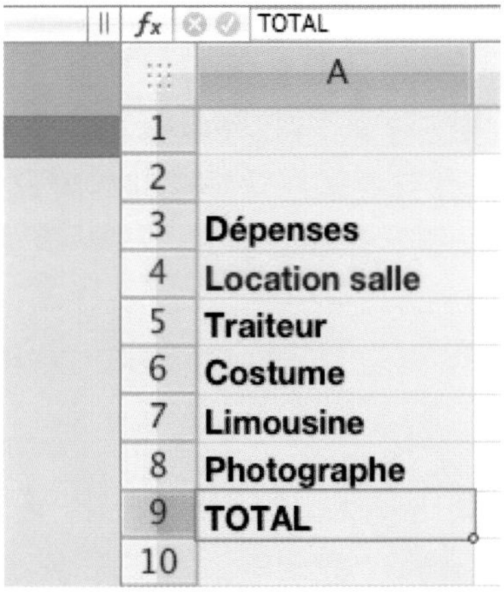

Figure 16.15 : Vous vous sentez déjà mieux, pas vrai ?

5. **Cliquez en B4, juste à droite de la case Location salle. Tapez le montant que vous avez payé pour ce poste. Faites de même pour les autres postes de la liste.**

   Numbers n'est pas seulement capable d'ingurgiter des chiffres : il peut aussi les totaliser.

6. Faites délicatement glisser votre pointeur sur la colonne de chiffres, depuis B4 (cellule dans laquelle figure la première valeur) jusqu'à la dernière cellule du bas (Figure 16.16).

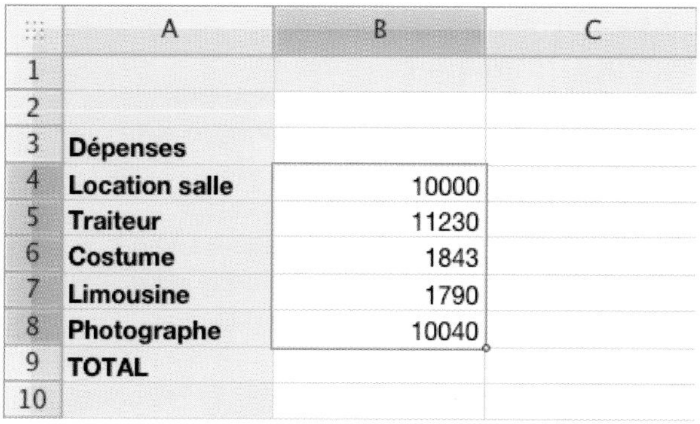

	A	B	C
1			
2			
3	Dépenses		
4	Location salle	10000	
5	Traiteur	11230	
6	Costume	1843	
7	Limousine	1790	
8	Photographe	10040	
9	TOTAL		
10			

Figure 16.16 : Indiquez à Numbers les valeurs à additionner.

7. Activez le bouton Fonction de la barre d'outils puis sélectionnez Somme (Figure 16.17).

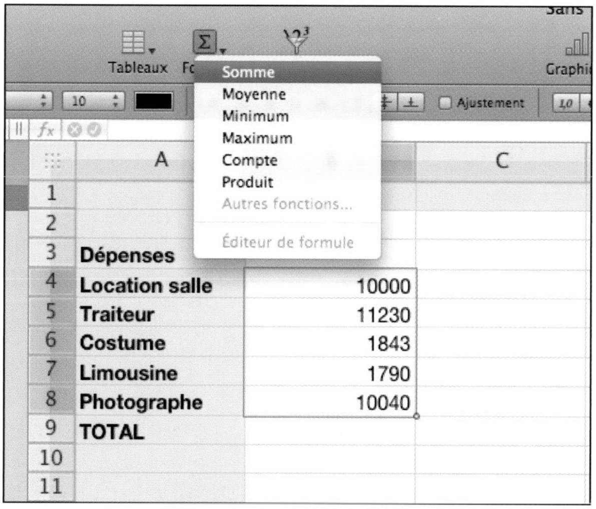

Tableaux
Somme
Moyenne
Minimum
Maximum
Compte
Produit
Autres fonctions...
Éditeur de formule
Ajustement
Graphi

	A	B	C
1			
2			
3	Dépenses		
4	Location salle	10000	
5	Traiteur	11230	
6	Costume	1843	
7	Limousine	1790	
8	Photographe	10040	
9	TOTAL		
10			
11			

Figure 16.17 : Le bouton Fonction.

Et le miracle s'accomplit ! Numbers calcule le montant total et l'affiche dans la cellule placée après la sélection (Figure 16.18).

Plus étonnant encore, ce nombre est vivant : il est recalculé un million de fois par seconde. De fait, si vous modifiez une des valeurs de la liste, le total est mis à jour instantanément. Voyez vous-même.

fx =SOMME(B4:B8)

	A	B
1		
2		
3	Dépenses	
4	Location salle	10000
5	Traiteur	11230
6	Costume	1843
7	Limousine	1790
8	Photographe	10040
9	TOTAL	34903

Figure 16.18 : Performant, non ?

8. **Cliquez dans la case en regard de la mention Photographe. Tapez une autre valeur, puis enfoncez la touche Retour.**

Le total est actualisé en un éclair.

Enjolivez vos feuilles de calcul

Ce n'est pas parce que vous vous trouvez dans un tableur que vous n'avez pas accès à des options de présentation. N'hésitez donc pas à formater vos données en gras, en italique, en rouge…

Ainsi, pour afficher un total en gras et en rouge, sélectionnez la cellule à traiter, puis faites appel aux commandes du menu Format ou aux commandes placées dans la barre d'outils.

La bonne nouvelle

L'addition est salée ? Qu'importe ! Vous avez sans doute quelques biens que vous pouvez solder pour réduire cette charge financière. Pourquoi ne pas revendre les cadeaux de mariage que vous avez reçus ?

1. **Cliquez dans la cellule D3. Tapez** Biens, **puis validez.**

   Vous allez entrer une nouvelle colonne de valeurs.

2. **Tapez** Canapé en cuir, **puis validez. Continuez la liste :** Service à dîner, Aspirateur, TOTAL.

   Certaines entrées sont sans doute plus larges que leur cellule d'accueil. Ce n'est pas grave : il vous suffit d'élargir la colonne. Pour ce faire, placez délicatement votre pointeur sur le bord droit de la colonne (entre D et E), puis faites glisser vers la droite.

   Vous allez à présent entrer la valeur de ces cadeaux.

3. **Cliquez dans la cellule à droite de** Canapé en cuir**. Tapez la valeur de ce bien. Faites de même pour les deux autres cadeaux selon le tableau ci-dessous (Figure 16.19).**

	A	B	C	D	E	F
1						
2						
3	**Dépenses**			Biens		
4	**Location salle**	10000		Canapé en cuir	20000	
5	**Traiteur**	11230		Service à dîner	1254	
6	**Costume**	1843		Aspirateur	1118	
7	**Limousine**	1790		TOTAL		
8	**Photographe**	10040				
9	**TOTAL**	34903				
10						
11						
12						

Figure 16.19 : Biens à monnayer.

4. **Sélectionnez les trois valeurs puis utilisez la fonction Somme.**

   Le montant des biens que vous envisagez de vendre s'affiche instantanément dans la dernière cellule de la sélection. Ici aussi, le total est remis à jour dès que vous modifiez une des valeurs sollicitées.

Le résultat

Les choses ne s'arrêtent pas là. La preuve :

1. **Dans une cellule vide de la feuille de calcul, en dessous des données existantes – en C15 par exemple –, tapez** TOTAL GÉNÉRAL**, puis enfoncez la touche Tabulation.**

   Cette touche fonctionne comme la touche Retour, à cette différence près qu'elle déplace le pointeur vers la cellule de droite plutôt que vers la cellule du bas.

   L'idée, ici, est de soustraire le total des biens du total des dépenses de manière à savoir si la vente des présents pourrait couvrir les frais. Vous allez réaliser ce calcul en construisant une formule. Toutes les formules commencent par le signe = (égal).

2. **Tapez le signe = (égal). Cliquez dans la cellule où figure le total des biens (E7 dans notre exemple).**

   Numbers inscrit automatiquement l'adresse de la cellule sélectionnée dans la case d'édition du haut.

3. **Tapez le signe – (moins), puis cliquez dans la cellule où se trouve le total des dépenses (B9 dans notre exemple) ; confirmez par Retour (Figure 16.20).**

	A	B	C	D	E	F
1						
2						
3	**Dépenses**			Biens		
4	**Location salle**	10000		Canapé en cuir	20000	
5	**Traiteur**	11230		Service à dîner	1254	
6	**Costume**	1843		Aspirateur	1118	
7	**Limousine**	1790		TOTAL	22372	
8	**Photographe**	10040				
9	**TOTAL**	34903				
10						
11			TOTAL GÉNÉRAL	-12531		
12						
13						
14						
15						

Figure 16.20 : Anxieux d'en savoir plus ?

Numbers soustrait la seconde valeur de la première et affiche le résultat. Vous n'avez pas de chance : vous ne possédez pas assez d'argent pour apurer vos dettes.

Comme dans les deux cas précédents, ce résultat est remis à jour chaque fois qu'une des valeurs est modifiée.

Pour construire une formule, opérez de manière logique : "je veux savoir" (cliquez dans la cellule où doit apparaître le résultat) "combien" (entrez le signe =) donne les biens (cliquez dans la cellule Total de la colonne Biens) moins les dettes (cliquez dans la cellule Total de la colonne Dettes).

Chapitre 17

Office 2008

Dans ce chapitre :

- Présentation d'Office 2008.
- Tomber nez à nez avec Word 2008.
- Obtenir de l'aide.
- Taper le texte.
- Corriger les fautes de frappe.
- Corriger les fautes d'orthographe et de syntaxe.
- Connaître les modes d'affichage.
- Gérer les barres d'outils.
- Sélectionner du texte.
- Découvrir la Palette de mise en forme.
- Créer une liste.
- Bâtir un tableau.
- Gérer les pages.
- Présentation d'Excel 2008.

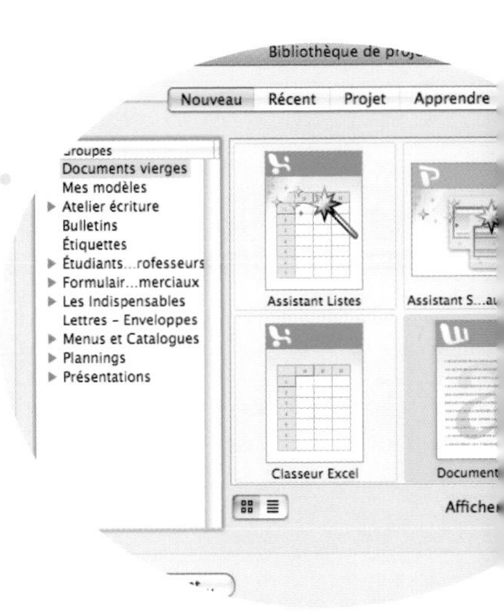

Ne nous leurrons pas. Vous allez utiliser votre Macintosh pour faire de la retouche d'images, créer des animations 3D, composer des symphonies… Ça ne fait pas l'ombre d'un pli ! Mais, comme tout le monde, ce que vous ferez sans doute le plus, c'est du traitement de texte !

Si les fonctions de Keynotes ne suffisent pas pour votre travail, vous pouvez envisager de migrer vers Office 2008 ou de choisir uniquement l'un des programmes de la suite, dans ce cas Word 2008 pour remplacer Keynotes.

En dépit de ses multiples imperfections, Microsoft Word est le programme Macintosh le plus vendu au monde. Découvrez-le dans les pages qui suivent. Vous découvrirez également le tableau Excel, qui permet de gérer des feuilles de calcul.

Présentation d'Office 2008

Office 2008 est la version Macintosh de la célèbre suite de logiciels de Microsoft. La version Windows, au moment de l'écriture de ces lignes, se nomme Office 2007, alors que la version Mac est Office 2008. La suite se décline en différentes éditions :

- **Édition Famille et Étudiants** : Le prix est adapté aux familles et aux écoles. Cette édition contient les logiciels Word, Excel, PowerPoint et Entourage.
- **Office 2008 pour Mac** : Cette édition, sans autre qualificatif, contient les logiciels Word, Excel, PowerPoint et Entourage, la prise en charge de Microsoft Exchange Server et offre des actions d'automatisation des flux de travail.
- **Édition Expression Media** : Il s'agit de l'édition la plus complète, puisqu'elle contient les éléments de l'édition normale auxquels s'ajoute Microsoft Expression Media.

Word est un traitement de texte, Excel est un tableur avec lequel vous pouvez effectuer des calculs. PowerPoint est un logiciel de présentation. Ces trois logiciels correspondent, respectivement, aux logiciels Pages, Numbers et Keynote de la suite iWork '08 d'Apple. Entourage est un logiciel qui permet de gérer la messagerie électronique, son agenda, ses contacts et ses notes. Il correspond aux programmes Mail, iCal et Carnet d'adresses livrés avec Mac OS X.

Tomber nez à nez avec Word

Lancez le programme depuis le dossier Applications de votre disque dur. Word démarre.

Créer un nouveau document

D'emblée, le programme vous propose sa bibliothèque de projets (Figure 17.1). Si cette vaste bibliothèque de documents prêts à l'emploi n'encourage pas la création, elle favorise en tout cas la productivité.

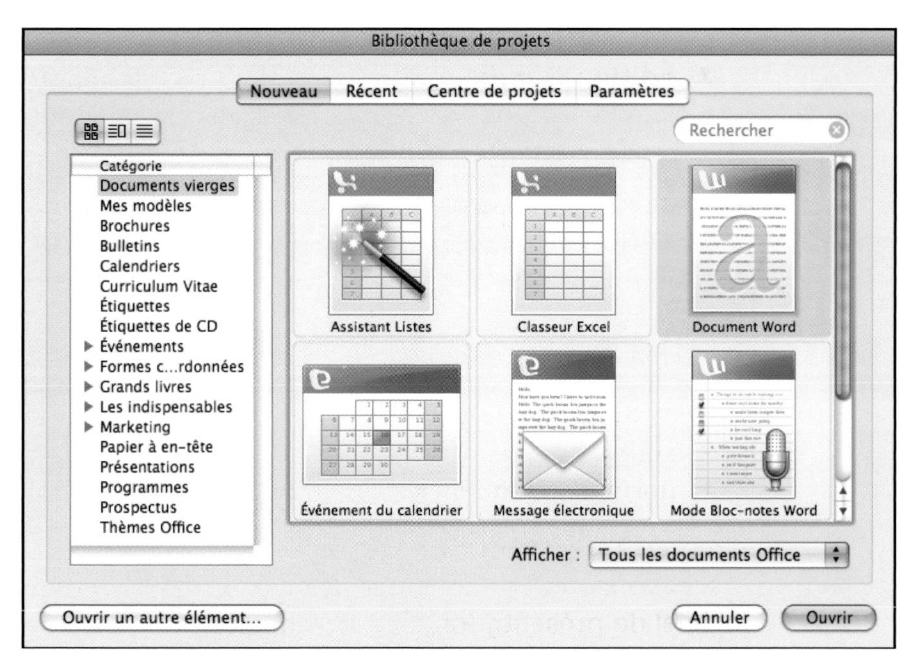

Figure 17.1 : La Bibliothèque de projets de Word.

Pour limiter l'éventail aux documents Word, choisissez Documents Word dans le menu déroulant Afficher du bas de la fenêtre.

Pour créer un document vide :

1. **Assurez-vous que la catégorie Documents vierges est validée dans le volet gauche ; sinon, validez-la.**

2. **Assurez-vous que l'icône Document Word est sélectionnée dans le volet droit ; sinon, sélectionnez-la.**

3. **Cliquez sur Ouvrir.**

   Le document est créé instantanément ; l'univers de Word vous est dévoilé (Figure 17.2).

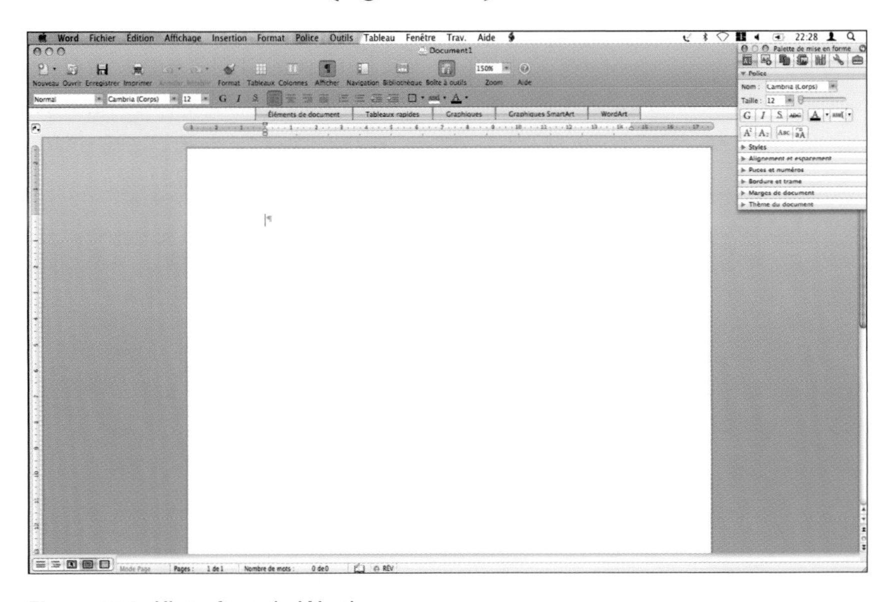

Figure 17.2 : L'interface de Word.

Découvrir l'interface

Cinq éléments composent l'interface du traitement de texte de Microsoft :

- **La barre des menus** : Elle regroupe les menus du programme.
- **La barre d'outils Standard** : Elle rassemble des raccourcis vers les commandes les plus sollicitées.
- **La Bibliothèque des éléments** : Elle présente les fonctionnalités de conception fréquemment utilisées sous la forme d'une série de miniatures.
- **La fenêtre du document** : Elle définit l'espace dans lequel vous agissez. Il s'agit d'une fenêtre standard, dotée des classiques barres de titre et de défilement, flèches, ascenseur, etc. Elle propose en outre deux règles, une verticale et une horizontale, ainsi que la page vierge et le point d'insertion, qui clignote en haut à gauche.
- **La palette de mise en forme** : Elle réunit la plupart des commandes de mise en forme, tant au niveau des caractères que des paragraphes et du document dans son ensemble. Nous y reviendrons.
- **La barre d'état** : Elle affiche différentes informations, notamment le numéro de la page active et le nombre total de pages du document.

Obtenir de l'aide

Avant toute chose, sachez comment accéder à l'aide.

Car si les fonctions de base du programme se mettent en œuvre de manière relativement intuitive, les commandes avancées (encadrement de paragraphes, gestion des styles, création de tables des matières, construction de tableaux, par exemple) exigent plus de doigté.

Le manuel de Word est électronique et accessible depuis le programme lui-même. Rassurez-vous : les forêts sont préservées ; vous ne pouvez plus lire dans votre bain, c'est tout.

Pour accéder à ce manuel :

1. **Choisissez Aide/Aide de Word.**

   La fenêtre de l'aide s'affiche. Une zone de saisie, en haut à droite, vous permet de rechercher de l'aide.

2. **Entrez, dans la zone Rechercher dans l'Aide, le thème à propos duquel vous souhaitez obtenir des informations (comme "lettrines" ou "comment créer un plan ?").**

3. **Appuyez sur la touche Entrée.**

   Une liste de rubriques s'affiche.

4. **Sélectionnez-en une.**

5. **Lisez les informations qui vous sont alors communiquées (Figure 17.3).**

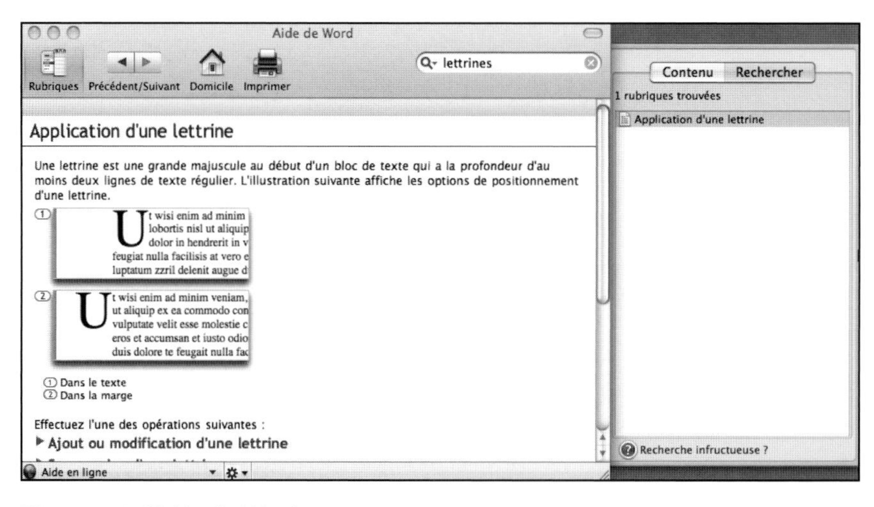

Figure 17.3 : L'aide de Word.

6. **Fermez l'aide en cliquant dans la case de fermeture de la fenêtre.**

Utilisez si nécessaire les commandes présentées sous forme d'icônes de barre d'outils (Rubrique, Précédent/Suivant, Domicile et Imprimer).

Taper le texte

Tapez votre texte. Les caractères que vous saisissez s'inscrivent au niveau du point d'insertion.

Le point de non-retour

Lorsque vous arrivez en fin de ligne, évitez à tout prix d'enfoncer la touche Retour. Word 2008 est en effet équipé, comme ses prédécesseurs, d'une fonction de retour à la ligne automatique : dès que les caractères que vous tapez atteignent le bout de la ligne courante, les suivants sont spontanément envoyés à la ligne suivante, sans que vous ayez à intervenir.

N'utilisez la touche Retour que pour créer des paragraphes.

Pour modifier votre texte, mettez en œuvre les techniques d'édition standard (sélectionnez un caractère, puis effacez-le via la touche Retour arrière ; déplacez du texte en utilisant les commandes Couper, Copier et Coller ; débarrassez-vous des paragraphes qui ne vous intéressent plus via la touche Suppr., etc.).

Corriger les fautes de frappe

Microsoft Word corrige certaines fautes de frappe sans même que vous vous en aperceviez.

Il est équipé d'une fonction de correction automatique qui rectifie les erreurs courantes comme "accompte" au lieu d'"acompte", "ocurrence" au lieu d'"occurrence", etc. Plutôt que de baser son action sur une liste prédéfinie d'entrées, la correction automatique de Word utilise le dictionnaire orthographique principal du programme. (Pour en savoir plus sur cette fonction, consultez l'aide en ligne.)

Vous pouvez enrichir sa liste de corrections automatiques, si le cœur vous en dit. Vous pouvez même prévoir une liste par langue.

Cette façon d'agir vous agace ? Désactivez-la.

1. **Choisissez Outils/Correction automatique.**

   Le volet Correction automatique de la fenêtre Correction automatique s'affiche (Figure 17.4).

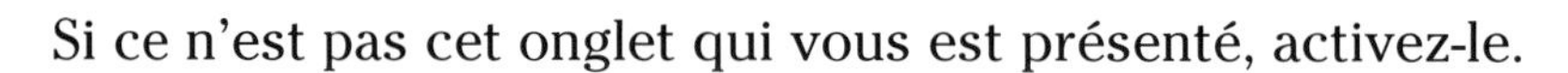

   Si ce n'est pas cet onglet qui vous est présenté, activez-le.

2. **Désactivez l'option Correction en cours de frappe.**

3. **Cliquez sur OK.**

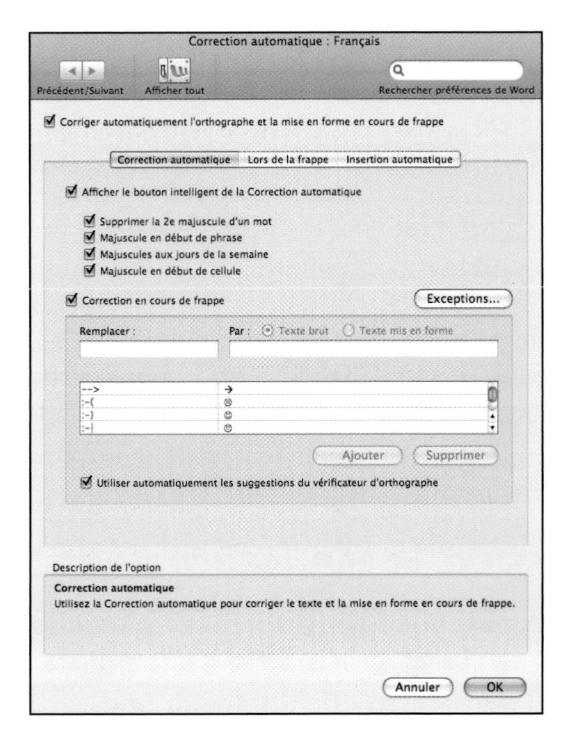

Figure 17.4 : Désactivez ici la correction automatique.

Corriger les fautes d'orthographe et de syntaxe

Word a aussi la sale habitude de vérifier constamment votre orthographe et votre syntaxe. Dès que vous tapez le moindre mot, ses vérificateurs se mettent en action et épinglent vos erreurs. Les fautes d'orthographe sont indiquées par un soulignement rouge, les fautes de syntaxe par un soulignement vert.

Corriger une erreur

Quand une erreur est ainsi repérée, enfoncez la touche Ctrl et cliquez sur l'erreur tout en maintenant enfoncé le bouton de la souris. Un menu local s'affiche directement sous votre pointeur, vous proposant différentes corrections (Figure 17.5).

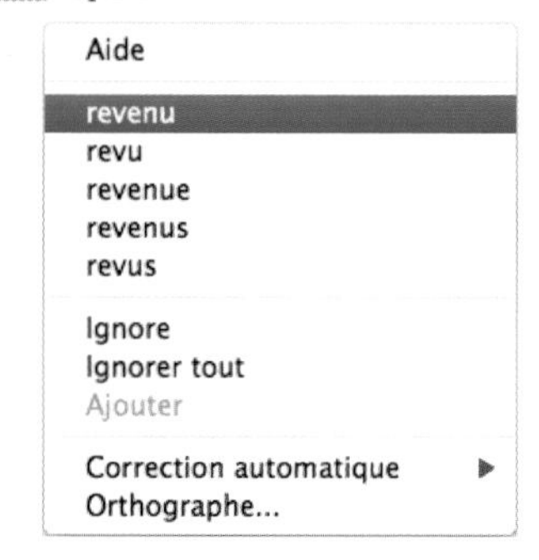

Figure 17.5 : Faites votre choix dans ce menu contextuel.

Inhiber ou activer la vérification

Ne vous inquiétez pas : vous pouvez inhiber la fonction responsable de ce comportement et la réactiver à tout instant.

Pour ce faire :

1. **Choisissez Word/Préférences.**
2. **Choisissez Grammaire et orthographe.**
3. **Dans la rubrique Orthographe, activez ou désactivez l'option Vérifier l'orthographe au cours de la frappe.**
4. **Dans la rubrique Grammaire, activez ou désactivez l'option Vérifier la grammaire au cours de la frappe.**
5. **Cliquez sur OK.**

Corriger toutes les erreurs

En général, il est plus logique de constituer le document d'abord et d'en vérifier ensuite l'orthographe et la syntaxe.

Vous pouvez alors procéder comme décrit dans la section ci-dessus, "Corriger une erreur", en traitant les fautes les unes après les autres, mais il est sans doute plus pratique d'agir depuis une fenêtre de correction.

Ainsi, une fois le document prêt à l'impression, appelez la fonction de vérification a posteriori :

1. **Choisissez Outils/Grammaire et orthographe ou enfoncez les touches ⌘ + Option + L.**

   La fenêtre Grammaire et orthographe s'affiche (Figure 17.6). Word épingle la première erreur ; il l'affiche en rouge dans la case Absent du dictionnaire.

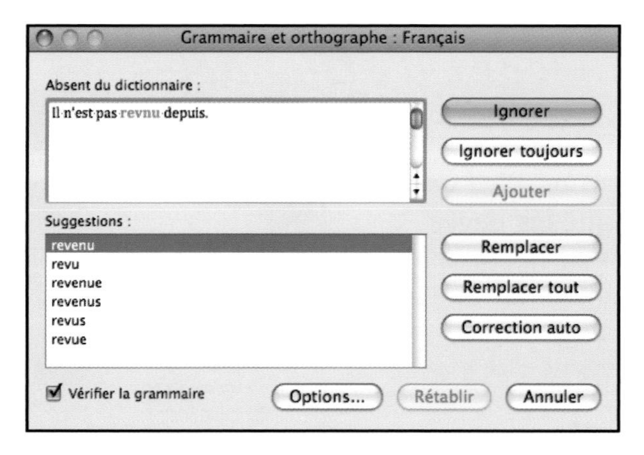

Figure 17.6 : C'est parti !

2. **Réagissez :**

   - **Pour remplacer le terme fautif par une suggestion** : Sélectionnez cette suggestion dans la liste du bas, puis cliquez sur Remplacer pour traiter l'occurrence courante ou sur Remplacer tout pour traiter toutes les occurrences.

   - **Pour remplacer le terme fautif par une correction qui vous est personnelle** : Sélectionnez ce terme dans la case du haut, tapez la correction, puis cliquez sur

Remplacer pour traiter l'occurrence courante ou sur Remplacer tout pour traiter toutes les occurrences.

- **Pour laisser le mot tel quel** : Cliquez sur Ignorer pour traiter l'occurrence courante ou sur Ignorer toujours pour traiter toutes les occurrences.

Le bouton Ajouter ajoute le mot à votre dictionnaire personnel ; il ne sera donc plus identifié comme fautif lors des prochaines vérifications.

3. **Quand vous avez traité l'intégralité du document, fermez la fenêtre.**

Connaître les modes d'affichage

À mesure que vous tapez votre texte, vous allez vous apercevoir que les pages se créent les unes après les autres, séparées par une bordure grisée.

Le mode Page

Déroulez le menu Affichage (Figure 17.7) et vous verrez que vous évoluez pour l'instant en mode Page, un mode très complet où s'affichent non seulement les limites physiques des pages, mais également des tas d'autres éléments comme les numéros de page, les titres courants et les illustrations.

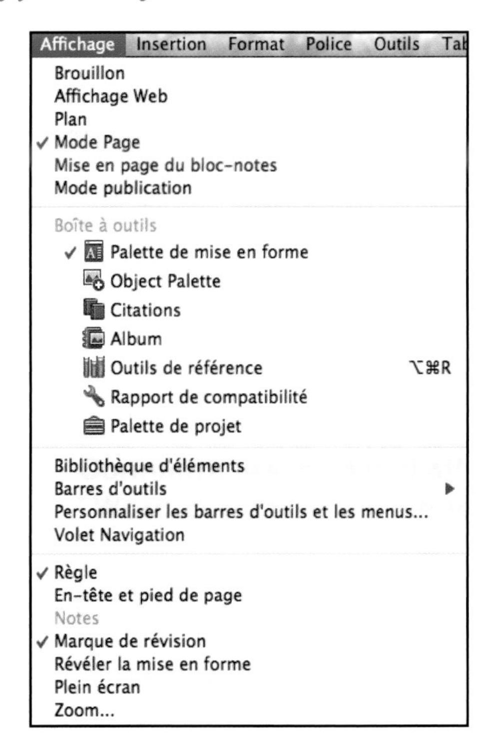

Figure 17.7 : Les commandes du haut concernent les modes d'affichage.

Le mode Brouillon

Il existe un autre mode de visualisation, plus efficace mais plus élémentaire, le mode Brouillon. Ici, le défilement est plus rapide, mais l'affichage est aussi plus sommaire. Les sauts de page n'y sont symbolisés que par un trait en pointillé ; les numéros de page n'apparaissent pas, de même que la plupart des illustrations dont vous agrémentez vos documents.

Le mode Affichage Web

Ce mode d'affichage donne un aperçu du document tel qu'il apparaît si vous l'exportez de manière à l'afficher dans un navigateur Web.

Le mode Plan

Ce mode vous permet d'afficher le plan de votre document en sélectionnant les niveaux de titre que vous souhaitez développer dans la vue du plan.

Le mode Mise en page du bloc-notes

Dans ce mode, Word crée une mise en page particulière et affiche votre document sous la forme d'un bloc-notes (Figure 17.8).

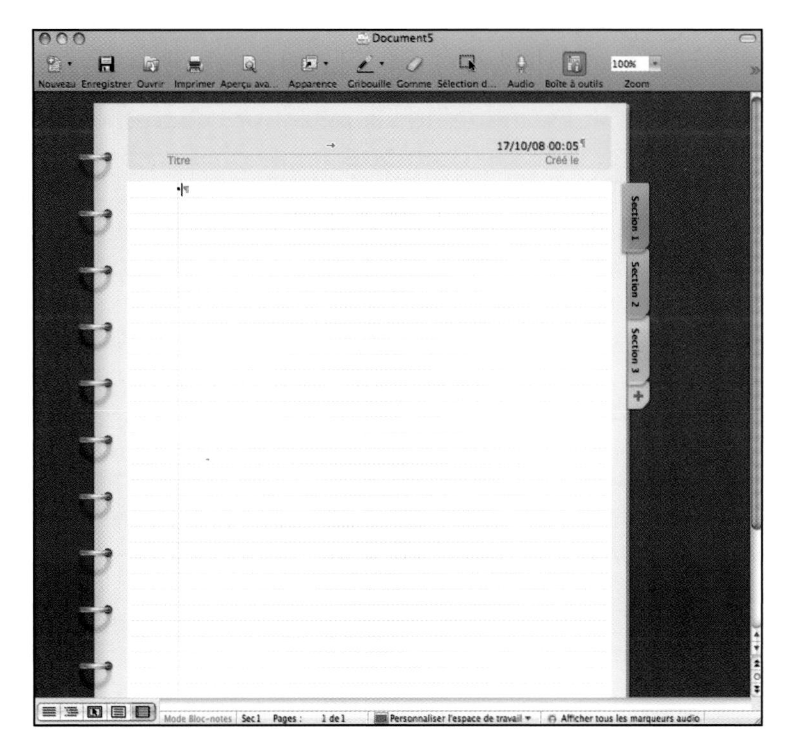

Figure 17.8 : Le document s'affiche sous la forme d'un bloc-notes.

Le mode Publication

Avec ce mode, Word affiche des outils semblables à ceux que l'on trouve dans des logiciels de mise en page de base (Figure 17.9). Vous utilisez ces différents outils pour placer le texte et différents éléments dans votre page afin de créer, par exemple, des brochures publicitaires.

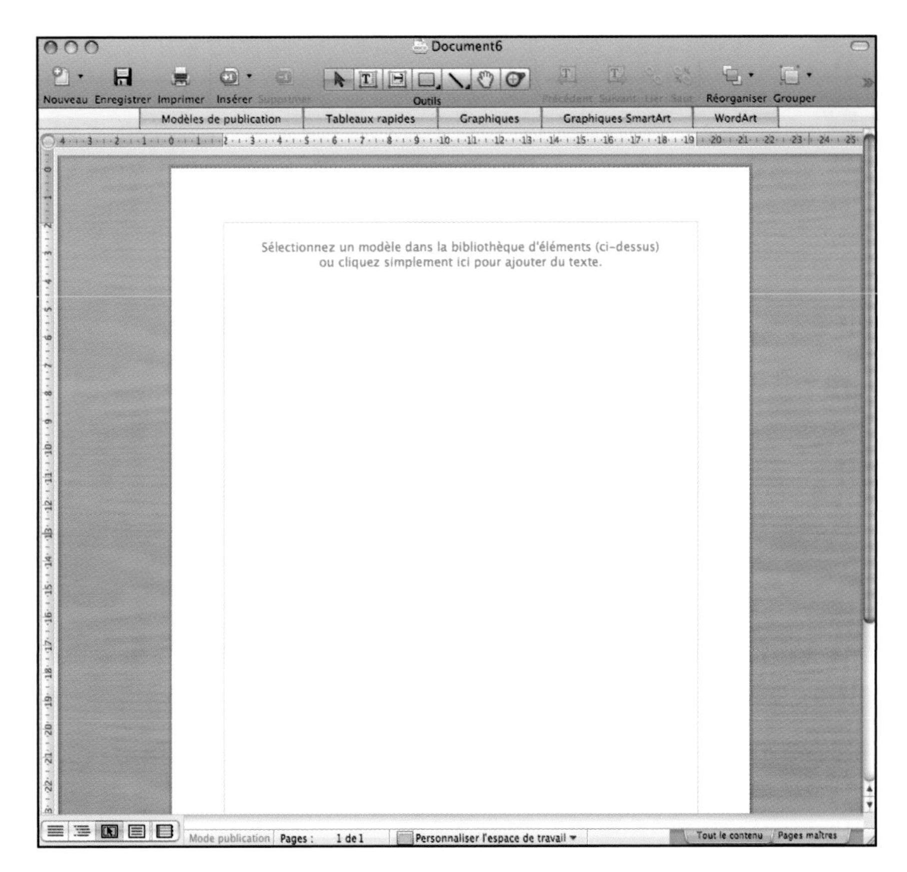

Figure 17.9 : Word propose des outils pour la mise en page de document.

Gérer les barres d'outils

Les *barres d'outils* sont des ensembles d'icônes qui correspondent chacune à une commande de menu.

Par défaut, les barres d'outils Standard et Mise en forme s'affichent, et vous trouvez également les boutons de la bibliothèque des éléments (Figure 17.10).

Figure 17.10 : La barre d'outils Standard dans toute sa splendeur.

Pour savoir à quoi sert une icône, laissez stationner votre pointeur dessus (sans cliquer) ; après quelques secondes, une info-bulle s'affiche, indiquant le nom du bouton.

D'une manière générale, la barre d'outils Standard contrôle le programme (c'est-à-dire des actions comme l'ouverture, l'enregistrement et la fermeture des documents), tandis que la barre d'outils Mise en forme assure plutôt des fonctions de formatage (police, style, taille, etc.).

Word 2008 est équipé d'une foule de barres d'outils, assumant les fonctions les plus diverses. Sachez toutefois que plus vous en affichez, moins vous avez de place pour taper !

Inutile donc de les visualiser toutes en même temps. Appelez-les au contraire lorsque vous en avez besoin : elles se tiennent à votre disposition dans le menu Affichage, sous la commande Barres d'outils.

Pour afficher une barre :

1. **Choisissez Affichage/Barres d'outils.**
2. **Sélectionnez la barre à afficher.**

Pour masquer une barre :

1. **Choisissez Affichage/Barres d'outils.**
2. **Sélectionnez la barre à masquer.**

Vous pouvez aussi, plus simplement, cliquer dans la case de fermeture de la barre en question.

Pour utiliser la bibliothèque des éléments, cliquez sur l'un des boutons pour afficher une série d'éléments. Par exemple, en cliquant le bouton Graphiques, vous obtenez une série de types de graphiques que vous pouvez insérer dans votre document Word (Figure 17.11). Pour masquer les éléments de la bibliothèque, cliquez de nouveau sur le bouton.

Il y en a pour tous les goûts

Ctrl-cliquez sur une barre d'outils puis désactivez la fonction Ancrer la barre d'outils dans la fenêtre. La barre se transforme en palette flottante, que vous pouvez placer où bon vous semble dans votre espace de travail par simple cliquer-glisser sur cette poignée.

Cette possibilité de conversion d'une barre d'outils ancrée en palette flottante est intéressante. En général, les écrans sont plus larges que hauts. Dans ces conditions, des barres d'outils qui consomment de la hauteur en courant le long du bord supérieur ou inférieur ne représentent sans doute pas la manière optimale d'utiliser l'espace, d'autant plus que la partie droite de votre zone de travail reste, quant à elle, inutilisée.

N'hésitez donc pas à y stocker quelques barres sous la forme de palettes afin de libérer de l'espace et d'évoluer ainsi dans un environnement plus confortable. Pour ancrer de nouveau la barre d'outils, Ctrl-cliquez-la, puis activez la fonction Ancrer la barre d'outils dans la fenêtre.

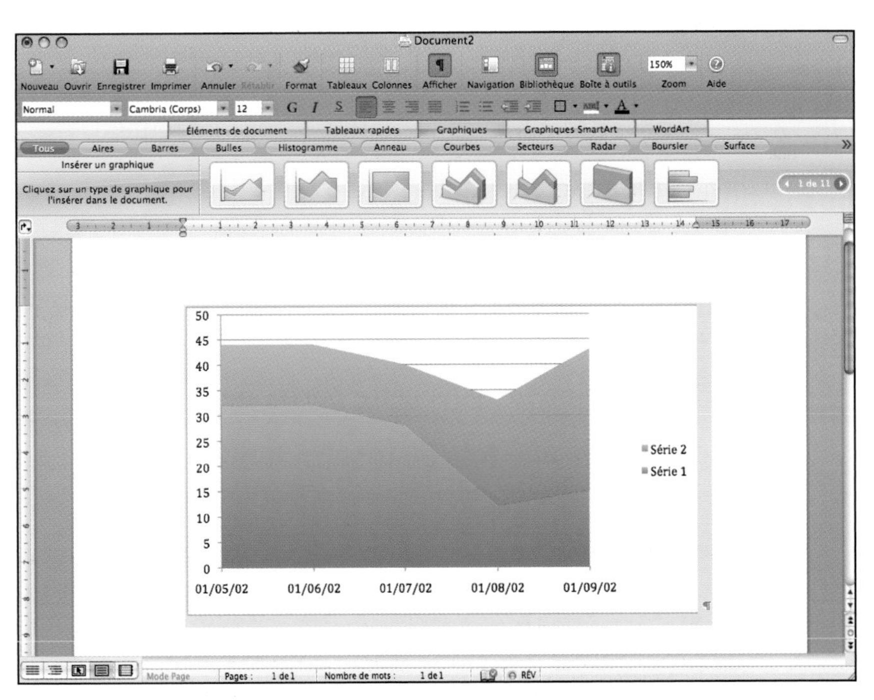

Figure 17.11 : La bibliothèque donne accès aux éléments couramment utilisés.

Sélectionner du texte

Les techniques de base sont :

- **Pour sélectionner un mot** : Cliquez deux fois n'importe où dans le mot.
- **Pour sélectionner une phrase** : ⌘ + cliquez n'importe où dans la phrase.
- **Pour sélectionner un extrait** : Deux techniques sont possibles : le cliquer-glisser et le Majuscule + clic.

  Le cliquer-glisser : Cliquez à gauche du premier caractère à sélectionner, maintenez enfoncé le bouton de la souris, puis faites glisser jusqu'au dernier caractère à inclure dans la sélection ; relâchez alors le bouton de la souris.

  Le Majuscule + clic : Cliquez au début de la sélection, déplacez votre pointeur vers l'endroit où elle doit prendre fin, et Majuscule + cliquez à cet endroit.

Word propose une méthode de sélection qui lui est propre : sa barre de sélection. Il s'agit d'une étroite bande verticale qui court le long du bord gauche de la fenêtre. Quand vous y placez le pointeur, sa flèche s'oriente vers la droite et non plus vers la gauche.

Placez le pointeur dans cette barre, puis :

- **Cliquez une fois pour sélectionner la ligne en regard.** Faites glisser pour en sélectionner plusieurs.
- **Cliquez deux fois pour sélectionner le paragraphe en regard.** Faites glisser pour en sélectionner plusieurs.
- **Cliquez trois fois ou ⌘ + cliquez pour sélectionner tout le document.**

Pratique, non ?

Word 2008 autorise les sélections discontinues. Vous pouvez regrouper dans une seule et même sélection des portions de texte non voisines (par exemple, le paragraphe 1 et le paragraphe 18 du document). C'est, comme dans Excel, la touche ⌘ qui vous permet d'ajouter une sélection à une autre. Chouette !

Découvrir la Palette de mise en forme

Vous la connaissez déjà : c'est cette fenêtre flottante qui regroupe la plupart des commandes de mise en forme. Certes, les menus proposent les mêmes articles, mais ils sont ici à portée de souris. Pourquoi ne pas en profiter ?

Cette palette peut agir à plusieurs niveaux ; voici les quatre principaux :

- **Au niveau des caractères** : L'onglet Police (Figure 17.12) gère les paramètres standard que sont la police, la taille, le style, la couleur, etc.

Figure 17.12 : L'onglet Police.

- **Au niveau des paragraphes**: L'onglet Alignement et espacement (Figure 17.13) contrôle l'alignement, l'interligne, l'orientation, l'interparagraphe et les retraits.

Figure 17.13: L'onglet Alignement et espacement.

- **Au niveau des bordures**: L'onglet Bordure et trame (Figure 17.14) prend en charge les encadrements et leurs attributs (type de bordure, type de trait, épaisseur…).
- **Au niveau du document**: Enfin, l'onglet Document (Figure 17.15) regroupe des réglages qui affectent le document tout entier, marges et titres courants principalement.

Pour formater des caractères, sélectionnez-les, puis agissez dans l'onglet Police.

Pour formater des paragraphes, commencez par afficher l'onglet souhaité en cliquant sur son petit triangle. Agissez ensuite comme pour les caractères.

Pour traiter un seul paragraphe, il n'est pas nécessaire de le sélectionner: il suffit d'y cliquer le point d'insertion.

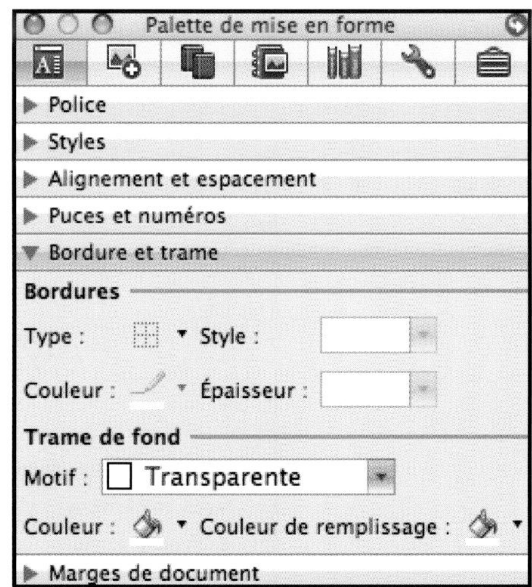

Figure 17.14: L'onglet Bordure et trame.

Pour formater le document, aucune sélection préalable n'est requise. Agissez directement depuis l'onglet Document (auquel vous accédez également via le petit triangle).

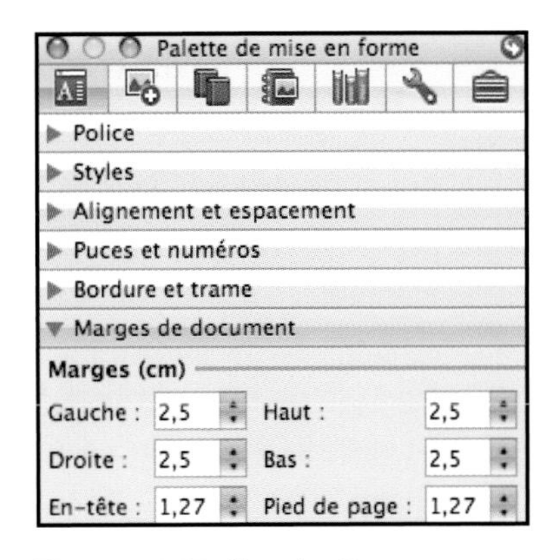

Figure 17.15 : L'onglet Document.

L'onglet Puces et numéros permet de créer des listes à puces ou numérotées, et l'onglet Styles permet de gérer les styles de paragraphe et de caractères d'un document.

Si un clic sur le triangle développe l'onglet, un clic supplémentaire le réduit.

NOTE TECHNIQUE

Dans Word 2008, la palette est capable d'afficher les commandes relatives à la tâche en cours. Ainsi, si vous sélectionnez des caractères, c'est son onglet Police qui vous est proposé ; si vous cliquez sur une image, elle affiche des commandes relatives à l'édition d'éléments graphiques (Figure 17.16).

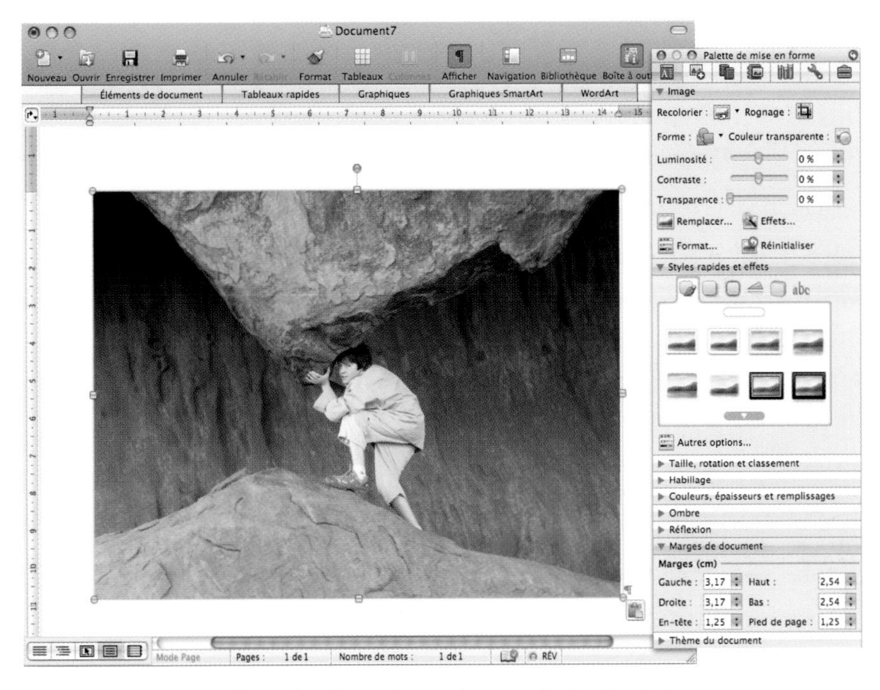

Figure 17.16 : Une palette dopée, qui autorise une foule de réglages.

Les as du clavier

Dans notre exposé, nous vous engageons à taper le texte d'abord et à le formater ensuite (après l'avoir préalablement sélectionné).

Cette façon d'agir est celle qu'on conseille généralement aux débutants.

Toutefois, il n'est pas rare que les utilisateurs confirmés travaillent dans le sens contraire : ils choisissent les attributs (qui sont, dans ce cas, appliqués au point d'insertion), puis tapent le texte ensuite.

Comme ils maîtrisent généralement les raccourcis, ils peuvent ainsi mettre en forme et taper sans éloigner leurs mains du clavier, un gain de temps considérable.

Prenons un exemple. Supposons que le format de base soit Geneva 10 aligné à gauche. Dans ces conditions, pour taper le texte suivant :

Chapitre 1

Les techniques de base

Word est un logiciel puissant.

Voici les techniques de base :

- ⌘ + E pour centrer.
- ⌘ + Majuscule + B pour mettre en gras.
- ⌘ + < deux fois pour augmenter la taille des caractères et passer de la taille 10 à la taille 12.
- Taper "Chapitre 1".
- Enfoncer la touche Retour.
- ⌘ + Majuscule + I pour mettre en italique.
- ⌘ + Majuscule + < pour réduire la taille des caractères et passer de la taille 12 à la taille 11.
- Taper "Les techniques de base".
- Enfoncer la touche Retour.
- ⌘ + Majuscule + G pour aligner à gauche.
- ⌘ + Majuscule + B pour supprimer le gras.
- ⌘ + Majuscule + I pour supprimer l'italique.

- ⌘ + Majuscule + < pour réduire la taille des caractères et passer de la taille 11 à la taille 10.
- Taper "Word est un logiciel puissant".

Ça vous paraît fou ? Non, juste une question d'habitude.

Sachez encore que les équivalents clavier de Word peuvent être personnalisés.

Créer une liste

Qu'elle soit à puces ou à numéros, la liste est, dans Word, un élément très simple à gérer.

1. **Tapez les éléments de la future liste.**
2. **Sélectionnez-les.**
3. **Depuis l'onglet Puces et numéros de la palette de mise en forme, cliquez sur le bouton correspondant au type de liste souhaité.**

   Et le tour est joué. Difficile de faire plus simple !

Vous avez choisi des puces. Vous préférez des numéros ? Resélectionnez les paragraphes concernés et validez l'icône Numérotation de la Palette.

Vous ne voulez plus de votre liste ? Sélectionnez de nouveau les paragraphes qui la composent, puis désactivez l'icône.

La commande Puces et numéros du menu Format est plus complète : elle vous donne le choix entre différents formats de puces et de numéros ; elle vous permet même d'utiliser comme symbole l'image de votre choix.

Bâtir un tableau

Le menu Tableau vous fournit toutes les commandes nécessaires.

Vous pouvez tracer directement le tableau sur la page grâce à la commande Dessiner un tableau. Validez-la, puis tracez (Figure 17.17). C'est tout!

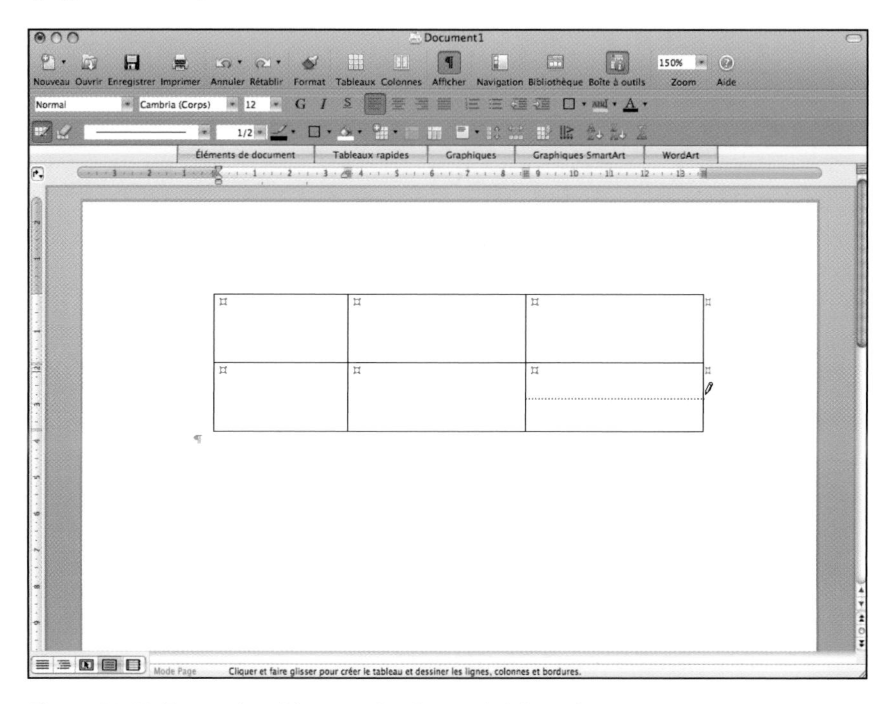

Figure 17.17 : Tracez le tableau, puis ajoutez-lui des séparateurs.

Vous faites une erreur? Pas de panique. Activez la gomme depuis la palette Tableaux et bordures et effacez le trait.

Vous préférez agir de manière plus conventionnelle? Utilisez la commande Insérer tableau du menu Tableau (Figure 17.18).

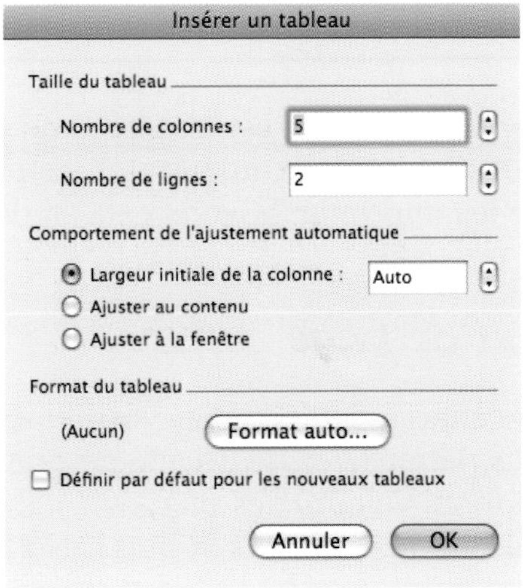

Insérer un tableau

Taille du tableau

Nombre de colonnes : 5

Nombre de lignes : 2

Comportement de l'ajustement automatique

Largeur initiale de la colonne : Auto

Ajuster au contenu

Ajuster à la fenêtre

Format du tableau

(Aucun) Format auto...

Définir par défaut pour les nouveaux tableaux

Annuler OK

Figure 17.18 : Si les chiffres vous rassurent.

Définissez le nombre de lignes et de colonnes. Pour mettre le tableau en forme automatiquement (vous gagnerez ainsi un temps précieux), activez le bouton Format auto. Une fenêtre s'affiche (Figure 17.19) ; vous n'avez qu'à y désigner le format de votre choix.

Une fois la structure en place, les autres commandes du menu Tableau en assurent la gestion. Vous pouvez sélectionner des lignes et des colonnes, en ajouter, en supprimer… Vous pouvez aussi fusionner ou fractionner des cellules, ajuster la largeur des colonnes ou la hauteur des lignes, trier le tableau, etc. N'hésitez pas à consulter l'aide en ligne pour en savoir plus sur ces structures et sur la manière de les manipuler.

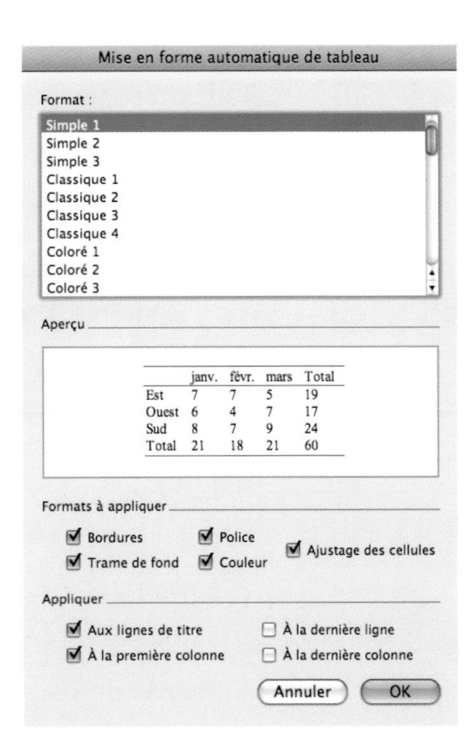

Figure 17.19 : Les formats disponibles sont répertoriés dans la liste du haut.

Gérer les pages

Au niveau de la gestion des pages, il est impératif de savoir comment introduire un saut de page, numéroter les pages et les prévisualiser avant de les imprimer. Voyons cela en détail.

Introduire un saut de page

Normalement, Word se charge de découper votre document en pages en respectant les paramètres de document que vous avez définis (format, orientation, valeurs des marges…). Il opère ce découpage en introduisant aux endroits voulus des sauts de page dits *automatiques*.

Mais il vous arrivera de souhaiter passer plus tôt que prévu à la page suivante, par exemple si un chapitre se termine et qu'une nouvelle section doive commencer. Il vous faudra dans ce cas introduire un saut de page manuel.

Pour ce faire :

1. **Cliquez à l'endroit où le saut de page doit figurer.**
2. **Choisissez Insertion/Saut/Saut de page ou enfoncez les touches Majuscule + Entrée.**

Les sauts de page manuels se gèrent comme des paragraphes standard. Dans ces conditions, pour en supprimer un, sélectionnez-le (un clic en regard dans la barre de sélection), puis enfoncez la touche Retour arrière.

Numéroter les pages

Pour numéroter les pages de votre document, choisissez Numéros de page dans le menu Insertion. Une fenêtre s'affiche (Figure 17.20), dans laquelle vous pouvez spécifier la position du folio (en haut ou en bas) et son alignement (à gauche, au centre ou à droite). Vous pouvez aussi demander qu'aucun folio ne figure sur la première page (désactivez l'option Commencer la numérotation à la première page).

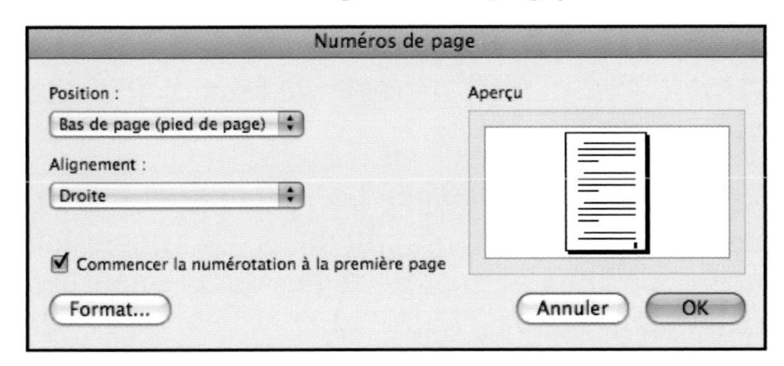

Figure 17.20 : Les commandes disponibles sont regroupées ici.

Par défaut, le folio est présenté sous la forme d'un chiffre arabe ; vous pouvez lui préférer les chiffres romains ou les lettres de l'alphabet, majuscules ou minuscules. Accédez à ce choix via le bouton Format.

Prévisualiser

Épargnez les forêts canadiennes : prévisualisez avant d'imprimer.

Pour accéder à ce mode, choisissez Fichier/Aperçu avant impression ou utilisez l'icône Aperçu avant impression de la barre d'outils Standard. Ce mode s'active et vous propose sa barre d'outils (Figure 17.21) depuis laquelle vous pouvez mener différentes actions.

Parmi celles-ci :

- **Loupe** : Vous permet d'afficher le document en taille 100 %. Activez l'outil, puis cliquez dans la page à l'endroit à visualiser en grand. Un clic supplémentaire rétablit l'affichage à 64 %.
- **Afficher plusieurs pages** : Cliquez sur l'icône et maintenez enfoncé le bouton de votre souris ; dans la palette qui

s'affiche, sélectionnez le nombre de pages à présenter. Cette icône vous permet de créer une sorte de *chemin de fer*, ensemble de pages du document présentées en version miniature.

- **Zoom** : Vous permet de régler le taux d'affichage à votre meilleure convenance.
- **Afficher la règle** : Affiche les règles si elles sont masquées ; les masque si elles sont affichées. Un cliquer-glisser dans une règle vous permet de régler directement les marges du document (Figure 17.22).

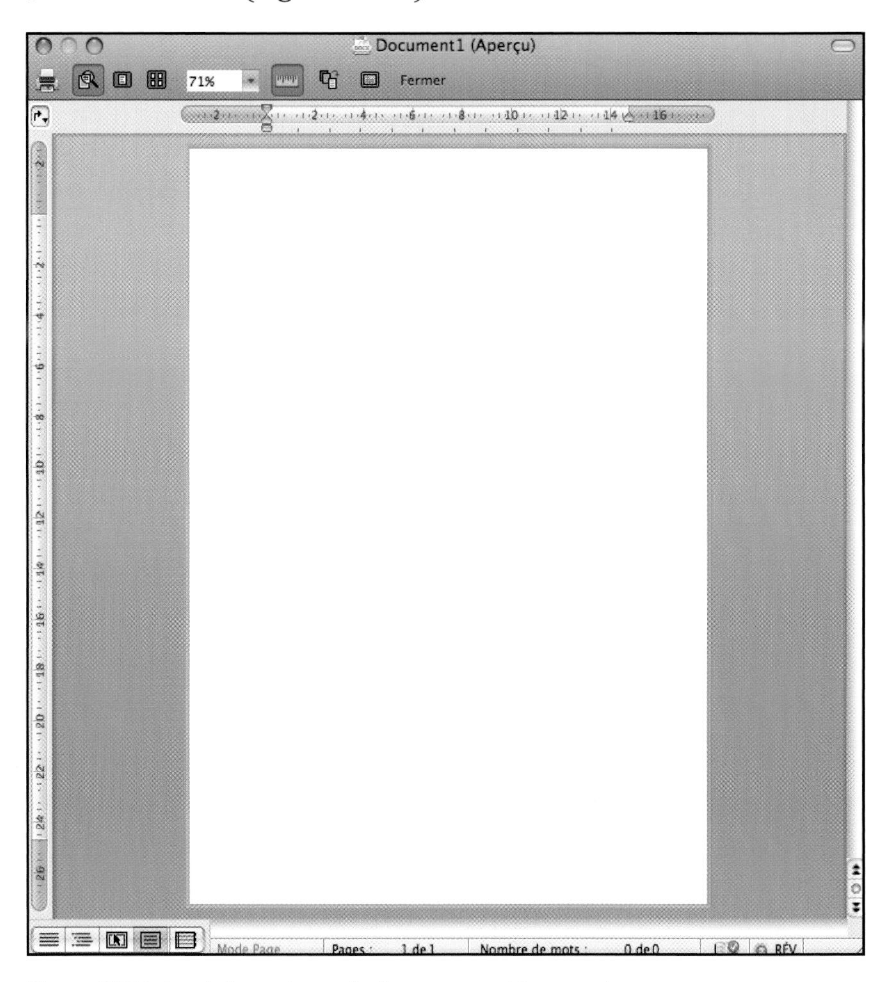

Figure 17.21 : Les icônes du mode Aperçu avant impression.

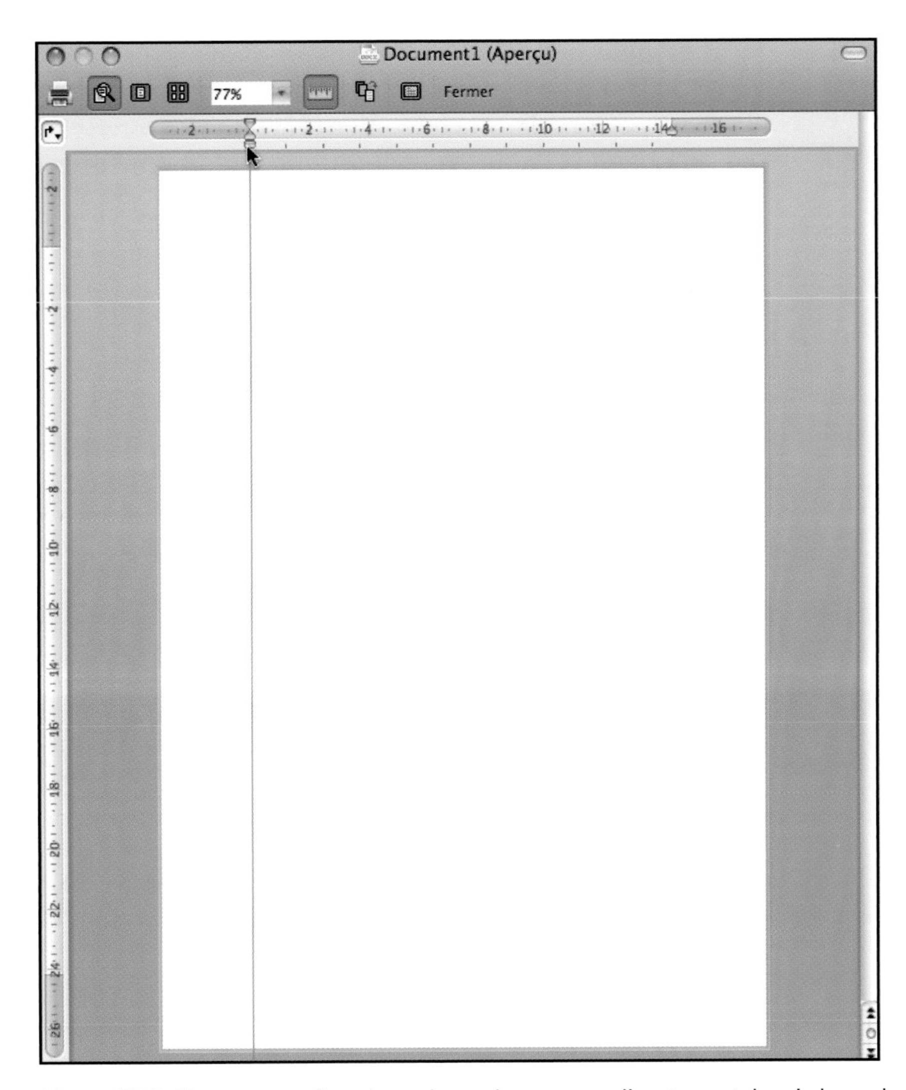

Figure 17.22 : Vous pouvez fixer les valeurs des marges directement depuis le mode Aperçu avant impression.

Passez vos pages en revue ; voyez si tout va bien ; opérez les modifications souhaitées avant d'imprimer.

Il est évident que nous sommes loin d'avoir fait ici le tour de Word 2008. Le programme cache beaucoup d'autres trésors. Nous ne pouvons que vous engager à les découvrir ; n'hésitez pas à consulter l'aide en ligne ou à vous documenter dans un ouvrage spécialisé.

Excel pour vos calculs

Excel est le tableur de la suite Microsoft Office, ce programme est l'équivalent de Numbers de la suite iWork d'Apple. Par conséquent, pour vous donner un aperçu d'Excel, nous allons réaliser les mêmes calculs que ceux réalisés au Chapitre 16 avec Numbers.

Pour rappel, l'exercice était le suivant :

Imaginons que vous rentriez des Seychelles où vous venez de passer une lune de miel idyllique, et que vous trouviez dans votre boîte aux lettres une impressionnante pile de factures : le repas de noces, la location du château, le tailleur, le photographe…

À la question que vous vous êtes posée pendant des mois – est-ce bien la femme avec laquelle j'ai envie de vivre toute l'éternité ? – succède une autre question : l'éternité me suffira-t-elle pour payer cette montagne de factures ?

Nous allons donc nous servir d'Excel pour trouver la réponse.

1. **Lancez le programme, à moins qu'il ne soit déjà en service.**

2. **Dans l'onglet Nouveau de la fenêtre Bibliothèque de projets, cliquez sur Classeur Excel, puis sur le bouton Ouvrir. Si Excel était déjà en service, cliquez sur Fichier/ Nouveau classeur pour obtenir une feuille de calcul vierge.**

Une feuille de calcul vierge s'affiche à l'écran.

Elle est constituée d'une série de colonnes (identifiées par des lettres) et d'une série de lignes (identifiées par des numéros). À l'intersection de chaque colonne et de chaque ligne, se trouve une *cellule*, unité de base de la feuille. Chaque cellule est identifiée par une *adresse*, constituée de la lettre de sa colonne suivie du numéro de sa ligne. Ainsi, la cellule A1 se trouve au croisement de la colonne A et de la ligne 1.

Calculez à présent combien votre fastueux mariage vous aura coûté.

3. **Cliquez dans la cellule A3. Tapez** Dépenses**, puis enfoncez la touche Retour (Figure 17.23).**

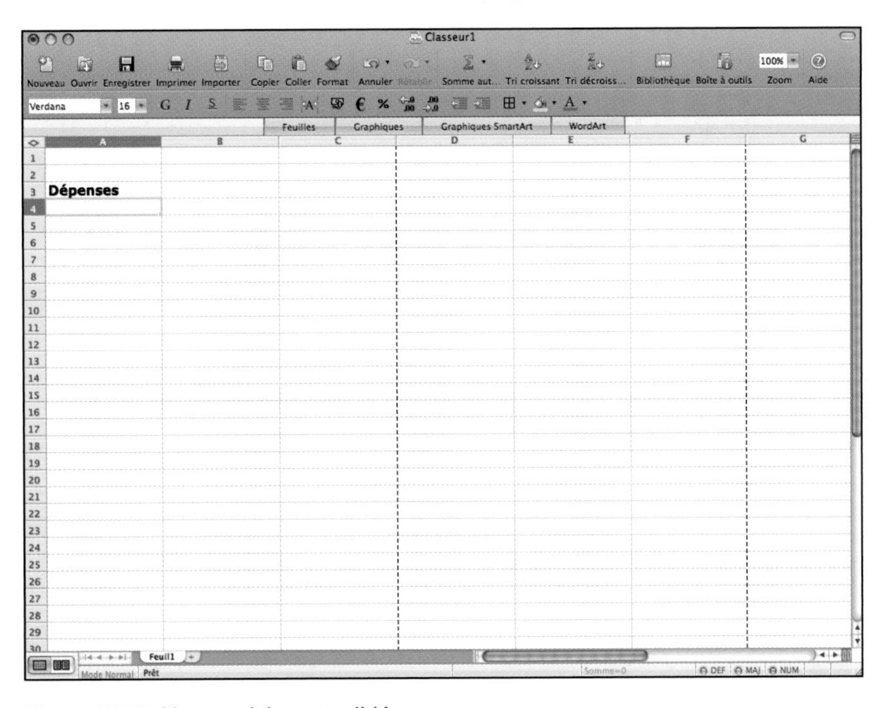

Figure 17.23 : Votre saisie est validée.

4. Tapez la liste de vos dépenses comme illustré Figure 17.24 (Location salle, Traiteur, etc.); confirmez chaque saisie par l'activation de la touche Retour et gagnez ainsi la cellule du dessous. Dans la dernière cellule, tapez TOTAL**, puis enfoncez la touche Retour.**

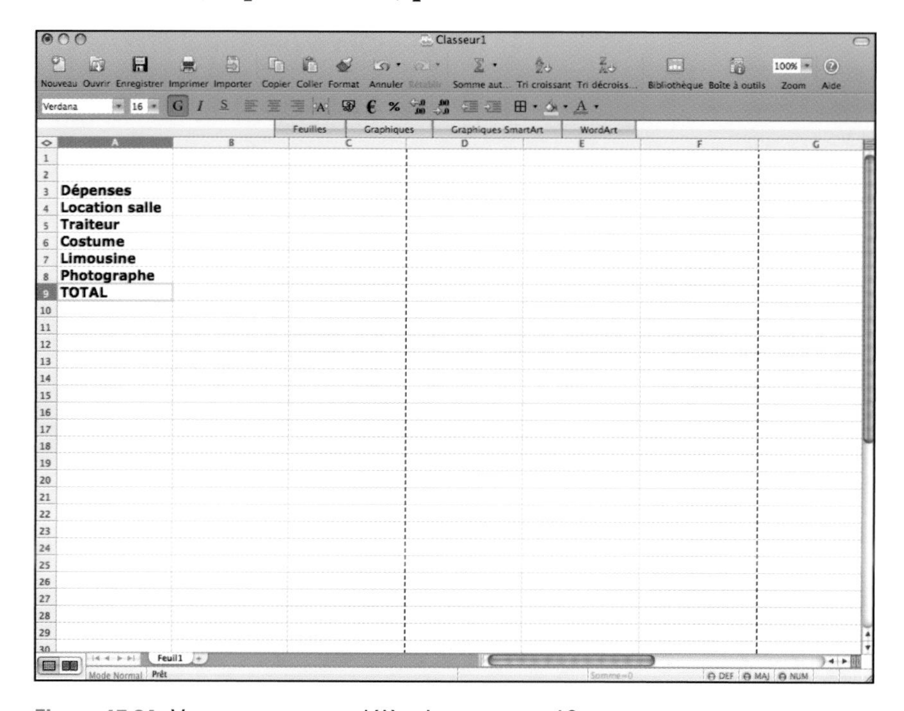

Figure 17.24 : Vous vous sentez déjà mieux, pas vrai ?

5. Cliquez en B4, juste à droite de la case Location salle. Tapez le montant que vous avez payé pour ce poste. Faites de même pour les autres postes de la liste.

Excel n'est pas seulement capable d'ingurgiter des chiffres : il peut aussi les totaliser.

6. Faites délicatement glisser votre pointeur sur la colonne de chiffres, depuis B4 (cellule dans laquelle figure la première valeur) jusqu'à la dernière cellule du bas (Figure 17.25).

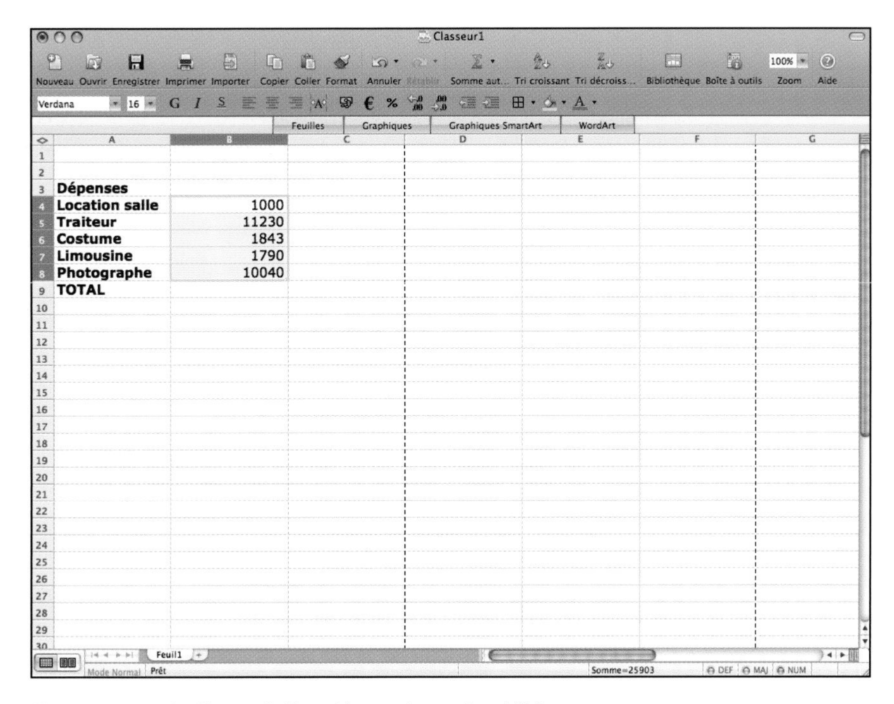

Figure 17.25: Indiquez à Excel les valeurs à additionner.

7. Activez la flèche du bouton Somme automatique de la barre d'outils puis sélectionnez Somme (Figure 17.26).

Pour effectuer une somme, vous pouvez cliquer directement sur le bouton Somme, à la place de la flèche placée à droite de ce bouton.

Et le miracle s'accomplit ! Excel calcule le montant total et l'affiche dans la cellule placée après la sélection (Figure 17.27).

Figure 17.26: Le bouton Somme.

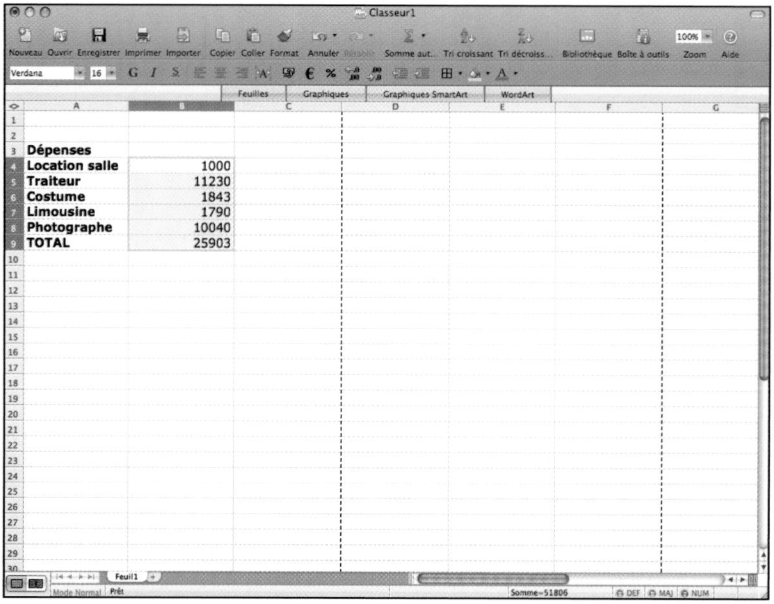

Dépenses	
Location salle	1000
Traiteur	11230
Costume	1843
Limousine	1790
Photographe	10040
TOTAL	25903

Figure 17.27 : Performant, non ?

Plus étonnant encore, ce nombre est vivant : il est recalculé un million de fois par seconde. De fait, si vous modifiez une des valeurs de la liste, le total est mis à jour instantanément. Voyez vous-même.

8. **Cliquez dans la case en regard de la mention Photographe. Tapez une autre valeur, puis enfoncez la touche Retour.**

   Le total est actualisé en un éclair.

La bonne nouvelle

L'addition est salée ? Qu'importe ! Vous avez sans doute quelques biens que vous pouvez solder pour réduire cette charge financière. Pourquoi ne pas revendre les cadeaux de mariage que vous avez reçus ?

1. **Cliquez dans la cellule D3. Tapez** Biens**, puis validez.**

   Vous allez entrer une nouvelle colonne de valeurs.

2. **Tapez** Canapé en cuir**, puis validez. Continuez la liste :** Service à dîner, Aspirateur, TOTAL.

   Certaines entrées sont sans doute plus larges que leur cellule d'accueil. Ce n'est pas grave : il vous suffit d'élargir la colonne. Pour ce faire, placez délicatement votre pointeur sur le bord droit de la colonne (entre D et E), puis faites glisser vers la droite.

   Vous allez à présent entrer la valeur de ces cadeaux.

3. **Cliquez dans la cellule à droite de** Canapé en cuir**. Tapez la valeur de ce bien. Faites de même pour les deux autres cadeaux, selon le tableau de la Figure 17.28.**

4. **Sélectionnez les trois valeurs puis utilisez la fonction Somme.**

   Le montant des biens que vous envisagez de vendre s'affiche instantanément dans la dernière cellule de la sélection. Ici aussi, le total est remis à jour dès que vous modifiez une des valeurs sollicitées.

Enjolivez vos feuilles de calcul

Ce n'est pas parce que vous vous trouvez dans un tableur que vous n'avez pas accès à des options de présentation. N'hésitez donc pas à formater vos données en gras, en italique, en rouge…

Ainsi, pour afficher un total en gras et en rouge, sélectionnez la cellule à traiter, puis faites appel aux commandes du menu Format, aux boutons de la barre d'outils Mise en forme ou aux commandes placées dans la Palette de mise en forme. Vous remarquerez que les barres d'outils sont semblables à celles que l'on trouve dans Word.

	A	B	C	D	E
3	**Dépenses**			Biens	
4	**Location salle**	1000		Canapé en cuir	20000
5	**Traiteur**	11230		Service à dîner	1254
6	**Costume**	1843		Aspirateur	1118
7	**Limousine**	1790		TOTAL	
8	**Photographe**	10040			
9	**TOTAL**	25903			

Figure 17.28 : Biens à monnayer.

Le résultat

Les choses ne s'arrêtent pas là. La preuve :

1. **Dans une cellule vide de la feuille de calcul, en dessous des données existantes – en C11 par exemple –, tapez** TOTAL GÉNÉRAL**, puis enfoncez la touche Tabulation.**

   Cette touche fonctionne comme la touche Retour, à cette différence près qu'elle déplace le pointeur vers la cellule de droite plutôt que vers la cellule du bas.

   L'idée, ici, est de soustraire le total des biens du total des dépenses de manière à savoir si la vente des présents pourrait couvrir les frais. Vous allez réaliser ce calcul en construisant une formule. Toutes les formules commencent par le signe = (égal).

2. **Tapez le signe = (égal). Cliquez dans la cellule où figure le total des biens (E7 dans notre exemple).**

   Excel inscrit automatiquement l'adresse de la cellule sélectionnée dans la case d'édition du haut.

3. **Tapez le signe – (moins), puis cliquez dans la cellule où se trouve le total des dépenses (B9 dans notre exemple); confirmez par Retour (Figure 17.29).**

	A	B	C	D	E
3	**Dépenses**			Biens	
4	**Location salle**	1000		Canapé en cuir	20000
5	**Traiteur**	11230		Service à dîner	1254
6	**Costume**	1843		Aspirateur	1118
7	**Limousine**	1790		TOTAL	22372
8	**Photographe**	10040			
9	**TOTAL**	25903			
11			TOTAL GÉNÉRAL	-3531	

Figure 17.29 : Anxieux d'en savoir plus ?

Excel soustrait la seconde valeur de la première et affiche le résultat. Vous n'avez pas de chance : vous ne possédez pas assez d'argent pour apurer vos dettes.

Comme dans les deux cas précédents, ce résultat est remis à jour chaque fois qu'une des valeurs est modifiée.

Pour construire une formule, opérez de manière logique : "je veux savoir" (cliquez dans la cellule où doit apparaître le résultat) "combien" (entrez le signe =) "donne les biens" (cliquez dans la cellule Total de la colonne Biens) "moins les dettes" (cliquez dans la cellule Total de la colonne Dettes).

Si vous comparez Numbers (Chapitre 16) et Excel, que nous avons présenté ici, les manipulations sont pratiquement les mêmes, c'est le cas pour la majorité des tableurs. Les commandes qui changent d'un logiciel à l'autre sont celles qui permettent de mettre en forme la feuille de calcul, mais dans l'ensemble la numérotation des cellules et la manière d'effectuer des calculs sont identiques (en fait, Excel sert de référence).

Chapitre 18

iMovie

Dans ce chapitre :

- Prévoir le matériel indispensable.
- Comprendre le principe.
- Charger la séquence dans iMovie.
- Baptiser, exécuter et élaguer les clips.
- Assembler le film.
- Trouver un public.

Vous savez sans doute qu'Apple, en 1986, a révolutionné le monde de la PAO (publication assistée par ordinateur) grâce aux talents combinés du Mac et de la LaserWriter. Aujourd'hui, la firme est en passe de rééditer son exploit dans le domaine de l'édition vidéo.

L'idée du cinéma numérique ne date pas d'hier. Depuis des années, des sociétés commercialisent cartes et logiciels spécialisés. Mais les résultats, jusqu'à il y a peu, n'étaient guère convaincants : le film n'occupait qu'une partie réduite de l'écran et la qualité était médiocre, à moins de disposer d'un matériel hypercoûteux, ce qui n'était pas le cas de tout le monde.

Or, depuis longtemps, des modèles de Mac (ceux équipés d'un port FireWire) disposent d'origine d'un matériel de ce type.

Équipé d'un Mac FireWire, du logiciel iMovie et d'un caméscope numérique, vous pouvez éditer les séquences que vous avez filmées. Aucune perte de qualité n'est à noter lors des transferts Mac – vidéo numérique et retour : le film occupe tout l'écran et s'exécute de manière irréprochable.

iMovie est prévu pour s'exécuter sous Mac OS X. Il est installé d'origine et livré avec la suite iLife (dont la version, au moment de l'écriture de ces lignes, est iLife '08).

Prévoir le matériel indispensable

Aujourd'hui, les choses sont plus simples que par le passé. Tout ce qu'il vous faut pour vous lancer dans cette activité passionnante, c'est un appareil vidéo numérique.

Les caméscopes qui n'acceptent que des bandes VHS, VHS-C, 8 mm et Hi-8 ne sont pas numériques. Si vous avez acheté votre appareil avant 1997, il n'est pas numérique non plus. Les vrais caméscopes numériques sont des appareils très compacts. Les meilleurs sont produits par Sony et Canon, mais tous les fabricants équipent leurs appareils d'une ligne DV. Ceux-ci acceptent des bandes d'une heure, appelées *cassettes Mini DV*, qui enregistrent le son et l'image avec une qualité à couper le souffle.

(Les appareils Digital8 de Sony marchent bien, mais n'acceptent pas ces cassettes Mini DV. En revanche, ils sont capables d'enregistrer sur des cassettes 8 mm et Hi-8, nettement moins coûteuses, et acceptent de traiter vos vieilles bandes 8 mm et Hi-8, qu'ils transfèrent vers iMovie.)

De plus, il existe maintenant des caméscopes qui enregistrent les films sur des disques durs, des DVD ou dans une mémoire. Ces modèles récents utilisent souvent un câble USB plutôt qu'un câble FireWire.

Si vous décidez d'acheter un de ces appareils, allez jeter un œil sur Internet. Certains sites, comme `www.amazon.com`, vous présentent des listes impressionnantes de matériels et vous consentent en outre des ristournes intéressantes.

Il peut être nécessaire de vous procurer un câble FireWire selon le modèle de caméscope que vous possédez. Il s'agit d'un câble à haute vitesse que vous connecterez à la prise FireWire de votre ordinateur. (Si votre Mac ne vous est pas livré avec un câble de ce type, adressez-vous à votre fournisseur habituel ou – ce qui revient moins cher – à un site Web.) Branchez la petite prise du câble sur celle du caméscope ; connectez l'autre à votre Macintosh.

Comprendre le principe

La plupart des gens n'utilisent pas leur caméscope pour faire des films au sens strict du terme (écrire un script, réunir des acteurs, faire la mise en scène, etc.). Ils se contentent – et c'est très bien ainsi – d'immortaliser des scènes familiales. Vous n'avez sans doute pas échappé à l'une ou l'autre de ces projections où vous êtes censé vous émerveiller, pendant un temps qui vous semble interminable, sur le rejeton de la famille en train de vomir son quatre-heures ? Vous savez donc de quoi nous parlons.

La première étape consiste à filmer, tout simplement. C'est facile : il suffit d'appuyer sur le bouton rouge. Pensez à enlever d'abord le couvercle de protection de l'objectif !

Améliorez votre technique :

- **N'abusez pas du zoom.** Si vous zoomez à tort et travers, les spectateurs auront la nausée. Limitez-vous à un zoom par séquence.

- **Achetez un pied.** Cet accessoire ne coûte pas très cher et, grâce à la stabilité qu'il procure, augmente sensiblement la qualité du produit fini.
- **Pour enregistrer les voix, utilisez un micro-cravate.** Les cinéastes amateurs ont toujours du mal à enregistrer correctement le son. Le micro intégré du caméscope capte, malheureusement, le bruit de la machine et ne produit pas de résultats satisfaisants si la source est trop éloignée. Utilisez donc un micro-cravate. Vous serez étonné du résultat.

Charger le film dans iMovie

Vous avez filmé une séquence ? Bien.

Vous pouvez passer à l'étape n° 1 : charger la séquence dans iMovie.

Branchez votre caméscope à votre Macintosh. Activez son mode VTR (aussi connu sous le nom de mode VCR ou Playback). Ensuite, lancez iMovie (il se trouve dans votre dossier Applications) et cliquez sur Ouvrir la fenêtre d'importation de caméra pour transférer les données de la bande vidéo vers l'ordinateur (Figure 18.1). Le film est transféré sous forme de "clips", des unités que vous allez pouvoir traiter depuis le programme. Des boutons de pilotage y sont prévus, qui vous permettent de contrôler directement votre caméscope depuis iMovie.

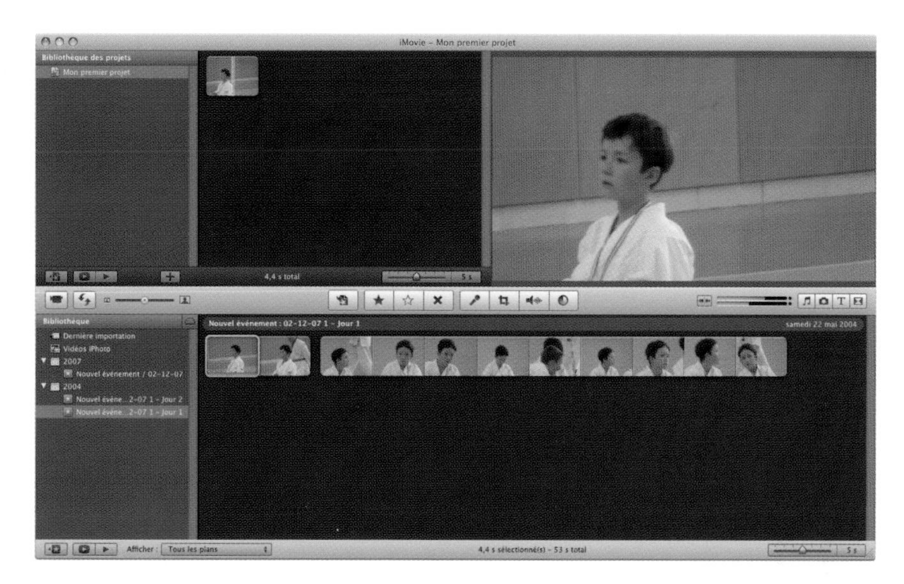

Figure 18.1 : En haut à gauche, la fenêtre de projet; en haut à droite, la fenêtre de moniteur; en bas la bibliothèque.

Importer un clip

Visionnez la bande et désignez toutes les séquences que vous désirez conserver. Il vous suffit, pour ce faire, de cliquer sur le bouton Capturer pour lancer l'enregistrement et de cliquer de nouveau sur ce bouton pour y mettre un terme tandis que le caméscope tourne.

Lorsque vous importez tout ou partie d'une bande vidéo, iMovie découpe automatiquement les séquences en clips et les place dans la bibliothèque.

La bibliothèque est la salle d'attente, l'endroit où les clips sont temporairement stockés avant que vous ne les intégriez dans le visualiseur de clips ou dans la piste vidéo.

Gérer la capacité de stockage du Mac

La vidéo numérique est extrêmement gourmande en espace disque, puisqu'une minute de film monopolise jusqu'à 210 Mo. Faites le calcul!

Mais ce n'est pas grave! puisque le principe consiste à éditer la vidéo depuis le Macintosh, mais à la transférer ensuite sur un autre support. Le Mac n'est donc qu'un banc de montage provisoire, sur lequel vous travaillez clip par clip.

Exécuter, élaguer et rebaptiser les clips

Une fois que vos clips se trouvent dans la bibliothèque, vous pouvez les rebaptiser, les exécuter et les élaguer.

Exécuter

Pour exécuter un clip depuis la bibliothèque, cliquez sur son icône. Le premier plan s'affiche sur le moniteur. À ce stade, vous pouvez lancer le clip en utilisant les boutons de lecture placée en bas de la fenêtre de la bibliothèque, exactement comme vous l'avez fait pour piloter votre caméscope au début de cette leçon. Vous pouvez aussi faire glisser la tête de lecture en déplaçant la souris sur les séquences (Figure 18.2).

Figure 18.2: Faites glisser la tête de lecture.

Élaguer

Comme les pros de l'édition vidéo numérique, vous ne tarderez pas à découvrir qu'il vaut mieux enregistrer, depuis votre caméscope, des séquences plus longues que celles que vous entendez garder (quelques secondes avant et quelques secondes après font l'affaire). Vous n'aurez plus ensuite qu'à rogner les parties indésirables.

Pour ce faire :

1. **Cliquez sur le clip dans la bibliothèque.**

2. **Cliquez et faites glisser les bords du cadre jaune pour délimiter le début et la fin de la séquence, comme illustré Figure 18.3.**

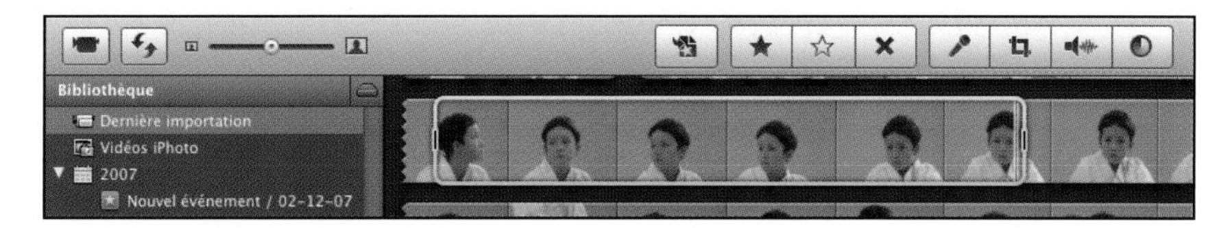

Figure 18.3 : Les repères d'élagage.

3. **Faites glisser ces bords jusqu'à ce que vous ayez sélectionné la partie du clip que vous ne souhaitez pas conserver.**

4. **Quand vous avez isolé la partie à supprimer, choisissez Refuser la sélection dans le menu Édition.**

   Tous les plans situés dans le cadre jaune disparaissent de la bibliothèque ou sont repérés par un trait jaune en fonction des options d'affichage.

Rebaptiser

Les noms des clips ne vous plaisent pas ? Double-cliquez sur leur intitulé dans la bibliothèque, tapez le nouveau nom, puis enfoncez la touche Retour.

Assembler le film

Il est temps de passer à l'étape n° 2 : l'assemblage du film.

Pour assembler vos clips et constituer ainsi un film, faites glisser les clips depuis la bibliothèque vers la zone de projets située en haut à gauche de l'écran. Dans cette zone, chaque clip est un élément individuel que vous pouvez faire glisser vers la gauche ou vers la droite (vers le haut ou vers le bas) afin qu'il s'exécute avant ou après un autre. Placez vos clips comme vous le souhaitez pour obtenir le film final (Figure 18.4).

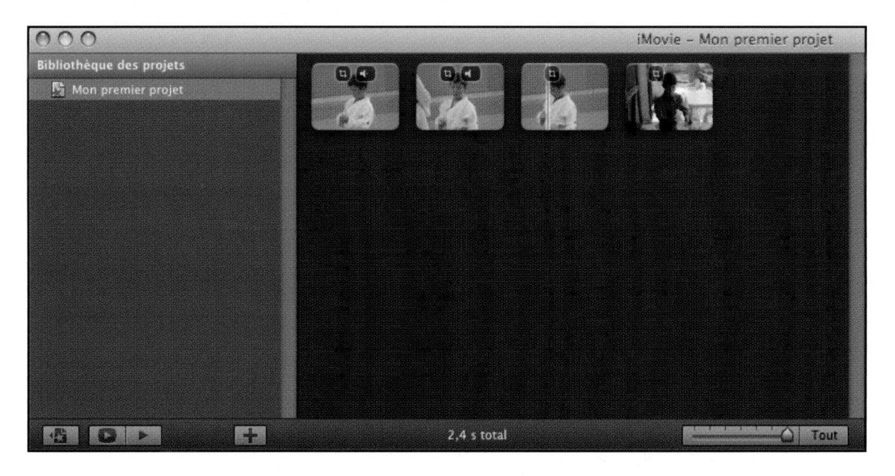

Figure 18.4 : La Chronologie.

Ajouter une transition

Les *transitions* sont les effets qui, à la télé ou au cinéma, assurent le passage d'une scène à une autre. iMovie vous en propose plusieurs.

1. **Cliquez sur le bouton Afficher ou masquer le navigateur de transitions, situé sous le moniteur.**

   Les transitions s'affichent dans le coin inférieur gauche (Figure 18.5).

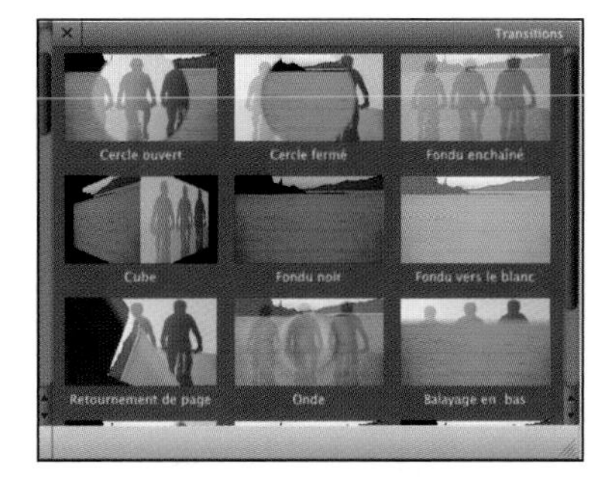

Figure 18.5 : Les transitions disponibles.

2. **Sélectionnez la transition souhaitée.**

   Lorsque vous cliquez sur une transition, un aperçu de l'effet s'affiche sur la transition elle-même.

3. **Faites glisser la transition entre deux séquences du projet.**

4. **Si nécessaire, cliquez sur la transition, sélectionnez Édition/Définir la durée, puis modifiez la durée de la transition (Figure 18.6).**

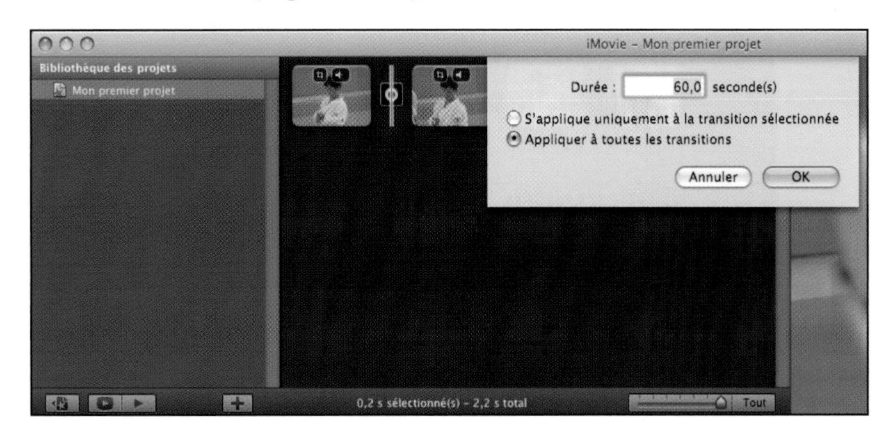

Figure 18.6 : Modifiez la durée de la transition.

5. **Cliquez dans la séquence juste avant la transition, enfoncez la barre d'espacement et émerveillez-vous du résultat !**

Pour supprimer une transition :

1. **Cliquez sur l'icône de la transition à supprimer dans le projet.**

2. **Enfoncez la touche Retour arrière.**

De grâce ! N'abusez pas de ces effets ! L'excès – vous l'a-t-on déjà dit ? – nuit en tout.

Ajouter des titres

iMovie vous donne la possibilité d'ajouter des titres à vos films génériques et bandes-annonces défilantes.

1. **Cliquez sur le bouton du navigateur de titres placé à gauche, sous le moniteur.**

   La liste des titres disponibles s'affiche (Figure 18.7).

2. **Cliquez sur un style de titre puis faites le glisser sur le clip.**

Figure 18.7 : Choisissez un titre dans ce volet.

3. **Si nécessaire, réglez la durée du titre en déplaçant les bordures du cadre jaune (Figure 18.8).**

4. **Saisissez votre titre dans le moniteur et utilisez les boutons pour modifier le style de texte.**

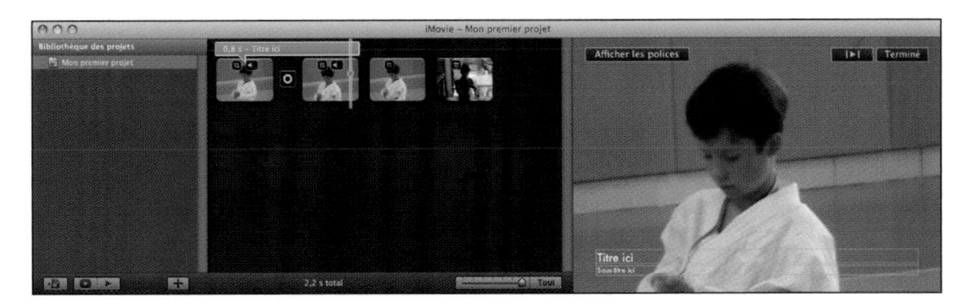

Figure 18.8 : Dimensionnez le cadre jaune pour modifier la durée.

Les titres se gèrent comme les transitions.

Pour supprimer un titre :

1. **Cliquez sur son icône depuis la Chronologie.**

2. **Enfoncez la touche Retour arrière.**

Pour éditer un titre :

1. **Cliquez sur son cadre.**

2. **Modifiez les éléments dans le moniteur.**

Intégrer de la musique depuis un iTunes

Pourquoi ne pas ajouter une dernière touche musicale à votre réalisation ?

Si vous êtes musicien, jouez un petit morceau et enregistrez-le sur votre Mac, puis importez-le dans iMovie (vous savez sûrement comment vous y prendre).

Si vous n'êtes pas musicien, cherchez l'inspiration dans la collection que vous possédez dans iTunes (mais ne le dites à personne !).

1. **Cliquez sur le bouton du navigateur de musique et d'effets sonores.**

2. **Dans la liste qui s'affiche, cliquez sur la musique ou l'effet sonore que vous souhaitez utiliser.**

3. **Faites glisser l'élément sur le clip.**

4. **Si nécessaire, ajustez la durée de l'élément audio en déplaçant les bordures jaunes.**

iMovie est fourni avec une foule d'effets audio. Pour y accéder, choisissez iMovie '08 Sound Effects dans la liste.

Éditer le son depuis la Chronologie

Une fois que vous avez intégré un son dans le projet, vous pouvez y apporter des modifications.

- **Pour qu'un son se termine plus tôt** : Faites glisser le bord droit de son cadre.
- **Pour régler l'intensité d'un son** : Cliquez sur l'icône contenant un haut-parleur dans le clip, puis réglez les niveaux dans la fenêtre qui s'affiche.
- **Pour vous débarrasser d'un son qui ne vous intéresse plus** : Sélectionnez-le, puis enfoncez la touche Retour arrière.

Trouver un public

Mine de rien, vous voilà parvenu à la troisième et dernière étape : le public.

Une fois que tout est prêt, commencez par vérifier le résultat de vos différents réglages en réexécutant le film depuis le début.

Si tout vous paraît bien, il ne vous reste plus qu'à trouver un public. Le menu Partage vous permet d'exporter votre film en utilisant plusieurs formats. Vous pouvez aussi choisir la taille du fichier final en fonction de l'utilisation que vous comptez en faire.

1. **Cliquez sur Partage/Exporter le film.**
2. **Nommez votre film.**
3. **Indiquez éventuellement un emplacement pour la sauvegarde (Figure 18.9).**

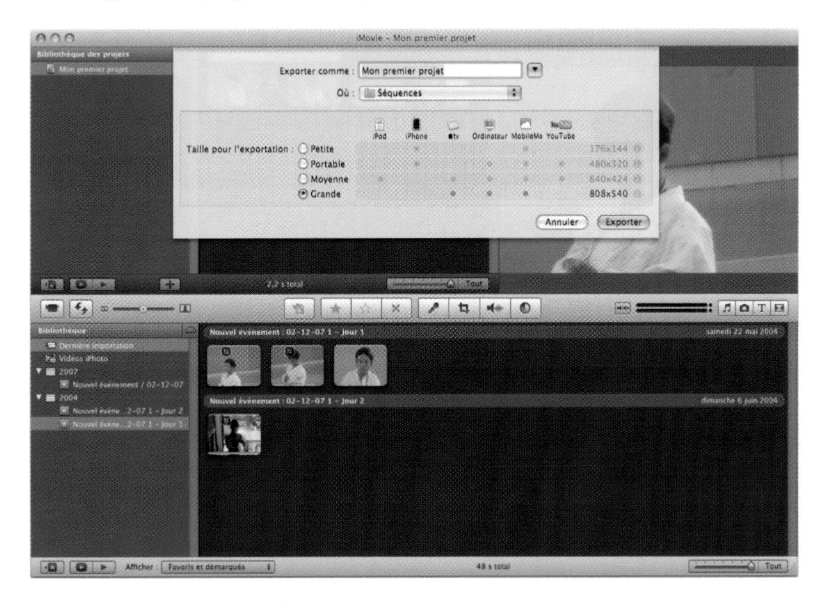

Figure 18.9 : La fenêtre d'exportation.

4. **Cliquez sur Exporter.**

   iMovie se met au travail. Sa tâche prend plus ou moins de temps en fonction de la durée totale de votre film.

Ne restez pas bêtement devant votre Mac à attendre Dieu sait quoi. Trouvez quelque chose d'intéressant à faire. Regarder un film, par exemple !

Créer un DVD vidéo avec iMovie et iDVD

Si votre Mac est équipé d'un graveur de DVD, vous pouvez graver votre film sur un DVD vidéo afin de le regarder sur une platine de salon.

1. **Cliquez sur Partage/Navigateur de média.**
2. **Cochez les tailles que vous souhaitez utiliser.**
3. **Cliquez sur Publier.**
4. **Vous pouvez fermer iMovie.**

Les vidéos que vous exportez sont disponibles dans le navigateur de médias que l'on trouve dans différents programmes, dont les applications iLife '08.

Pour graver votre DVD, démarrez ensuite iDVD, puis effectuez les étapes suivantes.

1. **Dans la fenêtre qui s'affiche, cliquez sur Magic iDVD (Figure 18.10).**
2. **Dans la nouvelle fenêtre qui s'affiche (Figure 18.11), donnez un titre à votre DVD.**
3. **Choisissez le thème à utiliser pour créer les menus du DVD.**

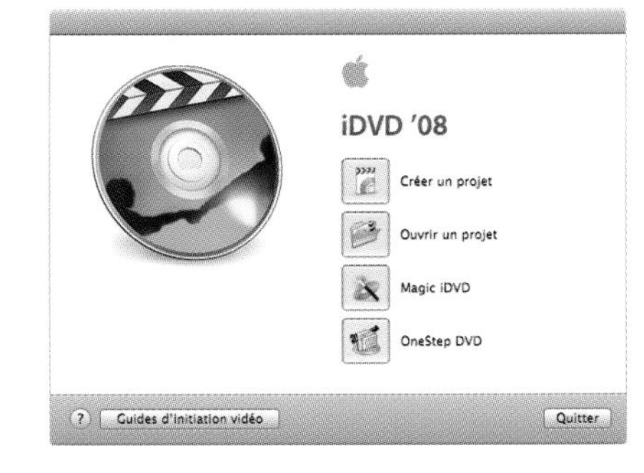

Figure 18.10 : Choisissez Magic iDVD.

4. **Dans la partie de droite, cliquez l'onglet Film, puis sélectionnez votre projet et faites glisser un film dans le centre dans la fenêtre.**

   Vous pouvez ajouter plusieurs films, mais aussi des photos. iDVD crée ensuite automatiquement un menu pour accéder aux différents éléments que vous placez sur le DVD.

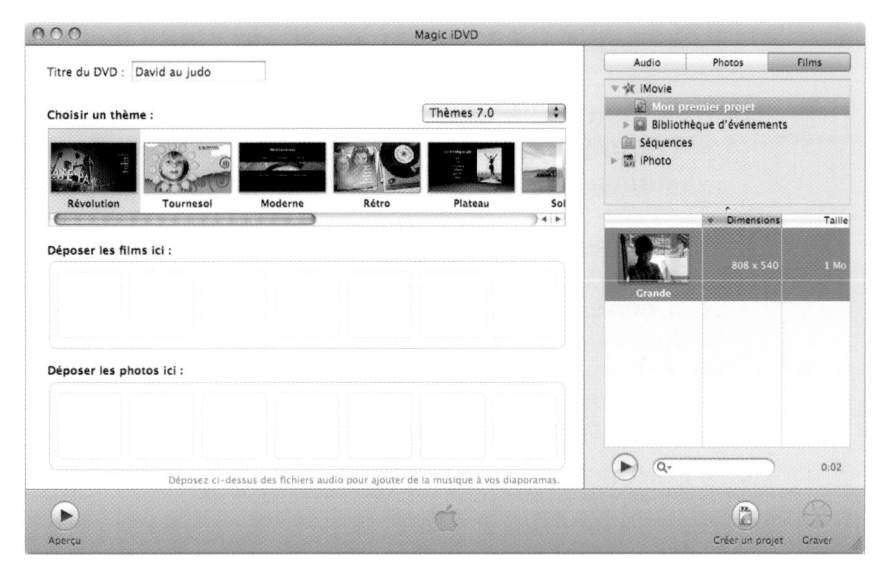

Figure 18.11 : Créez votre DVD.

5. **Lorsque vous avez terminé, cliquez sur Créer un projet (en bas à droite) pour accéder aux différents éléments du DVD et éventuellement les modifier (Figure 18.12).**

   Si vous ne souhaitez pas vous lancer dans la modification des éléments de votre DVD vidéo, vous pouvez cliquer directement sur le bouton Graver. iDVD crée le projet et vous demande d'insérer un DVD vierge pour graver votre disque.

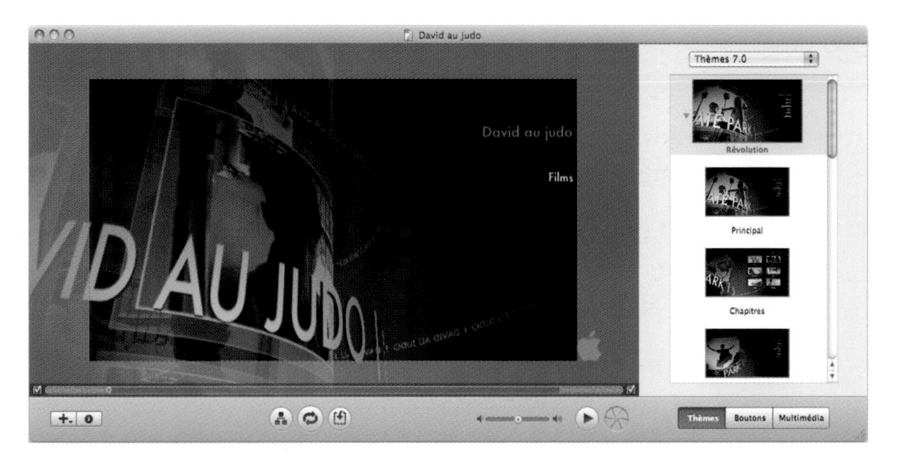

Figure 18.12 : iDVD crée tous les éléments du DVD vidéo.

6. **Vous pouvez modifier les différents éléments du DVD : les titres, les polices de caractères, etc. Vous avez surtout la possibilité de visualiser votre DVD en appuyant sur le bouton Lecture, afin de vérifier qu'il contient toutes les vidéos et photos que vous souhaitez.**

7. **Lorsque vous avez terminé de modifier le projet, cliquez sur le bouton Graver.**

8. **Insérez un DVD vierge.**

Avant de graver un grand nombre de DVD pour vos proches, vérifiez que le premier disque que vous avez gravé fonctionne bien sur une platine de salon.

Chapitre 19

iPhoto

Dans ce chapitre :

- Présentation d'iPhoto.
- Importer des photos.
- Retoucher des photos.
- Créer un diaporama.
- Envoyer des photos par courrier électronique.
- Imprimer des photos.
- Commander des tirages.

iPhoto fait partie de la suite iLife '08 livrée avec votre Mac (si vous l'avez acheté depuis la sortie d'iLife '08) ou peut être acheté séparément.

Avec iPhoto, vous importez les photos de votre appareil photo numérique en toute simplicité. Ensuite, vous pouvez modifier, classer, imprimer vos photos ou créer des diaporamas, commander des tirages sur papier ou encore acheter des livres.

Présentation d'iPhoto

iPhoto adopte le principe de la majorité des logiciels d'Apple et des fenêtres du Finder : vous trouvez un volet de navigation à gauche et la fenêtre centrale affiche les éléments en fonction de la sélection effectuée dans le volet de navigation (Figure 19.1).

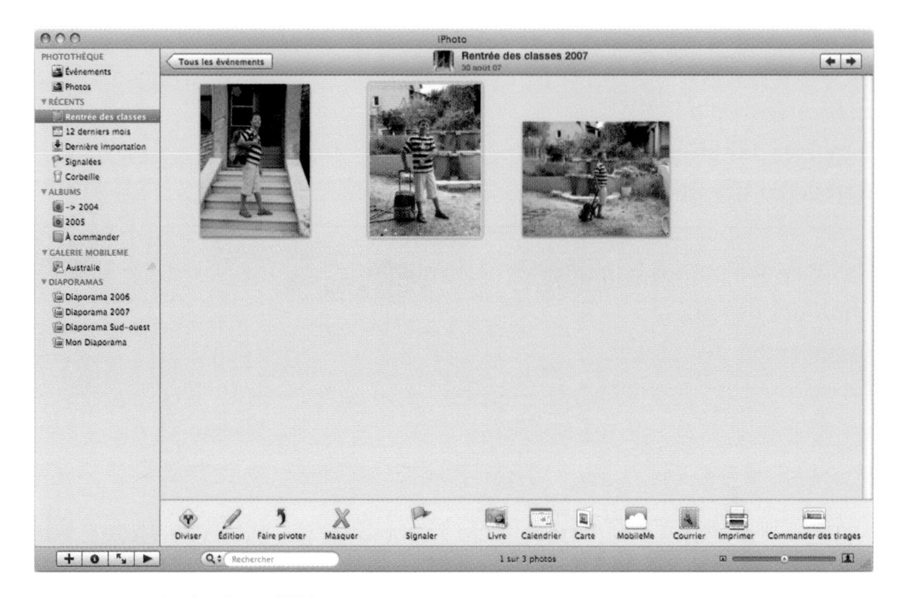

Figure 19.1 : La fenêtre d'iPhoto.

Dans la Photothèque, vous trouvez l'élément Événements qui permet d'accéder aux photos triées par événement. Lorsque vous importez vos photos, iPhoto crée automatiquement des événements en fonction de la date de la prise de vue. Par défaut, le découpage se fait automatiquement, en créant un événement par jour. Vous pouvez modifier cela en cliquant sur iPhoto/ Préférences, puis en choisissant l'onglet Événements. Vous pouvez alors créer un événement par semaine ou réduire à un intervalle de quatre ou huit heures si vous prenez beaucoup de photos.

Lorsque vous passez le pointeur de la souris sur l'image d'un événement, iPhoto fait défiler les différentes photos de cet événement. Pour afficher toutes les photos, il vous suffit de double-cliquer sur l'événement.

Importer des photos

Avant de pouvoir manipuler les photos, vous devez les transférer de votre appareil photo numérique sur votre ordinateur. Pour cela, il vous suffit de connecter votre appareil photo numérique à votre Mac à l'aide d'un câble USB.

Par défaut, dès que vous connectez l'appareil photo numérique à l'ordinateur, iPhoto démarre et la liste des photos s'affiche (Figure 19.2).

Figure 19.2 : La liste des photos à importer.

Démarrez l'importation :

1. **Pour importer uniquement certaines photos, sélectionnez-les.**

   Faites glisser le curseur en bas à droite de la fenêtre pour réduire ou agrandir la taille des vignettes.

2. **Saisissez des informations dans les zones Nom de l'événement et Description.**

3. **Si nécessaire, décochez la case Diviser automatiquement les événements après l'importation.**

4. **Si vous avez déjà importé des photos, vous pouvez cocher la case Masquer les photos déjà importées pour ne pas les importer une nouvelle fois.**

5. **Cliquez sur Importer la sélection ou sur Tout importer selon ce que vous souhaitez importer.**

6. **Une fois l'importation terminée, une boîte de dialogue s'affiche qui vous permet de supprimer ou de conserver les originaux sur l'appareil photo numérique. Cliquez sur le bouton correspondant à votre choix.**

7. **Les photos s'affichent dans la fenêtre d'iPhoto et l'élément Dernière importation est sélectionné dans le volet de navigation (Figure 19.3).**

Figure 19.3 : L'élément Dernière importation donne accès aux dernières photos importées.

Retoucher des photos

Il est parfois nécessaire de retoucher les photos pour :

- Supprimer les yeux rouges d'un sujet pris au flash ;
- Recadrer le sujet ;
- Améliorer la luminosité, le contraste et les couleurs.

Vous procédez aux retouches des photos avant de les utiliser pour un diaporama ou de les imprimer. Il existe des logiciels de retouche d'images offrant des fonctions avancées, par exemple Adobe Photoshop, mais les fonctions offertes par iPhotos sont suffisantes pour améliorer l'aspect des images.

Pour retoucher une photo, sélectionnez-la puis cliquez sur le bouton Édition placé en bas de la fenêtre. La photo s'affiche et de nouveaux boutons apparaissent en bas de la fenêtre. Vous avez la possibilité d'effectuer les modifications suivantes :

- **Faire pivoter.** En cliquant sur ce bouton, vous faites tourner la photo dans le sens antihoraire, ce qui peut être pratique lorsque votre appareil photo numérique ne change pas l'orientation des photos automatiquement lorsque vous effectuez la prise de vue en mode portrait plutôt qu'en mode paysage.
- **Rogner.** En cliquant sur ce bouton, vous affichez un cadre sur la photo que vous dimensionnez pour délimiter la zone que vous souhaitez conserver (Figure 19.4). Cliquez ensuite sur le bouton Appliquer pour rogner la photo ou sur Annuler pour revenir à la photo d'origine.

Figure 19.4 : Rognez la photo pour conserver uniquement le sujet principal.

- **Redresser.** Lorsque vous cliquez sur ce bouton, une grille et un curseur s'affichent sur la photo (Figure 19.5). En déplaçant le curseur vers la droite ou vers la gauche, vous faites pivoter la photo de quelques degrés respectivement vers la droite ou vers la gauche, ce qui vous permet de redresser le sujet.

- **Améliorer.** En cliquant sur ce bouton, les niveaux (luminosité, contraste et couleurs) sont automatiquement réglés par iPhoto. Vous pouvez ainsi, par exemple, éclaircir très rapidement une photo un peu trop sombre.

- **Yeux rouges.** Après avoir cliqué sur ce bouton, le pointeur de la souris se transforme en croix. Cliquez à l'aide de cette croix sur les yeux rouges pour les corriger. Vous avez la possibilité de choisir une taille manuellement pour l'outil de correction.

Figure 19.5 : Redressez la photo par rapport à la grille.

- **Retoucher.** En cliquant sur ce bouton, le pointeur de la souris se transforme en cercle dont vous pouvez modifier la taille. Cet outil vous permet d'estomper des imperfections sur une photo. Par exemple, une tâche sur un visage.
- **Effets.** Ce bouton vous permet d'afficher une fenêtre contenant différents effets que vous appliquez à la photo (Figure 19.6).
- **Ajuster.** Avec ce bouton, vous faites apparaître une fenêtre vous permettant de régler les niveaux de la photo (Figure 19.7).

Figure 19.6 : Sélectionnez un effet à appliquer à la photo.

Figure 19.7 : Réglez les niveaux de la photo.

Lorsque vous avez effectué les modifications sur la photo, cliquez sur Terminé.

Si vous avez apporté des modifications à une photo et vous souhaitez revenir à la photo d'origine, sélectionnez la photo puis cliquez sur Photo/Revenir à l'original. Vous perdez toutes les modifications que vous avez apportées, mais retrouvez la photo telle qu'elle était lorsque vous l'avez transférée de l'appareil photo numérique.

Créer un diaporama

iPhoto vous permet de créer un diaporama en sélectionnant une série de photos. Ensuite, lorsque vous lancez la lecture du diaporama, vos photos s'affichent sur la totalité de l'écran de l'ordinateur et une musique de fond accompagne votre diaporama. De plus, par défaut, iPhoto anime les photos afin de rendre vivant le diaporama et de ne pas ennuyer les spectateurs.

Pour créer un diaporama, vous sélectionnez des photos. Choisissez les meilleures et évitez de mettre des doublons. Si vous choisissez de montrer un événement particulier, par exemple un voyage, montrez les images importantes de votre voyage afin que votre diaporama soit court et n'ennuie pas les spectateurs.

Pour créer votre diaporama, procédez comme suit :

1. **Cliquez sur le bouton + placé au bas du volet de navigation.**
2. **Dans la fenêtre qui s'affiche, cliquez sur l'élément Diaporama (Figure 19.8).**

Figure 19.8 : Sélectionnez Diaporama.

3. **Nommez votre diaporama.**

4. **Si vous avez déjà sélectionné les photos pour le diaporama, laissez cochée la case Utiliser les éléments sélectionnés pour le diaporama ; dans le cas contraire, décochez la case.**

5. **Si vous n'avez pas sélectionné de photos, votre diaporama est vide. Affichez le contenu de votre photothèque, puis faites glisser les photos qui vous intéressent dans le diaporama.**

6. **Lorsque vous revenez dans votre diaporama, les photos que vous avez ajoutées s'affichent dans la partie supérieure. Si nécessaire, faites-les glisser pour modifier leur ordre d'apparition dans le diaporama.**

7. **Les réglages par défaut conviennent dans la majorité des cas, mais vous pouvez utiliser les boutons placés dans la partie inférieure pour personnaliser votre diaporama.**

8. **Cliquez sur Aperçu pour afficher le diaporama dans la fenêtre d'iPhoto.**

9. **Cliquez sur Lire pour afficher le diaporama en plein écran.**

10. **Si vous déplacez la souris lors de la lecture du diaporama, un bandeau offrant des contrôles s'affiche (Figure 19.9). Vous pouvez arrêter le diaporama en appuyant sur la touche Esc.**

Figure 19.9 : Des contrôles sont disponibles lors de la lecture.

Envoyer des photos par courrier électronique

Vous pouvez envoyer vos photos en tant que pièce jointe dans n'importe quel courrier électronique. Toutefois, lorsque vous faites cela, vous devez penser à la taille de vos pièces jointes. Surtout avec les photos numériques dont les fichiers peuvent être de grande taille. En effet, de nombreux FAI limitent la taille des pièces jointes qui peuvent être envoyées et reçues. Généralement, la taille totale des courriers ne doit pas dépasser

5 Mo. De plus, la capacité des boîtes aux lettres des destinataires est limitée avec une taille qui varie d'un FAI à l'autre. Lorsque l'on reçoit des courriers sans pièce jointe, il est rare de saturer une boîte aux lettres. En revanche, des pièces jointes telles que des photos remplissent rapidement une boîte aux lettres, surtout lorsque le propriétaire ne la vide pas régulièrement (ne récupère pas son courrier tous les jours).

En outre, iPhoto utilise un système un peu particulier pour stocker les photos, et vous aurez beau parcourir les dossiers de votre disque dur (le dossier Images, plus précisément), vous ne trouverez pas de dossier contenant vos photos. Celles-ci se trouvent dans un fichier unique appelé iPhoto Library (placé dans le dossier Images). Il est déconseillé d'ouvrir ce fichier et de manipuler directement les images qu'il contient.

Pour envoyer vos photos à l'aide d'iPhoto, procédez comme suit :

1. **Sélectionnez les photos à envoyer.**
2. **Cliquez sur le bouton Courrier placé dans la partie inférieure de la fenêtre.**
3. **Dans la fenêtre qui s'affiche, sélectionnez une taille pour vos photos (Figure 19.10).**

   Au-dessous du menu local, figure une indication concernant le nombre de photos et leur taille approximative.

4. **Si nécessaire, décochez les cases Titres et Commentaires pour ne pas les placer dans votre courrier électronique.**
5. **Cliquez sur le bouton Rédiger.**
6. **Votre programme de messagerie démarre et une fenêtre de nouveau message s'affiche avec les photos en pièces jointes (ou intégrées au corps du texte). Complétez les différentes zones du courrier électronique et envoyez-le.**

Figure 19.10 : Sélectionnez une taille.

Utilisez iPhoto/Préférence pour changer le logiciel de messagerie utilisé par iPhoto lorsque vous cliquez sur le bouton Courrier. Par défaut, c'est Mail qui est utilisé, même si vous avez désigné un autre logiciel dans Leopard.

Si vous utilisez Mail pour votre courrier électronique, lorsque vous rédigez un nouveau message, cliquez sur le bouton Navigateur de photos pour sélectionner les photos à y placer. Vous n'êtes pas obligé de lancer iPhoto pour sélectionner les photos.

Imprimer des photos

La majorité des imprimantes en couleurs à jets d'encre actuelles permettent d'imprimer des photos avec une excellente qualité. Avec iPhoto, l'impression d'une photo se réduit à un simple clic.

Commencez par sélectionner les photos à imprimer, puis cliquez sur le bouton Imprimer placé en bas de la fenêtre.

Dans la boîte de dialogue qui s'affiche (Figure 19.11), sélectionnez le type d'impression que vous souhaitez réaliser et la taille du papier, puis cliquez sur Imprimer.

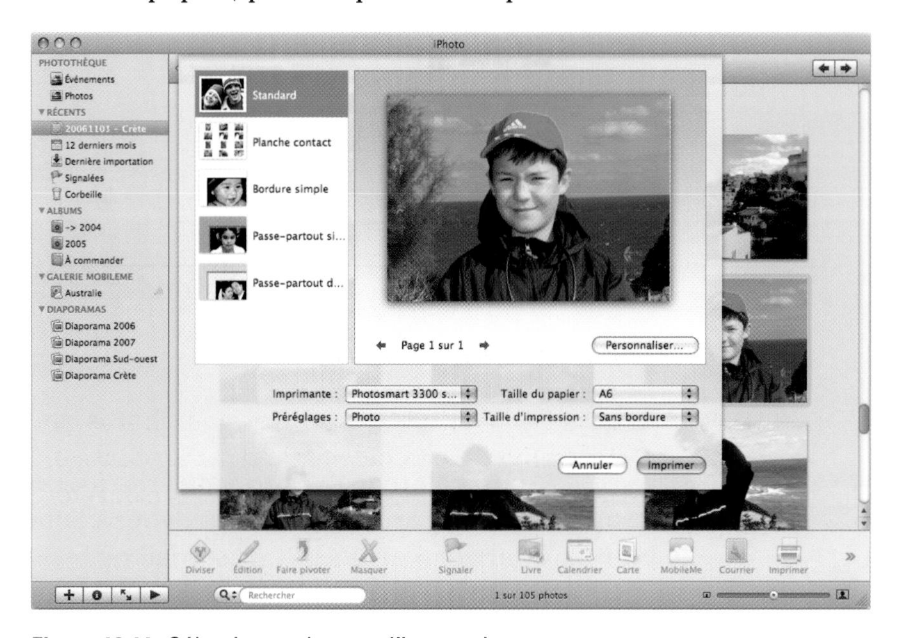

Figure 19.11 : Sélectionnez le type d'impression.

Commander des tirages

Si votre imprimante ne vous permet pas d'obtenir des photos de bonne qualité ou si le coût d'une photo est particulièrement élevé, vous pouvez confier le travail à un laboratoire photo.

Sélectionnez les photos pour lesquelles vous souhaitez obtenir un tirage papier, puis cliquez sur le bouton Commander des tirages. Un assistant s'affiche : utilisez-le pour sélectionner les formats et les quantités pour chacune des photos et pour payer votre commande (Figure 19.12).

Figure 19.12 : Commandez vos tirages papier.

Vous avez aussi la possibilité d'utiliser vos photos pour commander des livres, des calendriers ou des cartes. Pour cela, cliquez sur les boutons correspondants et laissez-vous guider dans la création de l'objet souhaité (Figure 19.13).

Figure 19.13 : Placez vos meilleures photos dans un livre.

Cinquième partie

Utiliser Internet

"Safari, Leopard ? Pourquoi pas Chasse et Canard ?"

Dans cette partie...

Internet est incontournable.

Il est indéniable que, ces dernières années, les applications Internet ont largement supplanté le traitement de texte comme application principale du micro-ordinateur.

Mac OS X est bien équipé à cet égard puisqu'il met d'emblée à votre disposition Safari, le navigateur d'Apple, et Mail, une messagerie électronique simple à mettre en œuvre.

Voyons de quoi il retourne.

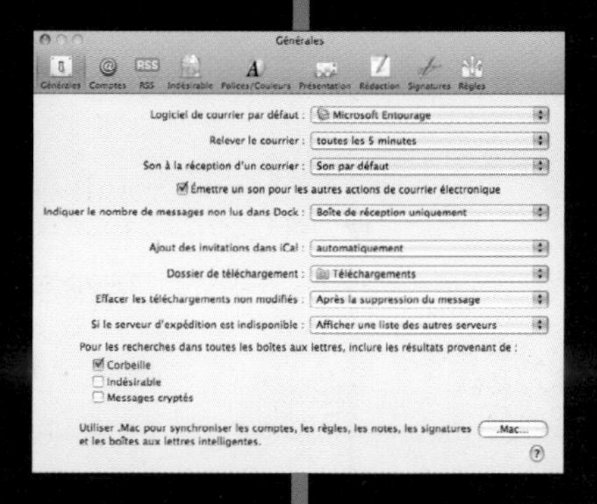

Chapitre 20

Se préparer

Dans ce chapitre :

- Découvrir.
- S'équiper.
- Choisir un prestataire.

Avant de devenir un internaute accompli, vous devez réunir les éléments indispensables à l'établissement de la connexion. Le présent chapitre vous explique comment faire.

Internet, c'est vaste. Nous nous bornerons ici à décrire les procédures de base. Vous désirez en savoir plus ? N'hésitez pas à consulter des ouvrages spécialisés.

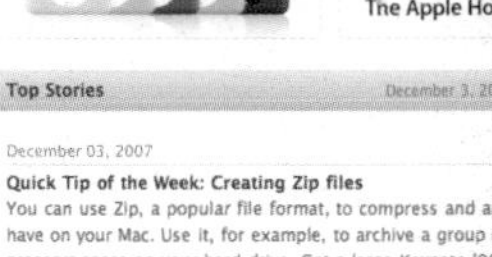

Découvrir

Internet est un vaste réseau d'ordinateurs interconnectés. Les services disponibles sur ce réseau sont multiples :

- Le Web (ensemble de pages ou "sites" que vous visitez grâce à un programme spécial appelé *navigateur*) ;
- La messagerie électronique ;
- Le transfert de fichiers (FTP – File Transfer Protocol) ;

- Les groupes de news (ou "newsgroups") qui échangent des informations sur toutes sortes de sujets ;
- La vidéoconférence ;
- Le fameux "chat" (conversation)...

De tous ces services, les plus connus sont sans doute les deux premiers de la liste. C'est eux que nous nous proposons de commenter dans les chapitres suivants de cette cinquième partie.

S'équiper

En matière d'équipement, il convient de distinguer l'aspect logiciel de l'aspect matériel.

Côté logiciel

Pour vous permettre d'exploiter ses services Internet sans vergogne, Apple a tout prévu. La firme à la pomme a équipé son système d'exploitation des programmes suivants :

- Un protocole client PPP intégré (Point-to-Point Protocol), dont la mission est d'établir la connexion Internet par modem ;
- Un navigateur, Safari, pour surfer sur le Web.
- Mail, un programme de messagerie électronique grâce auquel vous envoyez et recevez des messages.

Vous n'appréciez pas Safari ? Jetez un œil sur Firefox. C'est un navigateur Web très prisé tant sur Mac que sur PC. Toutefois, depuis l'arrivée de Leopard, l'affichage des pages Web est plus rapide avec Safari qu'avec Firefox.

Côté matériel

Vous ne pourrez accéder à Internet que si vous avez établi une connexion physique entre votre ordinateur et Internet grâce à un de ces dispositifs :

- Un modem (appareil qui établit une connexion classique, c'est-à-dire analogique) ;
- Une connexion Internet RNIS (Réseau numérique à intégration de services) ;
- Une connexion Internet ADSL (Digital Subscriber Line) ;
- Un câble modem.

Dans tous les cas hormis le premier (le modem), vous aurez besoin pour configurer correctement votre ordinateur de l'aide de l'administrateur réseau. N'hésitez pas à le solliciter.

Par modem

Les Mac peuvent être équipés d'un modem soit d'origine, soit acheté en option.

Raccordez-le à votre ligne téléphonique. Il suffit de connecter une des extrémités du câble au port téléphone du modem (sur le Mac ou sur le modem externe) et de brancher l'autre extrémité sur une prise téléphonique classique.

Le port modem ressemble furieusement au port Ethernet, mais il est plus petit. Ne confondez pas.

Les modems externes vendus par Apple se connectent sur un port USB. Vous ne pourrez pas vous tromper pour le connecter à l'ordinateur.

Par RNIS, ADSL ou câble modem

Ces connexions "hautes performances" s'effectuent en général par un branchement établi via le port Ethernet du Mac et un boîtier externe connecté soit à un câble, soit à une prise téléphonique standard, selon le type d'accès Internet dont vous disposez.

Pour ces installations, le prestataire vous fournit un kit de connexion ou des instructions détaillées. Vous pouvez même faire intervenir un spécialiste pour effectuer l'installation.

Choisir un prestataire

Vous avez les logiciels. Vous avez les matériels. Mais il vous est toujours impossible à ce stade de partir à la découverte du Net.

De fait, vous n'y accéderez qu'après avoir ouvert un compte auprès d'un FAI (fournisseur d'accès à Internet) ou prestataire de services Internet. Les FAI sont donc des sociétés qui fournissent des connexions à Internet.

Si vous utilisez un câble modem, le FAI est automatiquement la société qui gère le câble. En général, il en va de même des lignes ADSL.

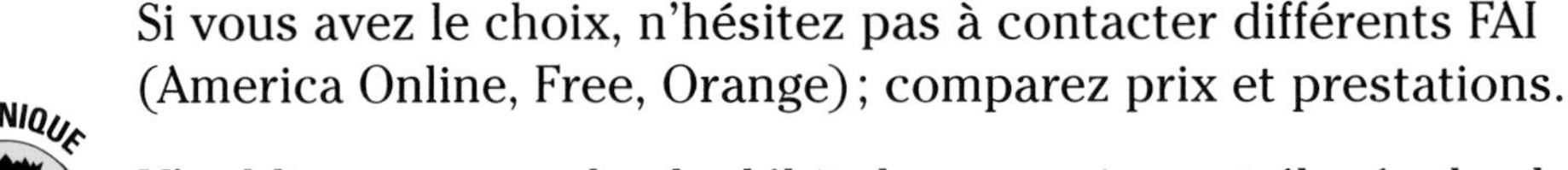

Si vous avez le choix, n'hésitez pas à contacter différents FAI (America Online, Free, Orange) ; comparez prix et prestations.

N'oubliez pas que plus le débit de connexion est élevé, plus le prix l'est aussi. C'est logique.

Chapitre 21

Surfer avec Safari

Dans ce chapitre :

- Lancer.
- Naviguer.
- Gérer les signets.
- Rechercher des pages.
- Changer la page d'accueil.
- Acheter en toute confiance sur Internet.
- Remplir un formulaire.
- Utiliser le Webmail.
- Découvrir les blogs.

Safari est le navigateur Web d'Apple. Il est convivial, simple et performant. Que demander de plus ?

Lancer

C'est élémentaire : cliquez une fois sur son icône depuis le Dock. Le programme démarre et vous propose la page qu'Apple a choisie comme point de chute (Figure 21.1).

Figure 21.1 : La page d'accueil.

Évitons ici les descriptions détaillées des commandes du logiciel ; concentrons-nous plutôt sur ses fonctionnalités principales.

Naviguer

Les outils de navigation de Safari sont classiques. Passons-les rapidement en revue :

- **Les boutons Afficher la page précédente et Afficher la page suivante** : Ils réaffichent la page qui précède ou qui suit la page affichée à l'écran.
- **La case Adresse** : Tapez dans ce champ l'adresse Web ou URL (Uniform Resource Locator) de la page que vous souhaitez consulter, puis validez via la touche Entrée ou Retour.

Ces adresses commencent systématiquement par `http://www.` Mais Safari vous facilite la vie : contentez-vous de taper un nom dans ce champ (par exemple `apple`), puis confirmez votre entrée. En général, le programme est capable de compléter l'adresse pour vous.

- **Le menu Historique** : Tant que vous ne l'effacez pas, il regroupe les pages par lesquelles vous avez transité, vous y assurant ainsi un accès direct.
- **Les signets** : Ce sont de véritables signets que vous placez où bon vous semble pour revenir ensuite rapidement à ces endroits.

Sous le champ Adresse, des signets prédéfinis vous transportent directement vers certaines pages comme le site Web d'Apple, le site Yahoo! ou encore Google Maps. S'il s'agit d'un compte avec contrôle parental, les signets sont ceux de sites approuvés pour les enfants, par exemple Disney. Des signets personnels peuvent être ajoutés à ces signets d'origine ; voyez à ce sujet la section suivante.

Gérer les signets

Passons rapidement en revue les manipulations autorisées :

- **Pour ajouter un signet** : Utilisez le bouton Ajouter un signet à la page active, placé juste à gauche de la case Adresse.
- **Pour afficher les signets** : Choisissez Signets/Afficher tous les signets, ou cliquez sur l'icône correspondante qui occupe la position à l'extrême gauche de la barre des signets (Figure 21.2).

  Les signets s'affichent dans le volet gauche, où ils sont regroupés par collection (Figure 21.3).

Figure 21.2: Un accès rapide aux signets.

Figure 21.3: Tout est en ordre.

- **Pour ouvrir une page marquée par un signet**: Sélectionnez la collection à gauche, puis cliquez deux fois sur le signet à droite.
- **Pour organiser les collections**: Créez des dossiers via la commande Ajouter un dossier de signets du menu Signets (équivalent clavier: ⌘ + Majuscule + N). Introduisez-y les signets par cliquer-glisser.

- **Pour ajouter un signet à la barre des signets** : Faites glisser l'icône de la case Adresse vers cette barre, puis saisissez le nom du signet dans la case d'édition qui vous est proposée ; confirmez par OK. Les signets placés à cet endroit se déplacent facilement : il suffit de les faire glisser vers la gauche ou vers la droite. Ils se suppriment aussi sans problème : faites-les tout simplement glisser au-dessus de la barre.
- **Pour supprimer un signet** : Sélectionnez-le, puis enfoncez la touche Retour arrière ou Suppr.

Rechercher des pages

Safari intègre Google, le moteur de recherche bien connu. Il y assure un accès direct depuis sa barre d'outils.

1. **Cliquez dans le champ Google.**
2. **Saisissez-y l'objet de votre recherche.**
3. **Lancez la procédure en activant la touche Retour.**

   Google se met au travail ; quand il a terminé, il dresse la liste des pages concernées.

   Pour en activer une, il vous suffit de cliquer sur le lien dans cette liste des résultats.

Un clic sur la loupe déroule un menu local qui répertorie les recherches récentes et vous permet d'y retourner à moindre frais.

Changer la page d'accueil

Si l'endroit où vous fait échouer Apple ne vous convient pas, désignez un autre point de rendez-vous.

Pour ce faire :

1. **Ouvrez la page en question.**
2. **Choisissez Safari/Préférences.**
3. **Activez si nécessaire l'onglet Générales.**

   L'onglet s'affiche (Figure 21.4).

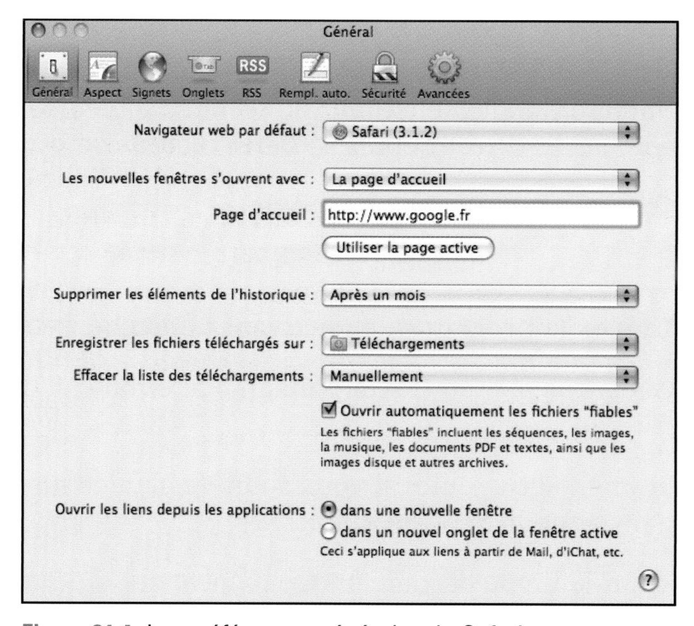

Figure 21.4 : Les préférences générales de Safari.

4. **Validez l'option Utiliser la page active.**
5. **Fermez la fenêtre en cliquant dans sa case de fermeture.**

Inutile de vous donner la peine de gagner cette page : entrez-en l'adresse directement dans la case Page d'accueil. Pour agir de la sorte, il faut bien entendu que vous connaissiez cette adresse.

Comme vous le voyez, ce volet des préférences générales propose d'autres réglages comme la possibilité de désigner votre navigateur Web par défaut ou de spécifier l'endroit où vous souhaitez archiver les fichiers téléchargés.

Acheter sur Internet

Il existe un grand nombre de sites marchands sur Internet, et il est même possible de réaliser des économies en trouvant des produits à des prix compétitifs. Peut-être avez-vous peur d'utiliser votre carte bancaire sur Internet ? Sachez que vous pouvez payer en toute confiance.

Si vous craignez d'utiliser votre carte bancaire, sans doute avez-vous entendu parler de fraudes sur Internet et redoutez-vous que votre carte soit piratée et utilisée par des escrocs. Même si cette crainte est légitime, elle n'est pas fondée. En effet, lorsque vous payez, vous saisissez les informations de votre carte bancaire sur une page sécurisée appartenant à l'organisme bancaire du marchand. Vous pouvez constater que les informations sont échangées sur une zone sécurisée grâce au cadenas qui s'affiche en haut à droite de la fenêtre de Safari (Figure 21.5). Cette information est confirmée par l'adresse qui s'affiche et qui commence par `https://` à la place du traditionnel `http://`.

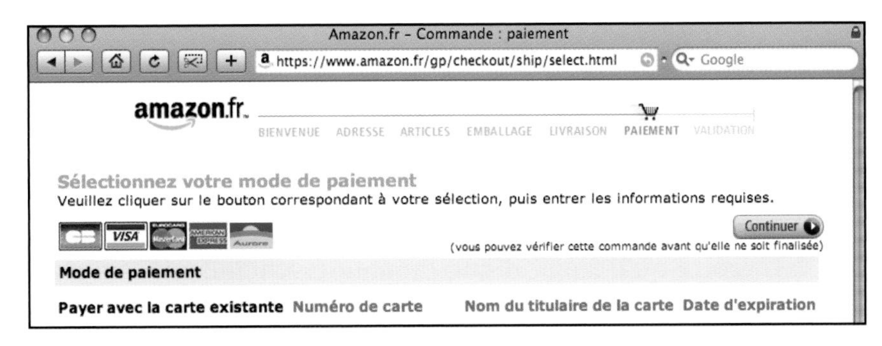

Figure 21.5 : Vous êtes sur une page sécurisée.

Notez que certains sites marchands stockent les informations de votre carte bancaire afin d'accélérer le paiement de vos futures commandes. Là encore, en général, il n'y a aucun souci à avoir.

Sachez que même si l'envoi des informations s'effectue sur une page non sécurisée (ce qui n'est jamais le cas), il est peu probable qu'un pirate récupère ces informations. S'il est techniquement possible d'intercepter les informations que vous envoyez, cette opération n'offre pas beaucoup d'intérêt pour les pirates. En effet, il existe des méthodes bien plus simples pour pirater le numéro d'une carte bancaire. Généralement, cela se produit lorsque vous payez dans un magasin classique. Il suffit que la personne qui se trouve derrière vous parvienne à lire les numéros de votre carte pour qu'elle puisse l'utiliser. Pour compliquer cette opération, lors du paiement sur Internet, vous devez également indiquer les trois derniers chiffres se trouvant au dos de votre carte bancaire. Toutefois, dans certains magasins, vous donnez votre carte au caissier afin qu'il l'introduise dans le lecteur. Si le caissier est peu scrupuleux, il peut prendre le temps de mémoriser les numéros nécessaires à un paiement. De même si vous effectuez une commande par courrier postal en indiquant les informations de votre carte bancaire, toutes les personnes traitant votre commande peuvent utiliser cette carte. Par conséquent, le danger ne provient pas de l'utilisation que vous faites de votre carte sur Internet mais de son utilisation en dehors d'Internet.

En aucun cas votre organisme bancaire (ou n'importe quel autre site) ne vous demande des informations concernant votre carte bancaire par courriel. Si vous recevez de tels courriels, ignorez-les. Il s'agit d'une technique appelée *hameçonnage* qui consiste à soutirer des informations confidentielles en laissant croire qu'il s'agit d'une demande officielle. D'une manière générale, sauf lors du paiement d'une commande, vous n'avez pas à donner les informations de votre carte bancaire (et surtout pas votre mot de passe), que ce soit sur Internet ou par téléphone. En cas de doute, prenez contact avec votre banque.

Si vous avez encore des craintes, sachez qu'il existe des cartes bancaires, appelées *e-cartes*, qui permettent le paiement sur Internet en toute sécurité. Lors du paiement, votre banque génère un numéro de carte bancaire qui ne peut être utilisé qu'une seule fois. Il existe également des assurances qui vous permettent d'être couvert en cas de fraude et lors de vos achats (par exemple, si vous ne recevez jamais votre commande). Bien entendu, tous ces services sont payants.

Remplir un formulaire sur le Web

Lorsque vous passez une commande ou vous inscrivez à un service, vous devez remplir un formulaire. Pour une commande, vous indiquez vos coordonnées postales pour permettre la livraison.

1. **Le curseur s'affiche dans le premier champ à saisir; si ce n'est pas le cas, cliquez dans le champ. Saisissez la première information. Pour passer au champ suivant, appuyez sur la touche Tabulation ou cliquez dans le champ. Chaque site possède sa propre manière d'indiquer les champs obligatoires ou facultatifs. Lorsque vous avez terminé la saisie, cliquez le bouton ou le lien permettant de valider le formulaire (Figure 21.6).**

2. **Si vous validez le formulaire en oubliant des champs obligatoires, un message d'erreur s'affiche et des indications sur vos erreurs sont fournies. Corrigez le formulaire, puis validez-le de nouveau (Figure 21.7).**

Amazon.fr - Passer la commande Sélectionner l'adresse

https://www.amazon.fr/gp/flex/checkout/sign-in/select.html

Ou entrez une nouvelle adresse de livraison
Et cliquez sur « Envoyer à cette adresse » pour valider.

Nom et prénom : Durand Desranges Paul
Adresse ligne 1 :
(ou nom de la société) Rue, voie, boîte postale, nom de société
Adresse ligne 2 :
(facultatif) Appartement, bâtiment, étage, digicode, cedex, etc.
Ville :
État / Région / Canton :
(si approprié)
Code postal :
Pays ou DOM-TOM : France
Numéro de téléphone :
Envoyer à cette adresse

Si vous souhaitez utiliser un chèque-cadeau ou un bon de réduction, le code de ce chèque ou de ce bon vous sera demandé au moment de payer.
Un problème en cours de commande ? Notre Service Client est là pour vous aider. Contactez-nous.

Informations légales Conditions générales de vente © 1996-2008 Amazon.com, Inc.

Figure 21.6 : Saisissez les informations et passez au champ suivant à l'aide de la touche Tabulation.

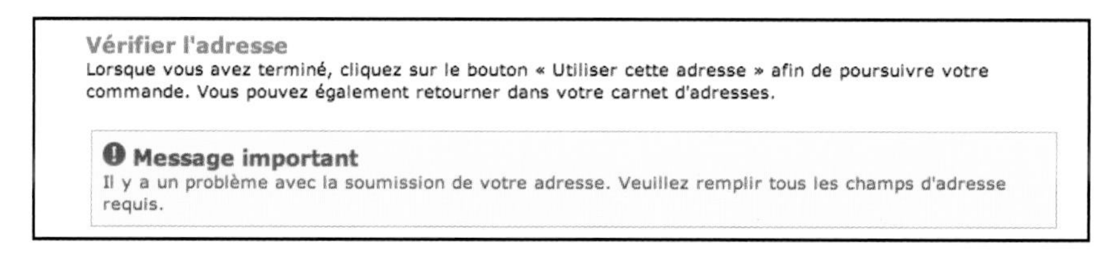

Figure 21.7 : Si vous n'avez pas indiqué les informations obligatoires, un message vous en avertit.

Saisie semi-automatique

Safari (ainsi que d'autres navigateurs) gère la saisie semi-automatique. Lorsque vous commencez la saisie dans un champ que vous avez déjà rempli, une liste de propositions (ou une proposition unique) s'affiche. Utilisez la flèche vers le bas ou la souris pour sélectionner l'élément que vous souhaitez utiliser pour le champ. Cette fonctionnalité est très utile avec les champs où il faut saisir un nom d'utilisateur et un mot de passe, puisque Safari peut également stocker le mot de passe dans votre Trousseau. Ce mot de passe est alors automatiquement renseigné lorsque vous affichez la page concernée.

Lorsque vous utilisez votre propre ordinateur, chez vous, il n'y a aucun problème à laisser le navigateur stocker les mots de passe que vous utilisez pour vous connecter à différents sites. En revanche, si vous utilisez un ordinateur dans un lieu public, veillez à ne jamais autoriser le navigateur à stocker vos mots de passe.

Utiliser le Webmail

Vous êtes en vacances, sans votre ordinateur, mais vous avez accès à Internet et plus particulièrement à un navigateur Web. Savez-vous que vous pouvez consulter vos courriels ? Le Webmail est également utile lorsque vous êtes chez vous.

Comme son nom l'indique, il s'agit du mail par le Web. En fait, vous trouvez sur une page Web une interface proche de celle de Mail (voir Chapitre 22) afin de gérer votre courriel. Certains prestataires, par exemple Google (`www.google.fr`) vous permettent de créer une nouvelle adresse de messagerie. Un accès à la messagerie par le Webmail est également proposé par la majorité des FAI. Ainsi, que vous soyez abonné chez Orange ou Free (entre autres), vous pouvez accéder à votre courriel à l'aide d'un simple navigateur Web.

Accéder au Webmail

1. **Démarrez le navigateur Web. Dans la barre d'adresse du navigateur, saisissez l'adresse permettant d'accéder au Webmail. Par exemple, si vous êtes abonné chez Orange, vous pouvez afficher la page d'accueil d'Orange (`www.orange.fr`). Sur cette dernière, vous devez trouver un lien Messagerie (Mail ou équivalent), quel que soit votre FAI ou prestataire.**

2. **La page d'accueil du service Webmail s'affiche. Pour accéder à vos courriels, vous devez vous identifier. Il s'agit du nom et du mot de passe que vous utilisez pour la messagerie électronique.**

3. **Quel que soit le type de présentation, les dossiers et les commandes sont les mêmes que dans Mail. Pour afficher le contenu d'un courriel, il suffit généralement de cliquer sur son objet (Figure 21.8).**

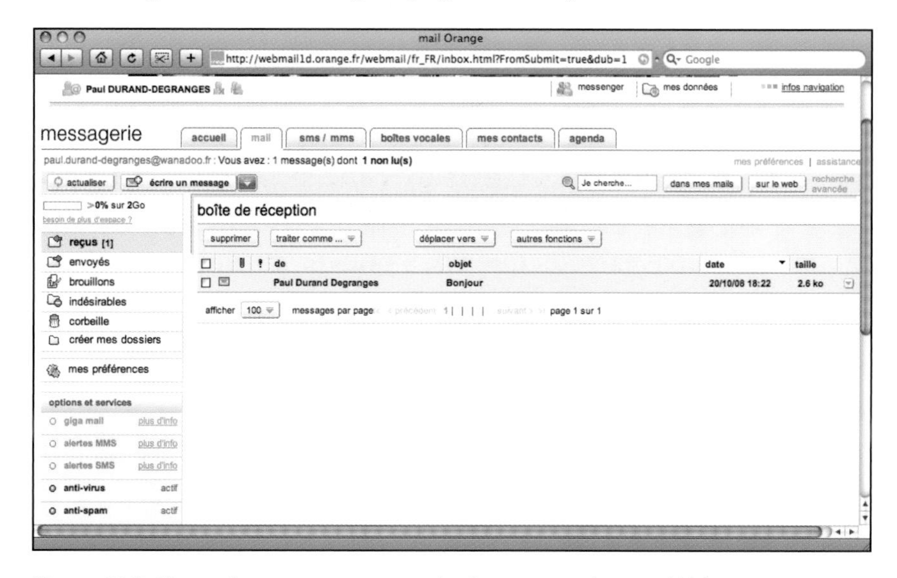

Figure 21.8 : Vous gérez votre messagerie dans un navigateur Web.

Envoyer des courriels avec le Webmail

Le Webmail vous permet de créer de nouveaux messages, mais également d'y répondre ou d'en transférer. Toutefois, lorsque vous utilisez occasionnellement le Webmail, et surtout en déplacement, vous risquez d'être bloqué lors de la création d'un nouveau courriel (ou lors d'un transfert), si vous ne connaissez pas par cœur l'adresse de messagerie du destinataire.

La plupart des services de Webmail offrent un carnet d'adresses, utilisez-le pour stocker les adresses les plus importantes.

La création d'un nouveau courriel est très simple.

1. **Lorsque vous êtes connecté à votre compte, un bouton vous permet de créer un nouveau courriel (son emplacement dépend de votre service). Cliquez ce bouton pour créer un nouveau courriel.**

2. **Dans la nouvelle page qui s'affiche, vous trouvez les éléments permettant de créer un nouveau courriel. Vous saisissez l'adresse du destinataire, l'objet du message, ainsi que le texte de celui-ci. Lorsque vous avez terminé, vous cliquez le bouton Envoyer (Figure 21.9).**

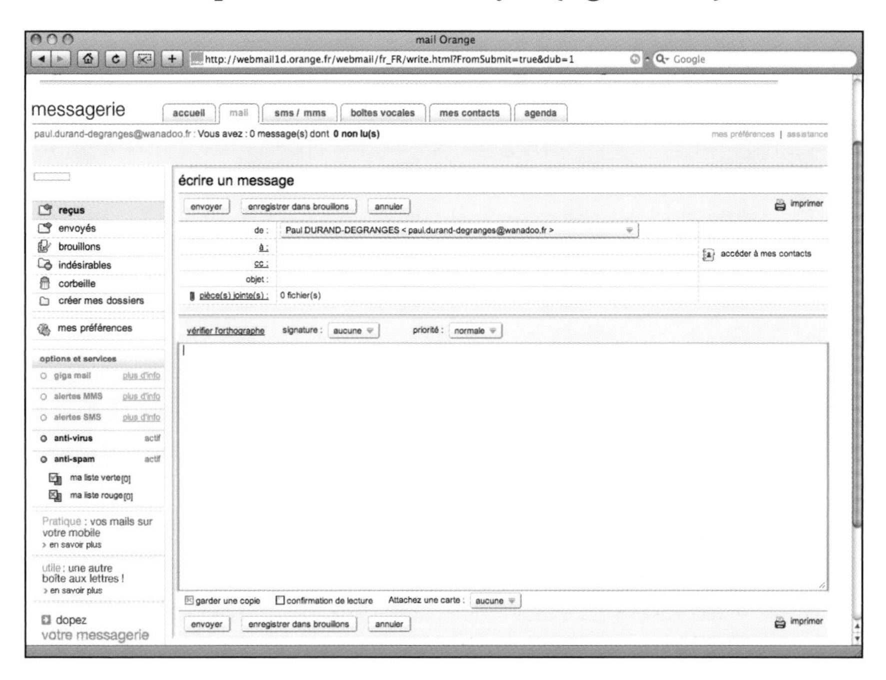

Figure 21.9 : Le Webmail offre toutes les commandes pour créer et mettre en forme un courriel.

Dans l'interface de gestion de votre Webmail, vous trouvez également les boutons permettant de répondre aux courriels que vous avez reçus ou de les supprimer.

Créer un blog

Un *blog* est un journal en ligne qui vous permet de créer très rapidement une présence sur le Web. Dans ce journal, que vous partagez avec l'ensemble des internautes, vous pouvez parler de vos passions (par exemple, vos essais de jardinage) ou commenter l'actualité.

Un blog se présente comme n'importe quelle page Web lorsque vous le consultez. Toutefois, comme il s'agit d'un journal, les différents articles sont datés. Il existe de nombreux sites Web qui vous proposent de créer votre blog. Certains sites sont payants, d'autres gratuits. Si vous souhaitez vous lancer, vous pouvez tester Blogger. com, en saisissant l'adresse `www.blogger.com` dans votre navigateur. Vous devez d'abord créer un compte, puis vous suivez les étapes indiquées à l'écran pour créer votre propre blog.

Chapitre 22

Le courrier électronique avec Mail

Dans ce chapitre

- Relever le courrier.
- Faire le ménage.
- Envoyer un message.
- Ajouter une adresse au Carnet d'adresses.
- Joindre un fichier.

Livré avec Mac OS X, Mail est un programme de messagerie ; en d'autres termes, un logiciel qui vous permet de rédiger, expédier et recevoir du courrier électronique. Il vous permet en outre de consigner vos adresses e-mail dans le Carnet d'adresses de Mac OS X et d'y accéder ensuite facilement. Il vous autorise également à joindre des fichiers à vos messages.

Pour le mettre en service, cliquez deux fois sur son icône depuis le dossier Applications ou une fois depuis le Dock.

Relever le courrier

Le programme est capable de réaliser cette opération à la demande ou de manière automatique, à intervalles réguliers.

Pour qu'il agisse à la demande, menez une des actions suivantes :

- **Choisissez BAL/Relever le courrier.**
- **Enfoncez les touches ⌘ + Majuscule + N.**
- **Activez l'icône Relever de la barre d'outils.**

Pour faire en sorte que le programme s'acquitte de cette tâche automatiquement :

1. **Choisissez Mail/Préférences.**

   La fenêtre des préférences Mail s'ouvre.

2. **Activez si nécessaire l'onglet Générales.**

   L'onglet s'affiche (Figure 22.1).

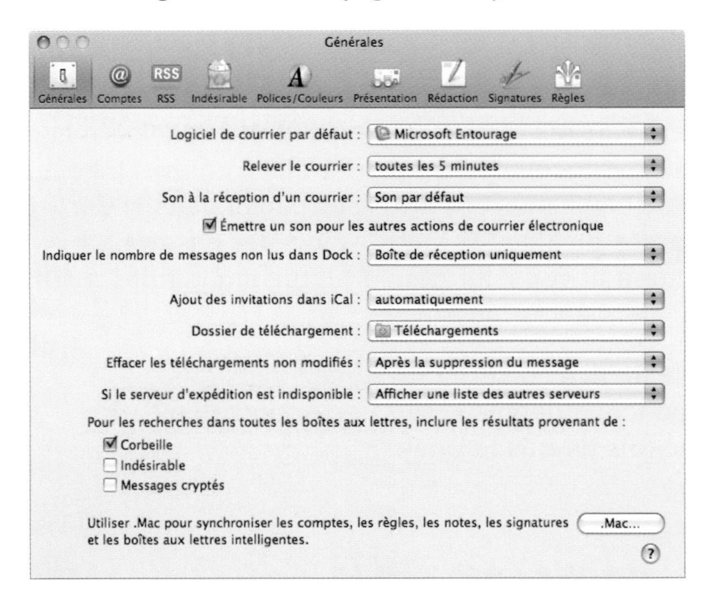

Figure 22.1 : Les préférences de Mail.

3. **Sélectionnez, dans le menu local Relever le courrier des comptes, l'option qui vous intéresse.**

L'article Manuellement empêche Mail de vérifier le courrier automatiquement.

4. **Fermez la fenêtre.**

Faire le ménage

Ne vous laissez pas envahir : débarrassez-vous régulièrement des messages dont vous n'avez plus que faire. Ce faisant, vous aérerez vos boîtes aux lettres et libérerez de l'espace sur votre disque dur.

1. **Sélectionnez dans la fenêtre du programme les messages à supprimer.**

2. **Choisissez Message/Supprimer ou activez l'icône Supprimer de la barre d'outils (Figure 22.2).**

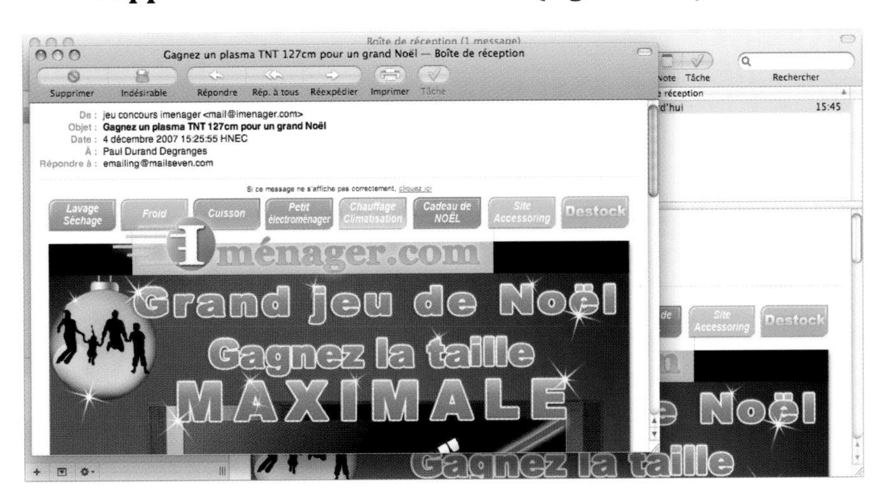

Figure 22.2 : Du balai !

Pensez de temps à autre à valider la commande Éliminer les messages supprimés du menu BAL.

Autre technique : le filtre Courrier indésirable

Les mails non sollicités vous gâchent la vie ? Utilisez le filtre antispam de votre messagerie Mail.

Il s'agit d'un filtre ingénieux qui identifie puis bloque ces messages dont vous n'avez que faire.

Mais les choses ne sont pas aussi évidentes ; vous devez commencer par apprendre à Mail à identifier ce courrier indésirable.

Première étape : activez la fonction. Choisissez Mail/Préférences, activez l'onglet Indésirable, puis validez l'option Filtrer le courrier indésirable. Travaillez d'abord avec l'option Signaler comme indésirable, mais laisser dans ma boîte de réception.

Ensuite, grâce au bouton Indésirable de la barre d'outils, marquez les messages que vous considérez comme tels.

Quand vous estimez que le programme en sait suffisamment pour agir seul, utilisez l'option Placer dans Courrier indésirable. Vous pouvez aussi utiliser l'option Appliquer des actions personnalisées. Vous personnalisez ces actions en cliquant sur le bouton Avancé.

Ça dégage le paysage, non ?

Lire les flux RSS

Avec Leopard, la version de Mail prend en charge les flux RSS.

Certains sites Web placent des liens qui permettent de s'"abonner" aux flux RSS. Il n'y a rien à payer, s'*abonner* signifie que l'on indique au lecteur de flux RSS que l'on souhaite qu'il récupère régulièrement les nouveautés sur le site.

Vous trouvez dans le volet placé du côté gauche un dossier RSS qui contient par défaut les flux RSS sur l'actualité Apple. Vous pouvez ajouter d'autres flux au fil de votre navigation sur Internet.

Envoyer un message

Rédigez le message, puis expédiez-le :

1. **Choisissez Fichier/Nouveau message ou enfoncez les touches ⌘ + N, ou encore activez l'icône Nouveau de la barre d'outils.**

   Une fenêtre intitulée Nouveau message s'affiche (Figure 22.3).

   La version de Mail livrée avec Leopard permet d'utiliser des *modèles*. Vous en obtenez la liste en cliquant sur le bouton Afficher les modèles. Sélectionnez ensuite le modèle qui vous intéresse et utilisez vos propres photos pour l'illustrer. Pour cela, faites glisser les photos dans les espaces réservés. Cliquez sur Navigateur de photos pour afficher le contenu de votre photothèque iPhoto.

Figure 22.3 : Composez ici votre message électronique.

2. **Tandis que votre pointeur clignote dans le champ À, entrez dans ce champ l'adresse du destinataire.**

Pour faire parvenir ce message à plusieurs destinataires, entrez leurs adresses dans ce champ en les séparant par des virgules ou introduisez-les dans le champ Cc.

3. **Introduisez dans le champ Objet l'objet de votre message.**

4. **Cliquez dans la grande zone d'édition du bas et tapez-y votre message.**

Normalement, la vérification orthographique en cours de frappe est active. Si le fait que le programme vous suive à la trace vous dérange, désactivez cette fonction en choisissant Édition/Orthographe/Vérifier l'orthographe lors de la frappe. Vous pourrez toujours vérifier votre texte lorsque vous le souhaiterez via la commande Édition/Orthographe.

5. **Pour expédier directement le mail : cliquez sur Envoyer.**

Pour le stocker provisoirement dans le dossier Brouillons où il séjournera tant que vous ne l'expédierez pas : choisissez Fichier/Enregistrer comme brouillon ou enfoncez les touches ⌘ + S, ou encore activez l'icône Enreg. comme brouillon de la barre d'outils.

Si vous avez opté pour la seconde solution, il vous suffit pour procéder à l'envoi d'ouvrir le dossier Brouillons en cliquant sur son nom dans le volet droit, de double-cliquer sur le message à expédier, puis d'activer le bouton Envoyer.

Ajouter une adresse au Carnet d'adresses

Il est possible de regrouper dans le Carnet d'adresses fourni avec Mac OS X toutes vos adresses électroniques.

Par la suite, lorsque vous entamerez dans Mail la saisie d'une de ces adresses, le programme complétera la donnée pour vous, automatiquement.

Ce Carnet se constitue directement depuis le programme correspondant ou bien depuis Mail.

Agir depuis le Carnet

Pour agir depuis le Carnet, lancez le programme Carnet d'adresses : ouvrez le dossier Applications, puis cliquez deux fois sur son icône. Opérez ensuite comme nous vous avons appris à le faire dans la section "Carnet d'adresses" du Chapitre 12.

Agir depuis Mail

Lorsque vous rédigez un message, vous commencez par entrer l'adresse de son destinataire dans le champ À.

Il vous suffit ensuite de choisir Message/Ajouter l'expéditeur au Carnet d'adresses ou d'enfoncer les touches ⌘ + Y pour que cette adresse e-mail soit ajoutée automatiquement au Carnet.

Joindre un fichier

Outre votre petit mot, vous souhaitez faire parvenir à votre correspondant une copie du rapport de la dernière assemblée générale ? Pas de problème. Mail est capable de s'acquitter de cette mission de confiance :

1. **Rédigez votre message comme vous avez appris à le faire dans la section "Envoyer un message", plus haut dans ce chapitre.**

2. **Choisissez Fichier/Joindre un fichier ou enfoncez les touches ⌘ + Majuscule + A.**

   Une fenêtre s'affiche.

3. **Localisez le fichier à joindre.**

4. **Cliquez sur Choisir.**

   L'icône du fichier sélectionné apparaît dans la fenêtre (Figure 22.4).

5. **Si nécessaire, répétez l'opération pour joindre d'autres pièces.**

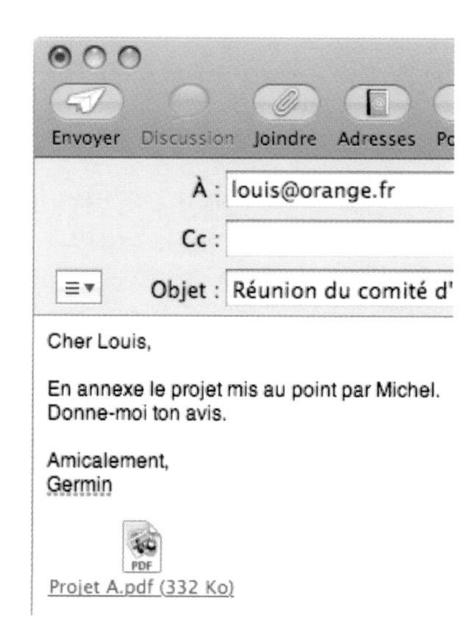

Figure 22.4 : Vous visualisez l'icône de la pièce jointe dans la fenêtre même du message.

Vous pouvez aussi utiliser l'icône Joindre de la barre d'outils ou, mieux, faire directement glisser l'icône de la pièce jointe dans la fenêtre du message.

Vous changez d'avis et ne désirez plus envoyer la pièce désignée ? Cliquez à droite de son icône, puis enfoncez la touche Retour arrière. Vous pouvez aussi valider la commande Message/Supprimer les pièces jointes. Attention ! Si vous avez ajouté plusieurs pièces, cette commande les supprime toutes.

Sixième partie

Connaître les matériels

"Tu l'a payé cher ton Leopard ?
Non, je l'ai eu dégriffé !"

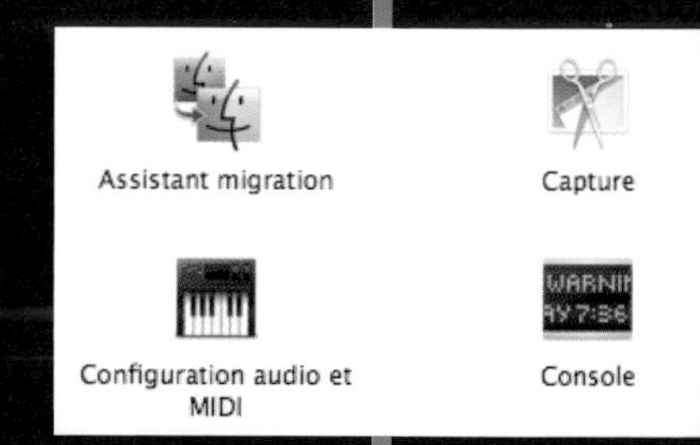

Dans cette partie...

Nous avons jusqu'à présent traité essentiellement l'aspect logiciel. Mais les programmes ne sont rien sans les Mac qui les font tourner. Faisons donc rapidement le tour du marché et examinons les caractéristiques à prendre en compte lors de l'achat d'une nouvelle machine.

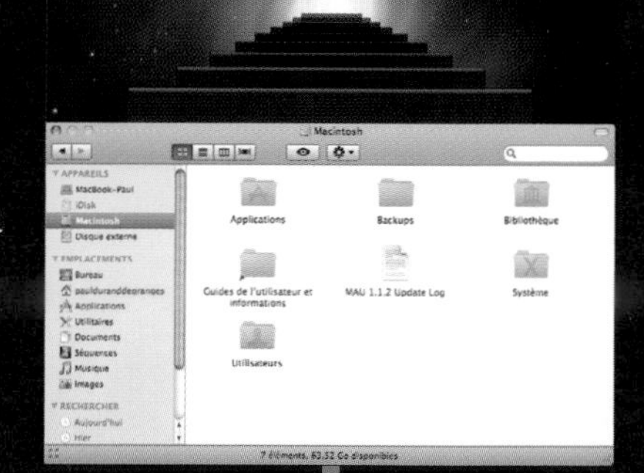

Mais le Mac lui-même n'est au fond qu'un maillon d'une chaîne de dispositifs appelés à constituer des synergies efficaces. Comment obtenir des versions papier de vos fichiers informatiques ? Avec une imprimante. Comment archiver vos données ? Grâce à des systèmes de stockage externes et/ou amovibles. Comment digitaliser une photographie ? À l'aide d'un scanner. Etc. Si le Chapitre 23 décrit les Mac, le Chapitre 24 se concentre sur ces périphériques en tout genre. Emboîtez-nous le pas.

Chapitre 23

Les Mac

Dans ce chapitre :

- Les chiffres qui comptent.
- La gamme de produits.

Vous vous proposez d'aller acheter un Mac. Dès que vous franchissez le seuil d'un vendeur de matériel, on vous saoule de spécifications techniques parmi lesquelles vous avez du mal à vous y retrouver et à faire le tri.

Les chiffres qui comptent

Ne vous laissez pas impressionner. En fait, seules quatre informations sont réellement importantes :

- La capacité du disque dur ;
- La capacité de la mémoire ;
- Le modèle du processeur ;
- La vitesse du processeur.

Voyons cela en détail.

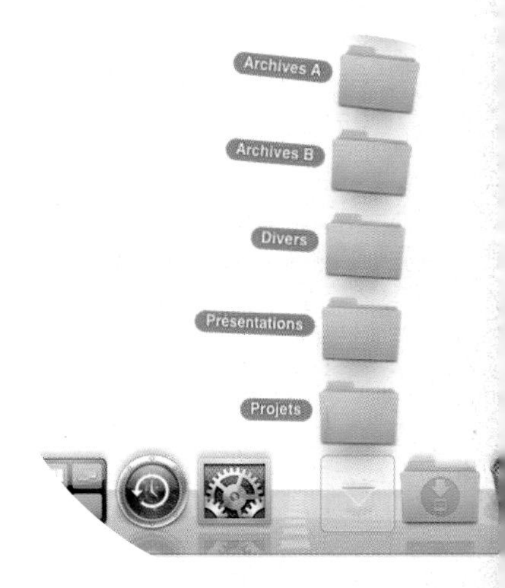

La capacité du disque dur

Le premier chiffre important est celui qui traduit la taille du disque dur interne. Elle se mesure en *gigaoctets*, Go en abrégé, voire en téraoctets (To) et 1 000 gigaoctets donnent 1 téraoctet.

De combien de place avez-vous besoin ? En fait, les documents que vous allez créer (lettres, mémos, romans, etc.) n'occupent que peu d'espace. À titre d'exemple, sachez qu'un livre de 500 pages peut n'accaparer que 1 Mo de votre disque dur.

En revanche, les programmes occupent beaucoup de place. Chacun d'eux monopolise à lui seul plusieurs mégas ou dizaines de mégas.

Par ailleurs, si vous comptez faire de l'édition numérique (fichiers graphiques ou séquences vidéo), vous risquez fort de saturer rapidement votre disque.

Conclusion : on n'a jamais trop de place.

Les capacités des modèles actuels oscillent entre 80 Go et 1 To.

La capacité de la mémoire

Pour faire tourner des programmes, afficher des documents, mémoriser des modifications tant que vous ne les sauvegardez par sur le disque…, le Mac a besoin de mémoire.

C'est sa RAM (Random Access Memory) ou mémoire vive qui s'occupe de cela.

Plus cette RAM est importante, plus le Mac peut mener d'opérations simultanées.

Actuellement, on compte en gigaoctets (Go), et la plupart des Mac actuels sont livrés avec des RAM de 1 Go minimum.

Il sera toujours possible par la suite d'ajouter de la RAM supplémentaire.

Le modèle du processeur

Le troisième chiffre important est le modèle du processeur.

Les processeurs qui équipent les Macintosh sont des puces minuscules ; elles constituent le centre névralgique de l'appareil.

Sur les modèles actuels, il s'agit de processeurs fabriqués par Intel, les mêmes que ceux qui équipent les PC.

La vitesse du processeur

C'est un peu comme la pression sanguine. De fait, c'est la vitesse du processeur qui explique les différences de performances entre les modèles Mac, puisqu'elle détermine avec quelle rapidité les données se déplacent dans les circuits de la machine.

Cette vitesse se mesure en *gigahertz*. Les valeurs changent régulièrement ; au moment de l'écriture de ces lignes, on trouve des modèles dont les vitesses vont de 1,83 à 3 GHz.

La gamme de produits

Garder à jour une liste des modèles est une opération très difficile. De fait, depuis la première apparition du Macintosh sur le marché, Apple a lancé jusqu'à 150 modèles différents.

Aujourd'hui, la firme à la pomme a recentré sa gamme. Elle l'a résolument divisée en deux catégories : les modèles portables et les modèles de bureau.

Les premiers comprennent les MacBook, les MacBook Air et les MacBook Pro, les seconds les Mac Pro, les Mac Mini et les iMac.

Concentrons-nous ici sur cette catégorie et définissons-en les caractéristiques en configuration de base.

Mac Pro

Comme son nom l'indique, il s'agit d'un ordinateur professionnel pour lequel il existe plusieurs options de configuration :

Processeur	De un à deux processeurs Quad-Core Intel Xeon cadencés de 2,8 à 3,2 GHz.
Mémoire	De 2 à 32 Go.
Disque dur	De un à quatre disques Serial ATA ou SAS de 320 Go jusqu'à 1 To.
Lecteur de disques optiques	Un ou deux Superdrive "double couche" 16 x.
Ports	Deux ports FireWire 400.
	Deux ports FireWire 800.
	Cinq ports USB.
Accessoires	Souris Mighty Mouse Apple.
	Clavier Apple.
Moniteur en option	
Modem USB Apple en option	

Mac Mini

Le Mac Mini est un Mac à prix réduit destiné aux *switchers*, les possesseurs de PC qui souhaitent passer au Mac. Le Mac Mini ne possède ni clavier, ni souris, ni moniteur ; ces matériels peuvent être récupérés sur le PC existant de l'utilisateur. Il existe deux modèles de Mac Mini.

Processeur	Modèle 1 : Intel Core 2 Duo cadencé à 1,83 ou 2,0 GHz.
	Modèle 2 : Intel Core 2 Duo cadencé à 2 GHz.
Mémoire	Jusqu'à 2 Go.
Disque dur	Serial ATA/100 de 80 à 160 Go.
Lecteur de disques optiques	Modèle 1 : Lecteur Combo (DVD-ROM/CD-RW).
	Modèle 2 : SuperDrive avec prise en charge des supports double couche (DVD±R/DL/DVD±RW/CD-RW).
Ports	Un port FireWire 400.
	Quatre ports USB 2.0.
Accessoires	Airport Extreme.
	Bluetooth.
Modem USB Apple externe en option	

iMac

L'iMac est un ordinateur au "design d'une extraordinaire finesse". En effet, l'ordinateur lui-même est uniquement composé d'un écran plat auquel se connectent les câbles (alimentation, clavier/souris, etc.). Il existe quatre modèles d'iMac, deux sont équipés d'un écran brillant de 20 pouces et deux d'un écran brillant de 24 pouces.

Processeur	Modèle 1 : Intel Core 2 Duo cadencé à 2,4 GHz.
	Modèles 2 : Intel Core 2 Duo cadencé à 2,66 GHz.
	Modèles 3 : Intel Core 2 Duo cadencé à 2,8 GHz.
	Modèle 4 : Intel Core 2 Duo cadencé à 3,66 GHz.
Mémoire	1 Go pour le modèle 1 et 2 Go pour les modèles 3 à 4.

Disque dur	Modèle 1 : Serial ATA de 250 Go.
	Modèles 2 et 3 : Serial ATA de 320 Go.
	Modèle 4 : Serial ATA de 500 Go.
Lecteur de disques optiques	SuperDrive double couche 8x.
Ports	Un port FireWire 400 et un port FireWire 800.
	Cinq ports USB 2.0 au total : trois sur l'ordinateur et deux sur le clavier.
Communications	Réseau sans fil AirPort Extreme.
	Module Bluetooth.
	Port Ethernet.
	Modem externe Apple USB en option.
Accessoires	Souris Mighty Mouse Apple.
	Clavier Apple.

Les écrans

Les Mac Pro et les Mac Mini sont vendus sans écran. À vous donc de vous équiper.

Apple commercialise une gamme d'écrans appelée Apple Cinema Display, avec des tailles de 20, 23 et 30 pouces.

D'autres firmes commercialisent des écrans pour Macintosh (Sony, Philips, LaCie...). Les écrans plats LCD ont la cote, avec des diagonales de plus en plus intéressantes et des prix toujours plus accessibles. Les prix de la concurrence sont plus attractifs si vous devez acheter un écran pour un Mac Mini.

Il faut avouer que rares sont les unités d'affichage qui proposent le même design que le Mac. C'est logique : la firme à la pomme ne représente pas une part de marché suffisante pour inciter les designers tiers à se rapprocher de ses concepts.

Tous les Mac sont capables de prendre en charge deux moniteurs. Vous pouvez ainsi afficher la barre des menus et les fenêtres du Finder sur le plus petit et réserver le plus grand au travail dans les applications. Ou encore, dans des programmes comme Photoshop, stocker les palettes d'outils sur le petit écran et utiliser le grand comme espace de travail.

Quand acheter ?

Il faut acheter au bon moment. Quelle lapalissade !

En général, les nouveaux modèles sont mis sur le marché à l'occasion de la Macworld Expo, soit en janvier à San Francisco et en juillet à New York.

Aussi, évitez d'acheter votre Mac en décembre ou en juin. Il y a en effet fort à parier que ces modèles ne seront plus suivis.

Il faut savoir malgré tout qu'à ces périodes Apple consent des ristournes intéressantes sur les modèles qu'il a l'intention d'abandonner. Le jeu peut sans doute en valoir la chandelle ; à vous de voir.

Chapitre 24

Les imprimantes et autres périphériques

Dans ce chapitre :

- USB contre FireWire.
- Les imprimantes.
- Les autres périphériques.

Le Mac se débrouille très bien tout seul. Mais il faut avouer que les périphériques qu'on peut lui ajouter rendent bien des services. Passons-les rapidement en revue.

USB contre FireWire

Les Mac sont équipés de deux types de connexion :

- USB ;
- FireWire.

Le premier, USB (Universal Serial Bus), est limité aux transferts de données à faible débit, soit 1,5 Mo/s pour l'USB 1 et 12 Mo/s pour l'USB 2. Très répandu, notamment dans le monde PC, il équipe la presque totalité des périphériques d'entrée : claviers, souris, joysticks, appareils photo numériques grand public…

La norme FireWire, pour sa part, ne concerne que les périphériques numériques exigeant un haut débit, 50 Mo/s pour FireWire 400 et 800 Mo/s pour FireWire 800 ! C'est le cas des disques durs externes, des graveurs de CD et des caméscopes, notamment. Ces matériels de stockage privilégient la connexion FireWire, car le débit du bus USB (version 1 surtout) s'avère trop pénalisant.

Tous les appareils USB et FireWire peuvent être branchés "à chaud". Entendez par là qu'il n'est pas indispensable d'éteindre la machine pour lui ajouter ou lui soustraire des périphériques, comme c'était le cas par le passé avec la norme SCSI. De plus, ces périphériques peuvent être *chaînés* (connectés les uns aux autres), à concurrence de 63 appareils en FireWire et de 127 en USB.

La guerre des protocoles aura bien lieu

Vous l'avez compris : FireWire concurrence directement USB. Mais celui-ci ne se laisse pas faire.

De fait, la norme USB 2.0 a des avantages. Outre un taux de transfert supérieur à l'USB 1.0, elle embarque une connectique identique à cet USB antérieur. Par ailleurs, elle garantit une compatibilité descendante avec les anciens périphériques, ce qui signifie qu'aucun adaptateur n'est requis lorsqu'il s'agit de connecter un vieux périphérique USB 1.0 à votre nouveau port USB 2.0.

Côté FireWire, l'évolution vers FireWire 800 permet de délivrer un taux de transfert de 800 Mo/s. C'est l'escalade !

Les imprimantes

Les imprimantes se répartissent en deux grandes catégories selon la technique qu'elles mettent en œuvre pour procéder à l'impression : les *jets d'encre* d'une part, les *lasers* de l'autre.

dpi et ppp

La qualité d'une imprimante se mesure en dpi (dots per inch) ou, en français, en ppp (points par pouce). Plus il y a de points par pouce, plus la qualité d'impression est bonne.

Les anciens modèles de lasers travaillaient à 300 ppp ; les modèles récents atteignent 1 200 ppp. Les imprimantes à jets d'encre classiques (comme la DeskJet de Hewlett-Packard) produisent, elles, 2 400 voire 4 800 ppp. Et les photos imprimées à 4800 ppp ressemblent vraiment à des photos !

Imprimantes à jets d'encre

Les imprimantes à jets d'encre créent l'image en pulvérisant un nuage d'encre sur le support.

Hewlett-Packard (HP) commercialise les gammes DeskJet et Photosmart, tandis qu'Epson se concentre sur ses modèles Stylus ; Canon, pour sa part, produit des imprimantes à jets d'encre parfaitement adaptées au Macintosh, la gamme des Pixma.

Connaître les critères

Quels sont les critères qui doivent vous guider lorsque vous envisagez l'acquisition d'un périphérique de ce type ?

- **Le débit** : Même si vous vous préparez à acheter un modèle d'entrée de gamme, veillez que l'imprimante que vous avez en vue soit capable d'imprimer selon le débit suivant : entre 10 et 20 ppp (pages par minute). Certes, tout dépend du taux de remplissage de la page ; ces valeurs sont des moyennes indicatives.

- **L'impression monochrome** : L'imprimante doit être compétente en ce domaine. Les caractères doivent être fins, précis, sans bavures. Soyez intransigeant.

- **L'impression couleur** : Considérez la manière dont l'imprimante gère la couleur quand vous imprimez des graphiques, par exemple. Évitez absolument les modèles qui produisent des lignes visibles sur les aplats.

La plupart des modèles actuels du marché sont *hybrides* : en marge des tâches bureautiques classiques, ils sont capables d'assumer des tirages photo de qualité. Sur certains, il est même prévu de remplacer à cette fin la cartouche couleur classique par une cartouche spéciale photos. Sans compter que l'utilisation d'un papier spécialement prévu à cet effet améliore encore le résultat.

- **La connectique** : À l'heure actuelle, la quasi-totalité des imprimantes à jets d'encre exploitent l'interface USB pour sa simplicité d'utilisation. Mais attention ! Tous les constructeurs ne fournissent pas automatiquement le câble USB nécessaire à la connexion, car ces unités de sortie disposent parfois d'un port parallèle prévu pour l'utilisation en environnement PC. Les constructeurs ne sachant pas sur quelle plate-forme l'appareil sera utilisé, ils préfèrent le livrer sans câble plutôt que d'en fournir un inadapté. Certes, ils pourraient fournir les deux, mais ne rêvons pas !

- **La compatibilité Mac OS X** : Dernier critère mais non des moindres, la compatibilité avec l'OS d'Apple. Si le driver n'est pas prévu, vous ne pourrez pas imprimer. Pas d'angoisse : les grandes marques sont censées commercialiser tous les pilotes nécessaires.

On n'arrête pas le progrès !

Acteurs majeurs du secteur de la numérisation, les fabricants d'imprimantes mettent sur le marché des modèles de plus en plus performants. Sur les unités haut de gamme, on bénéficie aujourd'hui de technologies évoluées comme l'alimentation automatique des têtes, l'impression sans marges ou encore la reconnaissance spontanée du type de papier quelle qu'en soit la marque.

Brancher l'imprimante

En général, les imprimantes modernes sont USB : il suffit donc de les connecter au port USB du Mac et les voilà opérationnelles.

Mais que faire si votre modèle est plus ancien et ne propose pas de connexion de ce type ?

La réponse est simple : vous devez acheter un *adaptateur*, comme le modèle iPrint SL de Farallon. Cet appareil vous permet, d'un côté, de vous raccorder à la prise USB ou Ethernet du Mac et, de l'autre, de disposer d'un connecteur ancien modèle sur lequel vous pourrez brancher le câble de votre unité de sortie.

Imprimantes à laser

Les imprimantes à laser utilisent un rayon laser pour fixer l'encre sur le support insolarisé.

Bien que plus chères, plus volumineuses et plus encombrantes que les machines à jets d'encre, les "lasers" ont plusieurs avantages :

- Elles sont rapides, silencieuses et robustes.
- La plupart peuvent imprimer des enveloppes et des étiquettes de routage ; elles acceptent aussi différents formats de papier (le carton, en revanche, est généralement exclu).
- Elles produisent des documents d'une qualité irréprochable lorsqu'elles impriment en noir et blanc.

En matière d'impression couleur, les jets d'encre se défendent plus qu'honorablement. Les imprimantes laser couleurs ne sont pas adaptées pour l'impression de photos de qualité.

- Si elles sont équipées du langage de description de page PostScript, elles sont capables d'imprimer n'importe quel texte, dans n'importe quel style, n'importe quelle taille et n'importe quel sens.

Brancher l'imprimante

La plupart des imprimantes laser disposent d'une prise Ethernet. Votre Mac aussi. C'est pratique! Toutefois, le câble correspondant est rarement fourni avec la machine.

Pourquoi? Parce que les fabricants d'imprimantes estiment que peu de sociétés peuvent équiper chaque poste de travail d'une imprimante de ce type. Ils partent au contraire du principe que ces unités de sortie sont partagées par plusieurs utilisateurs; elles sont donc essentiellement destinées à fonctionner en réseau. Qui dit réseau dit administrateur. Adressez-vous à lui pour savoir quel est le câble qu'il vous faut.

Les autres périphériques

Les imprimantes ne sont pas les seuls périphériques dont vous pouvez équiper votre Mac. Lisez la suite de ce chapitre pour savoir comment dépenser vos sous!

Disques durs externes

Votre Mac est équipé d'un disque dur interne. Selon le modèle, d'autres emplacements sont prévus dans le boîtier. Mais en général ces baies servent à intégrer des périphériques comme un lecteur de cartouche amovible ou encore un lecteur ou graveur de CD ou de DVD. Comment augmenter votre capacité de stockage ou disposer d'un dispositif de backup quand tous les slots sont occupés? Pensez à acquérir un disque dur externe.

Ces unités présentent désormais une taille relativement réduite pour une capacité importante. Elles sont à ce titre tout indiquées lorsqu'il s'agit de transporter de gros volumes de données. Plus chères que leurs homologues internes, elles apportent au quotidien une flexibilité inégalée.

Quels sont les critères à prendre en compte lors de l'achat ?

- **La capacité** : C'est vous qui savez de combien de Go vous avez besoin. Les capacités des modèles classiques s'échelonnent de 60 à 400 Go. On produit déjà des disques d'une capacité encore plus élevée qui s'exprime en térabytes ! Où s'arrêtera-t-on ?
- **La vitesse de rotation** : Prenez cet aspect mécanique en compte. Il est important de comparer les *vitesses de rotation*, c'est-à-dire le nombre de tours par minute. Ce nombre ne doit en aucun cas être inférieur à 4 200, faute de quoi le disque, même FireWire, sera limité par sa mécanique.
- **La taille** : Si l'unité ne doit pas être transportée, optez pour un format 3,5 pouces. Les capacités grimpent jusqu'à 400 Go ; la vitesse de rotation atteint 7 200 tr/min. En revanche, si vous envisagez de déplacer régulièrement votre périphérique, sa taille est un critère à prendre en compte.

Certains fabricants produisent des modèles de poche. Intéressant ; mais attention ! Le volume de ces "mini-disques" ne dépasse pas les 80 Go.

Vous souhaitez privilégier la portabilité au détriment de la surface de stockage ? Équipez-vous d'une clé USB. Elle possède la taille d'un paquet de chewing-gums et se branche sur n'importe quel port USB 2 (votre clavier, par exemple). Elle peut embarquer jusqu'à 4 Go de données !

- **L'interface** : Côté connexion, vous avez le choix entre l'interface USB et l'interface FireWire. Vous connaissez les caractéristiques de chacun de ces ports (voir la section "USB contre FireWire" en début de chapitre) ; vous vous doutez donc qu'en matière de disque dur on ne saurait trop recommander le FireWire, beaucoup plus performant pour ce type d'utilisation. Grâce à leur vitesse de transfert vertigineuse, les disques FireWire conviennent parfaitement lorsqu'il s'agit de connecter des unités appelées à communiquer avec votre Mac à la vitesse de l'éclair.

Apple commercialise un disque dur externe appelé Time Capsule. Ce disque est proposé avec deux capacités de stockage différentes : 500 Go et 1 To. L'accès au disque dur se fait à l'aide du réseau sans fil Airport, et Time Capsule est conçu pour fonctionner avec Time Machine afin d'effectuer rapidement les sauvegardes de votre ordinateur.

Systèmes de stockage amovibles

Ces lecteurs, qui fonctionnent avec des "cartouches" que vous déplacez et échangez facilement, ont eu leur heure de gloire. Parmi les modèles les plus commercialisés, on trouvait :

- Le SuperDisk 240 Mo USB de QPS.
- Le Zip 100 à 250 Mo USB de Iomega.
- Le Jaz 2 Go de Iomega.
- L'Orb 5 Go de CastleWood.

Aujourd'hui, ce type de stockage de capacité moyenne sur cartouches amovibles est quasiment tombé en désuétude.

La technologie mise en œuvre – le magnéto-optique – est dépassée. Sans compter que le prix des disques durs est en chute constante, et que les utilisateurs estiment qu'il est plus sécurisant d'archiver leurs données sur CD ou DVD, d'autant que le prix des graveurs s'est fortement démocratisé.

Graveurs de CD

Destinés, à l'instar des disques durs, à ceux qui souhaitent stocker ou transporter de gros volumes de données, les graveurs ont la cote. À tel point qu'ils sont désormais livrés en standard sur les machines Apple.

C'est sûr : ces périphériques sont en tête du palmarès des dispositifs de stockage. Ils font d'ailleurs presque systématiquement partie de toute bonne configuration, aussi bien au niveau des entreprises qu'à celui des particuliers.

Leurs avantages sont multiples :

- **Rapidité et fiabilité de la gravure** ;
- **Confort d'utilisation** (il ne faut plus, désormais, défragmenter avant de graver) ;
- **Prix très démocratique des supports** ;
- **Utilisations diverses** puisque ces graveurs gravent des CD-ROM, des CD audio et MP3, voire des CD vidéo, sans parler des CD réinscriptibles.

Ces périphériques peuvent s'installer en interne ou en externe. Préférez l'interne si votre baie pour périphérique 5,25 pouces est libre. Sinon, optez pour l'externe.

Privilégiez les modèles de type BurnProof ou équivalents : grâce à leur gestion sophistiquée de la cache et à leur fonction de correction des erreurs, ces appareils réussissent, à tous les coups, la gravure de vos CD.

Dernier point : pour réaliser la gravure, vous devez disposer d'un logiciel *ad hoc*. Soit vous confiez cette tâche à l'utilitaire intégré à Mac OS X (Chapitre 11, section "Piloter des supports amovibles"), soit vous faites appel à Toast commercialisé par Roxio.

DVD

Cette abréviation de Digital Versatile Disc désigne, en fait, trois types de disques :

- Les DVD audio (ils stockent du son) ;
- Les DVD vidéo (ils stockent des images et de la vidéo) ;
- Les DVD-ROM (ils stockent des données).

Actuellement, le DVD est tout aussi banal que le CD, et les ordinateurs Apple sont équipés de graveurs de DVD "double couche" qui offrent une capacité de stockage allant jusqu'à 8,5 Go.

Aujourd'hui, on distingue trois types de sauvegarde sur support DVD, c'est-à-dire deux types de DVD sur lesquels vous pouvez graver des données : le DVD-RAM et le DVD-R/DVD-RW.

DVD-RAM

Le DVD-RAM est quasi exclusivement réservé à la sauvegarde de données. Selon le graveur et le média que vous utilisez, vous pourrez y archiver jusqu'à 4,7 Go (média simple face) ou 9,4 Go (média double face).

Le DVD-RAM est facile à utiliser : il se monte sur le Bureau du Mac comme le font les disques durs classiques. Il ne vous reste plus alors qu'à faire glisser sur son icône les documents que vous entendez y sauvegarder.

Seule ombre au tableau : sa lenteur d'accès. Par défaut, les ordinateurs d'Apple ne sont pas équipés de graveurs de DVD-RAM.

DVD-R et DVD-RW

Apple équipe d'origine plusieurs modèles de ses gammes d'ordinateurs d'un graveur de DVD.

Plus rapide que le DVD-RAM, le DVD-R offre des capacités intéressantes, surtout dans sa version DL (double couche).

Son grand avantage est qu'il autorise la gravure de DVD vidéo lisibles sur les platines DVD de salon.

Attention ! Pour réaliser un DVD vidéo sur Mac il ne suffit pas de jeter en vrac les fichiers vidéo sur le média. Il est impératif de transiter par un logiciel de création de DVD. Deux sont signés Apple : iDVD et DVD Studio Pro. Le premier est livré avec la suite iLife ; le second est réservé aux professionnels.

Contrairement au DVD-R, le DVD-RW est un support réinscriptible, mais il n'existe pas en version DL. De plus, il est souvent incompatible avec les platines DVD de salon.

Graveurs

Côté graveurs, il faut savoir que le SuperDrive dont Apple équipe ses Mac est capable de tout lire et aussi de tout graver, y compris des DVD. Ce périphérique grave donc des CD (R et RW) et des DVD (R et RW). Le format supporté est le DVD-5, simple couche, simple face, offrant une capacité de stockage maximale de 4,7 Go, et le DVD-9, double couche, simple face, offrant une capacité de stockage maximale de 8,5 Go.

D'autres sociétés commercialisent ce type d'appareil comme LaCie et Pioneer.

Souris

Laissez-vous tenter par une souris sans fil à technologie Bluetooth, style Apple Mighty Mouse : c'est magique.

À moins que vous ne préfériez une souris de poche ?

Ces modèles, proposés aujourd'hui par toutes les grandes marques d'accessoires, sont destinés aux utilisateurs de portables qui ne parviennent pas à s'habituer au système de pointage intégré développé par Apple. Et ils sont nombreux !

Pour beaucoup d'utilisateurs de portable, le TrackPad d'Apple est, de fait, un vrai cauchemar. Même si, dans l'absolu, ce système de pointage est particulièrement ingénieux, ils ont du mal à le maîtriser.

Qu'ils n'hésitent donc pas à acheter une souris miniature : plus petite, plus légère et, qui plus est, optique !

Sachez encore que Mac OS X gère en standard les souris à deux boutons, celles où le bouton gauche sert pour le clic et où le droit permet d'accéder aux menus contextuels.

Claviers

Dans la foulée, vous pouvez aussi adopter le clavier sans fil d'Apple. Toutefois, vous devez savoir que celui-ci n'offre pas de pavé numérique. Ce dernier se trouve uniquement sur le modèle filaire. Sachez aussi que des sociétés tierces commercialisent des claviers compatibles.

Vérifiez que les pilotes Mac OS X sont bien fournis avec le modèle de clavier que vous envisagez d'acquérir, sinon vous ne pourrez en exploiter toutes les fonctionnalités.

Haut-parleurs

Admettons-le : la plupart des Mac sont équipés de haut-parleurs exécrables. Dotez donc votre appareil de haut-parleurs corrects : les jeux seront plus gais à exploiter, la musique n'aura plus l'air de sortir d'une radio de l'ancien temps, les séquences parlées de vos titres multimédias deviendront soudainement intelligibles.

Achetez donc deux haut-parleurs et ajoutez-leur un subwoofer pour faire bonne mesure. Vous ne regretterez pas votre investissement.

Scanners

Les scanners ou "numériseurs" se répartissent en trois catégories :

- Les scanners à plat ;
- Les scanners pour films ;
- Les scanners mixtes.

Assurez-vous avant d'acheter un scanner que les pilotes OS X sont disponibles.

Scanners à plat

Le scanner est devenu un produit de grande consommation. C'est logique : il est capable de rendre une foule de services bien que son rôle fondamental consiste à numériser (digitaliser) des documents opaques (comme des photos ou des supports imprimés quelconques). Les constructeurs sont nombreux : Epson, Hewlett-Packard, Heidelberg, Umax…

Si vous lui associez un logiciel OCR (reconnaissance optique de caractères), le scanner pourra transformer les documents que vous lui soumettez en fichiers texte éditables. Génial !

Mais les modèles d'aujourd'hui ne se cantonnent pas dans ces rôles. Ils s'émancipent, proposant désormais, grâce à des pilotes adaptés, des fonctions plus variées :

- Ils sont capables d'envoyer un document scanné par e-mail, sous forme de pièce jointe ;
- Ils font office de photocopieur (à condition qu'une imprimante soit couplée au Mac) ;
- Ils sont même en mesure de créer des albums photos.

En général, toutes ces fonctions se mettent en œuvre au moyen de boutons placés en façade. On fait difficilement plus pratique !

Scanners pour films

Destinés au scan de documents transparents (comme les négatifs ou les diapositives), ces modèles tirent pleinement profit du 23 x 36 (ou de l'APS), et conviennent parfaitement lorsqu'il s'agit de numériser des documents en vue d'une impression grand format.

Ainsi, ils vous permettront d'agrandir une petite portion d'image pour l'imprimer en carte postale 10 x 15 cm sur votre imprimante à jets d'encre. Ou de retoucher une diapositive pour en tirer ensuite un poster géant de 50 x 75 cm.

Scanners mixtes

Les scanners mixtes cumulent les fonctions des scanners à plat et des scanners pour films : ils sont capables de numériser aussi bien des documents opaques que des documents transparents.

Si telle est votre ambition, portez votre choix sur ce type d'unité d'entrée.

Appareils photo numériques

Quand vous aurez goûté à la photo numérique, vous ne voudrez plus entendre parler de la photo argentique !

La photo numérique ne présente que des avantages ; notamment :

- Mode manuel, programmé ou automatique ;
- Visualisation immédiate ;
- Résolution élevée ;
- Capture de panoramiques ;
- Correction de l'exposition ;
- Retouche en direct ;

- Duplications aisées ;
- Suppression des intermédiaires...

Finis les clichés Polaroïd crapoteux! Oubliés les choix cornéliens entre pellicules ! Désormais, l'utilisateur apprécie à sa juste valeur le rendu des couleurs du haut de son cinq millions de pixels ! De vraies couleurs "hi-fi" !

Le prix de ces appareils a fortement chuté et les modèles d'entrée de gamme offrent d'excellentes performances. De plus, de nombreux téléphones mobiles permettent de prendre des photos numériques, parfois avec une qualité tout à fait honorable. Toutefois, la photo numérique pose souvent un sérieux problème au niveau de l'impression.

De fait, les papiers disponibles sont loin d'offrir la même qualité que les papiers barytés. Mais des solutions existent, notamment la possibilité de commander en ligne des tirages papier effectués par un labo. Pour cela, vous pouvez utiliser la fonction intégrée à iPhoto ou votre navigateur Web pour vous rendre sur l'un des nombreux sites marchands qui proposent ce type de prestation.

Caméscopes

Deux événements ont révolutionné ce secteur :

- L'apparition de la **norme DV** (Digital Video), grâce à laquelle l'image devient numérique. Elle est donc recopiable à l'infini sans aucune perte de qualité, alors que ce n'est pas le cas – loin s'en faut – du VHS.
- La mise à disposition en standard par Apple du logiciel **iMovie** (Chapitre 18). La firme a en effet produit un logiciel de montage adapté aux besoins des non-professionnels, peu considérés jusqu'alors dans ce domaine.

Ces appareils sont faciles à manipuler. Vous filmez comme vous avez coutume de le faire, puis transférez vers le Mac la totalité de la cassette par simple clic. Tout transite par un câble connecté d'un côté au caméscope et de l'autre au port FireWire du Macintosh.

Le programme reconnaît les plans et les dispose dans un chutier. Il ne vous reste plus à ce stade qu'à les glisser dans le volet du séquenceur, dans l'ordre qui vous convient. Ajoutez quelques effets, transitions et titrages et le tour est joué. De fait, grâce aux fonctions multiples du programme, réaliser un montage est désormais un jeu d'enfant.

Par ailleurs, QuickTime est devenu universel : il existe aussi bien sur Mac que sur Windows. Cela signifie que, côté diffusion, vous n'avez que l'embarras du choix :

- Archivage sur CD-ROM ;
- Report sur une cassette DV, le caméscope faisant alors office de magnétoscope ;
- Transmission sur le Web après compression du film.

Apple va plus loin : la firme à la pomme ayant équipé ses modèles haut de gamme d'un graveur SuperDrive et l'ayant doté d'un logiciel *ad hoc* nommé iDVD, rien dorénavant ne vous empêche de réaliser des DVD vidéo – de plus compatibles avec les lecteurs de salon ! On atteint des sommets !

Baladeurs MP3

Ces appareils font fureur auprès des jeunes générations ! C'est logique : le son numérique embarqué, c'est "trop cool" !

Ils sont alimentés en musique via le Mac grâce au programme iTunes (Chapitre 12). Le format utilisé est le fameux MP3, un format compressé extrêmement pratique.

Les premiers modèles de baladeurs stockaient le son sur une carte de mémoire vive de type CompactFlash ou MultiMedia

Card, un mode de stockage qui limitait automatiquement leur capacité. Dans ces conditions, leur contenu devait être renouvelé fréquemment, une opération dont iTunes s'acquittait très honorablement.

Par la suite, les fabricants ont préféré équiper ces appareils de disques 2,5 pouces, leur permettant ainsi d'emporter de 4 et 160 Go de son, soit entre 800 et 30 000 chansons avec une qualité audio équivalant à celle d'un CD. Et la technologie ne cesse d'évoluer !

À carte ou à disque, tous ces baladeurs peuvent être branchés à l'amplificateur d'une chaîne hi-fi à l'aide du câble *ad hoc*.

iPod

L'iPod est le baladeur MP3 mis au point par Apple. Un coup de génie !

Dédié à l'écoute de la musique, ce baladeur – qui fonctionne sous Windows et sous Mac OS X avec intégration directe avec iTunes – fait partie de cette nouvelle famille de produits numériques à laquelle appartiennent également les appareils photo et caméscopes numériques, les GSM et autres PDA (Personal Data Assistants).

Ses atouts sont nombreux :

- **Capacité** : La capacité de l'iPod va jusqu'à 120 Go, soit l'équivalent de 30 000 chansons en qualité hi-fi !
- **Taille et poids** : Il existe plusieurs modèles d'iPod ; le plus petit tient dans le creux de la main. L'iPod Classic (équipé d'un disque dur), entre difficilement dans la poche d'un pantalon ; ses dimensions sont de 103,5 x 61,8 x 10,5 mm pour un poids de 140 grammes. L'iPod Touch, dont la mémoire va jusqu'à 32 Go, possède un grand écran tactile et des dimensions de 110 x 61,8 x 8,5 pour un poids de 115 grammes.

- **Interface** : L'iPod utilise le port USB, même s'il est possible d'acheter un câble Firewire optionnel pour certains modèles.
- **Autonomie** : La durée d'utilisation sur la batterie dépend du modèle d'iPod. Très ingénieux : l'iPod n'utilise pas FireWire uniquement pour les transferts, il s'en sert aussi pour recharger sa batterie. En effet, dès que vous le connectez au Mac, il entame la recharge de sa batterie lithium-ion intégrée.

L'iPod peut aussi se recharger via une prise classique ; il suffit, pour ce faire, d'utiliser un adaptateur secteur optionnel.

- **Disque dur** : L'iPod n'est pas seulement un baladeur, il peut aussi se comporter comme un simple disque dur qui se monte sur le Bureau de Mac OS. Cette utilisation mixte imaginée par Apple est un véritable coup de génie ! Non seulement l'iPod vous permet d'écouter de la musique, mais il se mue en toute facilité en un dispositif de stockage mobile : vous y entreposez vos documents importants avant de partir en déplacement. C'est comme l'œuf de Colomb : il fallait y penser !

L'iPhone est un téléphone mobile dans lequel on trouve également la fonction iPod. Ce téléphone a le même aspect que l'iPod Touch ; l'on y trouve d'ailleurs un écran tactile identique et la même interface pour accéder aux fonctions respectives de chacun des appareils.

Septième partie

Les dix commandements

Dans cette partie...

Une partie intitulée "Les dix commandements" clôt traditionnellement tous les livres "Pour les Nuls". Nous nous plions de bonne grâce à cette tradition et vous proposons de découvrir ici les deux derniers chapitres de cet ouvrage.

Le premier énumère et décrit une série d'utilitaires connexes dont l'usage vous facilitera grandement la vie au quotidien.

Le second vous explique comment réagir quand les choses ne vont pas exactement comme vous le souhaiteriez.

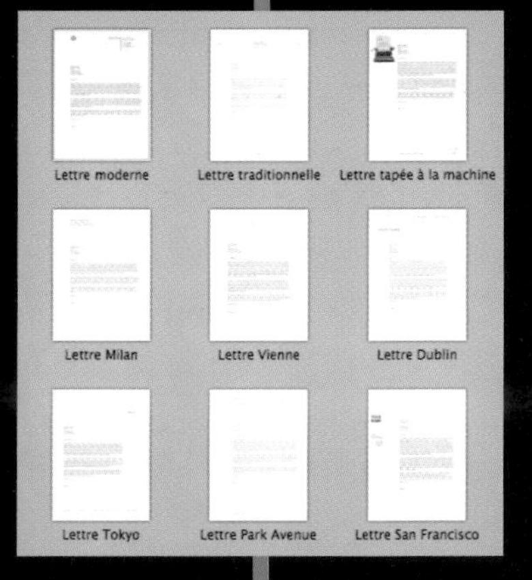

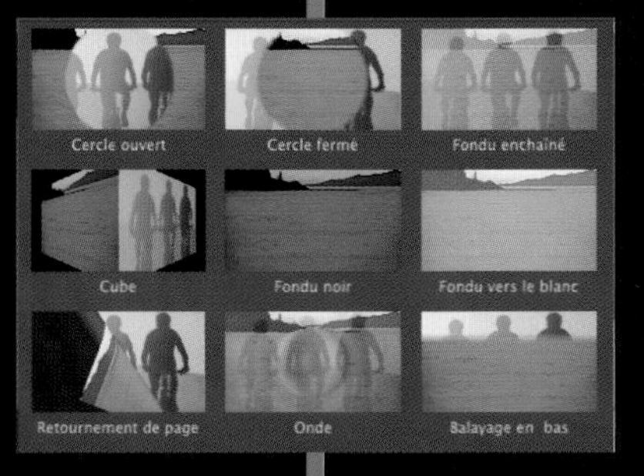

Chapitre 25

Optimiser votre Mac

Dans ce chapitre :

- Agir à distance : Timbuktu Pro de Netopia.
- Cataloguer des images : Tri-Catalog de Tri-Edre.
- Chasser les virus : Norton Antivirus de Symantec.
- Compresser les fichiers : StuffIt d'Adaddin Software.
- Consulter un dictionnaire : Le Petit Robert.
- Émuler un PC : Virtual PC de Microsoft.
- Faire des copies d'écran : Snapz Pro X d'Ambrosia Software.
- Optimiser les polices : Suitcase X d'Extensis.
- Passer des CD audio en MP3 : N2MP3 de Proteron.

Les programmes et autres utilitaires livrés avec Mac OS X ne suffisent pas à mener à bien toutes les opérations que suppose la gestion d'un environnement informatique au quotidien.

Dans ces conditions, n'hésitez pas à faire appel à des logiciels mis au point par des sociétés tierces : ils combleront avantageusement ces lacunes.

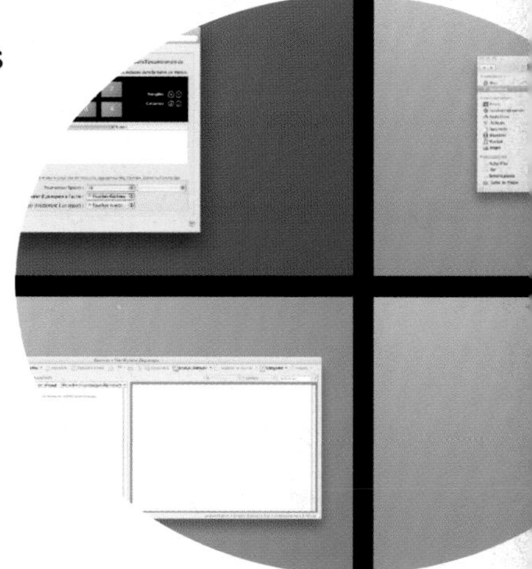

Agir à distance: Timbuktu Pro de Netopia

Timbuktu est la référence en matière de contrôle à distance.

Cet utilitaire vous permet d'agir à distance directement sur d'autres postes. Vous commencez par prévenir l'utilisateur du Mac distant, puis vous prenez le contrôle de sa machine en affichant son Bureau dans une fenêtre locale. Depuis ce poste clé, tout vous est permis :

- Accéder au disque dur ;
- Lancer une application ;
- Modifier un fichier ;
- Faire redémarrer la machine ;
- Effectuer des réparations…

Timbuktu est disponible tant sur Mac que sur PC. Il est en outre capable de dialoguer au sein d'un réseau local, mais aussi sur Internet.

Quelle est la finalité d'un tel produit ? Il est principalement destiné aux responsables de parcs informatiques, administrateurs réseau et autres gestionnaires de serveurs ainsi qu'aux techniciens qui prennent en charge les services de support aux utilisateurs.

Grâce à lui, tous ces spécialistes peuvent, à tout moment, accéder à votre ordinateur et en prendre le contrôle, total ou partiel. Cet accès leur permet de diagnostiquer rapidement un dysfonctionnement et d'y remédier le cas échéant.

Accessoirement, le programme assure des transferts de fichiers, fonction grâce à laquelle un administrateur réseau peut, sans quitter son poste personnel, installer de nouveaux logiciels sur des disques durs distants. Même si Timbuktu n'est pas un véritable outil de distribution, il s'acquitte honorablement de cette mission, dans les limites de ses possibilités.

Cataloguer les images : Tri-Catalog de Tri-Edre

Vous aimez les images ? Vous en stockez partout ? Difficile de gérer ce foutoir sans l'aide d'un programme spécialisé : le *catalogueur.*

Certes, il existe des logiciels de retouche (comme PhotoStudio d'Alsyd) qui intègrent leur propre catalogueur. iPhoto permet également la gestion de vos photos. Peut-être n'êtes-vous pas satisfait des logiciels que vous possédez actuellement sur votre Mac ? Vous trouverez sur le Web des sharewares de qualité.

Le meilleur est sans doute Tri-Catalog, un gestionnaire d'images multibase et multipartage optimisé pour Mac OS X, dont il tire pleinement parti.

Sa mission ? Analyser automatiquement les volumes (en nombre illimité) et archiver, sous forme de vignettes, les images qu'il y trouve. Par la suite, mettre à la disposition de l'utilisateur des fonctions de tri performantes selon différents critères ainsi que d'autres commandes très utiles (manipulations, exportation, planches-contacts, diaporamas…).

Dans la pratique, Tri-Catalog commence par créer des vignettes qui représentent les images et renferment d'autres infos (format, taille, résolution, pixels…). La taille de ces vignettes est personnalisable (de 48 x 48 à 256 x 256 pixels). Les formats de fichiers reconnus sont multiples : PICT, TIFF, JPEG, GIF, EPS, BMP…

La grande force du programme est qu'il conserve toutes les données requises pour la visualisation des fichiers sans accès au support d'origine. Fabuleux ! Vous avez glané vos images par-ci, par-là, sur des CD, des Zip, des disques durs… Vous voulez les afficher ? Inutile de mettre la main sur le support : Tri-Catalog a stocké les informations nécessaires à l'affichage.

Il peut aussi, notamment :

- Afficher les images sous forme de vignettes ou en taille réelle ;
- Les renommer ;
- Les annoter ;
- Les manipuler (déplacements, rotations, recadrages...) ;
- Les trier selon toutes sortes de critères (titre, poids, format, résolution, dimensions, date de création...) ;
- Les exporter sous différents formats, HTML notamment ;
- Détecter les doublons ;
- Imprimer des planches-contacts ;
- Créer des diaporamas.

Chasser les virus : Norton Antivirus de Symantec

Un *virus* est un petit programme qui se reproduit automatiquement et se propage de support en support, avec pour mission de provoquer des dégâts partout sur son passage. Par "dégâts", entendez principalement destruction de fichiers et effaçage de disques.

Vous n'êtes guère exposé si :

- Vous n'exploitez que des programmes commerciaux dont les développeurs ont pignon sur rue.
- Vous n'échangez des données avec personne.

- Vous n'ouvrez pas les pièces jointes qu'on ajoute à vos e-mails.
- Vous ne téléchargez que des fichiers en provenance de services online commerciaux sérieux, censés être à l'abri des attaques virales, et évitez les sites boiteux où flânent des fichiers aux noms bizarroïdes.

En revanche, vous avez tout lieu de vous inquiéter si :

- Vous échangez régulièrement des données avec vos collègues et amis.
- Vous ouvrez les pièces jointes qui accompagnent vos e-mails.
- Vous branchez vos disques sur différents postes.
- Vous utilisez ces disques dans des ateliers d'impression.
- Vous surfez n'importe où et téléchargez n'importe quoi.

Mieux vaut dans ces conditions vous équiper d'un détecteur de virus comme Norton Antivirus développé par Symantec.

Procurez-vous toujours la dernière version en date de cet utilitaire : elle seule peut venir à bout des derniers virus en circulation.

Compresser les fichiers : StuffIt d'Aladdin Software

C'est sûr, de la place sur les disques, on en a toujours. Mais sans qu'on sache trop comment, elle vient parfois à manquer. Il est temps alors de compresser les fichiers, c'est-à-dire d'en réduire la taille afin qu'ils occupent moins d'espace, ne fût-ce que sur les unités de stockage.

Ce traitement s'impose d'ailleurs pour les éléments que vous destinez à Internet : la compression raccourcit la durée du transfert de manière significative.

Compatible Mac OS X, StuffIt est l'utilitaire de compression le plus connu. Il est constitué de plusieurs éléments qui prennent en charge la compression et la décompression.

Comme vous l'avez appris au Chapitre 3, Apple a intégré le format. zip au Finder, capable, via sa commande Créer une archive de, de compresser un fichier ou un dossier. Elle peut même traiter une sélection multiple, créant alors une archive unique qui réunit tous les éléments sélectionnés. Une limitation toutefois : à ce stade, le comportement de cette fonction Zip du Finder ne peut être paramétré.

Consulter un dictionnaire : Le Petit Robert

Vous avez la passion des mots ? Achetez le *Petit Robert* édition électronique.

C'est ce bon vieux *Robert* tel que vous le connaissez, mais équipé de la foule de services qu'on est en droit d'attendre d'une version numérique ! De quoi se laisser dériver au fil du lexique !

Dès que vous introduisez le CD dans le lecteur, un installateur vous propose trois modes d'installation : minimale, partielle ou complète, en vertu desquels le fameux dictionnaire monopolisera sur votre disque dur 10, 20 ou 560 Mo. Faites un choix selon la place disponible, sachant que seule l'installation complète permet d'écouter les extraits de citations et de faire prononcer les mots prêtant à confusion. Une fois le dictionnaire installé sur le disque, inutile d'introduire le CD pour y accéder.

Dans la fenêtre principale qui correspond au dictionnaire proprement dit, vous apprécierez le confort d'utilisation du produit. Les éditeurs se sont attachés à créer une interface sobre et ont résolument mis l'accent sur la convivialité de l'outil.

Entrez les premières lettres d'un mot dans la case d'édition prévue à cet effet. Une nomenclature complète s'affiche, regroupant tous les termes répertoriés commençant par les caractères saisis. Le programme vous autorise aussi à retrouver un mot à partir d'une orthographe approximative.

Une palette flottante vous garantit l'accès à plusieurs fonctions bureautiques (copier-coller, zoom, impression…) ou de navigation (recherche, atteindre le mot suivant…).

Vous souhaitez en savoir plus ? Exploitez la barre de boutons thématiques. Elle vous renverra vers des tableaux de conjugaisons ou vous affichera des infos concernant le genre et le nombre des substantifs, leur étymologie, leurs homonymes… Vous y trouverez aussi des exemples d'emploi ainsi que des listes d'expressions, de locutions et de proverbes dans lesquels le terme recherché intervient.

N'hésitez pas non plus à mettre en œuvre les paramétrages suivants : choix des polices, fonction loupe, gestion d'annotations et Explorateur autorisant des recherches avancées selon divers critères (phonétique, étymologie, citations…). Une vraie caverne d'Ali Baba.

Émuler un PC

En général, vous évoluez sur Mac, mais êtes parfois contraint, à votre corps défendant, de travailler sur PC :

- Le programme dont vous avez besoin n'existe pas en version Macintosh : il ne tourne que sous Windows ;
- Les fichiers que vous devez manipuler et partager avec d'autres utilisateurs PC ne présentent pas, sur Mac, de formats compatibles ;
- Etc.

Or, ces utilisations ne justifient pas, à votre sens, l'achat d'un PC.

Ne vous mettez pas martel en tête: la solution est simple. Elle consiste à vous procurer un programme particulier dont la mission est de simuler ou "émuler" sur Mac un environnement PC. C'est tellement convaincant qu'on s'y croirait. Il existe deux programmes qui fonctionnent sur les Mac actuels à base de processeurs Intel: Parallel Desktop de Parallel Software et VMware Fusion de VMware. Si vous possédez un ancien modèle de Mac (sans processeur Intel), vous pouvez utiliser Virtual PC de Microsoft (qui est gratuit).

Votre Mac Intel avec Leopard offre Boot Camp qui vous permet d'installer Windows sur votre ordinateur. Vous devrez choisir de démarrer sous Windows ou sous Leopard, mais vous pourrez utiliser des applications Windows sur votre ordinateur comme si vous possédiez un vrai PC et non pas en émulant un PC dans Mac OS X.

Faire des copies d'écran: Snapz Pro X d'Ambrosia Software

Pour les copies d'écran, vous savez déjà que vous pouvez faire appel à Capture (Chapitre 13). Mais ses possibilités sont limitées.

S'il ne vous suffit pas, tournez-vous vers Snapz Pro X, le maître incontesté de la capture d'écran sous OS X.

Ce remarquable outil continue de fonctionner comme par le passé: vous le mettez en service sur simple activation d'un raccourci clavier que vous avez défini. Dès que vous le sollicitez de la sorte, il s'affiche sous la forme d'un panneau de configuration qui flotte au premier plan.

Ce panneau regorge d'options selon la nature de la capture à effectuer.

Les boutons du haut du volet Snapz Pro X vous permettent de ponctionner tout l'écran, un objet que vous désignez par clic (fenêtre, rubrique, barre des menus...) ou encore une zone que vous sélectionnez par cliquer-glisser.

Par défaut, le programme stocke les fichiers graphiques des captures dans le dossier Pictures de votre compte utilisateur, mais rien ne vous empêche de désigner une autre destination.

Côté format, vous n'avez que l'embarras du choix : TIFF, PICT, BMP, GIF, JPEG, PDF...

D'autres options sont disponibles, comme la possibilité de créer une vignette ou d'ajouter une mention dans un coin de l'image, le tout en quelques clics de souris.

Le programme va plus loin : il est capable d'enregistrer, sous la forme d'une séquence QuickTime, tout ce qui se passe à l'écran. Il suffit de valider le quatrième bouton de la fenêtre principale, Movie, de désigner la zone cible de l'écran et de fixer le nombre d'images par seconde. Et c'est parti ! Vous pouvez commenter vos mouvements et enregistrer ces commentaires. Un outil idéal pour les formateurs.

Bref, une application de référence, tout à la fois souple et conviviale.

Optimiser les polices : Suitcase X d'Extensis

Il aura fallu attendre la version 10.3 de Mac OS X pour qu'Apple intègre enfin à son système opératoire un logiciel de gestion des polices. Il se dénomme "Livre des polices" et est commenté au Chapitre 12.

Si ses performances vous paraissent insuffisantes, continuez comme par le passé de confier la gestion de ces éléments à un programme tiers, Suitcase par exemple.

Mais que fait-il de si miraculeux ? De manière non exhaustive :

- Il organise les tonnes de polices de caractères dont vous saturez votre Mac.

  Il supporte notamment les polices OpenType et TrueType.

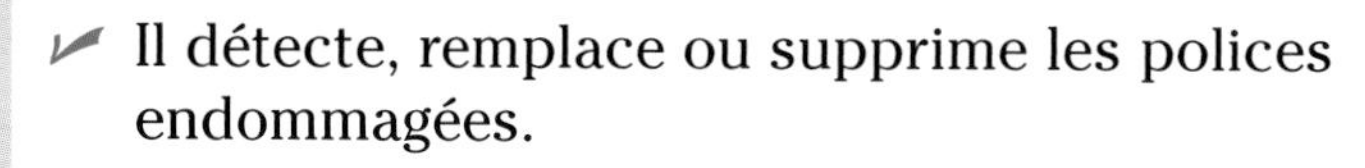

- Il détecte, remplace ou supprime les polices endommagées.

- Il active automatiquement les polices selon les applications.

  Une XTension est fournie pour permettre cette opération à l'ouverture d'un document dans XPress.

- Il rassemble dans un dossier spécifique une copie des polices nécessaires au flashage du fichier actif.

La plupart des metteurs en page proposent également cette fonctionnalité.

Vous voulez en savoir plus ? Rendez-vous sans tarder sur le site `www.extensis.com`.

Passer des CD audio en MP3 : N2MP3 de Proteron

La diffusion de la musique entame sa quatrième révolution.

En effet, après les disques vinyles, les bandes et les cassettes, puis les disques compacts, voici le numérique sans support.

Le principe ? Un gros disque dur sur lequel les fichiers audio sont stockés en format MP3.

Les technologies existent déjà. Elles n'attendent plus que vous. Remisez donc votre collection de CD après l'avoir transférée sur votre Macintosh. Téléchargez d'autres morceaux qui "swinguent" depuis Internet. Et constituez-vous ainsi une discothèque numérique.

Le *format MP3* est un format compressé grâce auquel vous pouvez stocker sur un seul disque dur plusieurs centaines d'albums. Pour vous donner une idée, sachez que vous archiverez plus de 13 000 morceaux (environ 800 albums) sur un disque de 40 Go. De fait, un fichier MP3 de qualité normale occupe environ dix fois moins de place que le même morceau non compressé. Les horizons s'ouvrent !

Pour effectuer le transfert, faites appel à iTunes, un programme intégré au Système X (Chapitre 12). À moins que vous ne préfériez confier cette délicate mission à un programme plus complet. Tournez-vous alors vers N2MP3 que vous trouverez sur Internet pour un prix très raisonnable.

Et en avant la musique !

Quel capharnaüm !

Comment gérer ces montagnes de fichiers avec rapidité et efficacité ? Faites appel pour vous aider à réaliser ce travail à MP3 Rage de Chaotic Software (`www.chaoticsoftware.com`). Le programme est surprenant. Il propose même un bouton Lyrics qui vous permet d'ajouter les textes des chansons !

Chapitre 26

Réagir dans les situations désespérées

Dans ce chapitre :

- Le Mac ne démarre pas.
- Mac OS X refuse de coopérer.
- Mac OS X ne lance pas le bon logiciel.
- Un programme se bloque.
- Un kernel panic se produit.
- L'application n'est pas disponible.
- Impossible de renommer un fichier.
- Tout est d'une lenteur !

Tout ne se passe pas toujours comme prévu. Sachez comment réagir dans les situations difficiles.

Dites-vous bien que si vos problèmes se situent au niveau du matériel, vous serez sans doute contraint de faire appel à un service technique.

Mais bien souvent l'aspect logiciel est responsable de la situation de crise. Dans ce domaine, vous pouvez intervenir, même si certains problèmes, plus particulièrement ceux qui surviennent lors du démarrage de la machine, sont très déconcertants pour les débutants.

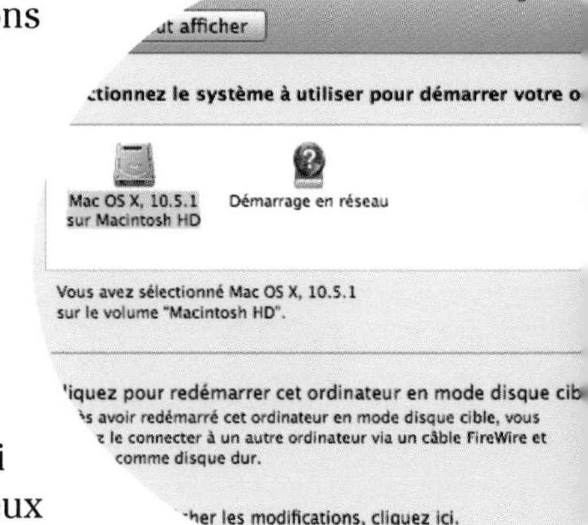

Le Mac ne démarre pas

En général, lorsque vous faites démarrer votre ordinateur, le logo Apple vous souhaite la bienvenue. Mais il peut arriver que rien ne s'affiche.

Quelque chose ne va pas, assurément.

Problème matériel

Il peut s'agir d'un problème au niveau du hard.

Ne venez-vous pas d'installer de la mémoire supplémentaire ? C'est sans doute parce que les barrettes ne sont pas correctement emboîtées dans leur support. Mettez votre Mac hors tension et vérifiez l'emboîtement de cette nouvelle RAM (suivez les consignes d'installation livrées avec cette mémoire supplémentaire).

Avez-vous récemment branché un nouveau périphérique ? Certains, notamment les hubs USB, sont susceptibles de planter la machine au démarrage. Déconnectez ce périphérique et assurez-vous que tout rentre dans l'ordre. Si c'est le cas, contactez son fabricant ou un site Internet comme Mac FixIt (`www.macfixit.com`) et voyez si une solution existe, principalement une mise à jour du firmware qui permettrait au périphérique de fonctionner correctement.

Il arrive que le périphérique incriminé puisse malgré tout fonctionner correctement, à condition que vous le débranchiez, que vous fassiez redémarrer la machine, puis le reconnectiez après le démarrage.

Problème logiciel

Votre configuration n'a pas été modifiée depuis votre dernière séance de travail ? Il y a alors de fortes chances pour que le problème se situe au niveau du soft.

Ce qui se passe probablement, c'est que le Mac ne parvient pas à trouver un disque de démarrage, c'est-à-dire un dossier System. De fait, quand vous allumez votre ordinateur, celui-ci commence par exécuter une série de tests hardware, puis se met en quête d'un disque de démarrage en état de marche.

Il s'adresse d'abord à son disque dur interne, puis, si sa quête est infructueuse, se tourne vers les autres périphériques qui lui sont éventuellement connectés (disque dur externe, disque amovible, CD-ROM…).

S'il ne trouve toujours pas ce dont il a besoin, il s'avoue vaincu et ne démarre pas.

Autre cause possible : les dossiers Bibliothèque de Mac OS X contiennent des données corrompues.

Pas d'affolement : plusieurs solutions s'offrent à vous ; essayez-les les unes après les autres.

- Faire redémarrer la machine pour voir si le problème subsiste ;
- Appeler Utilitaire de disque à la rescousse ;
- Zapper la PRAM ;
- Réinstaller Mac OS X.

Redémarrer

Le redémarrage est bien souvent la solution miracle. Il se décline ainsi :

- Redémarrer purement et simplement ;
- Redémarrer depuis le DVD d'installation de Mac OS X. Ce disque regroupe non seulement tous les éléments système nécessaires à l'exploitation du Mac, mais aussi le programme Utilitaire de disque, qui est sans doute capable de réparer les dégâts.

N'hésitez pas, si vous en avez la possibilité, à dupliquer ce DVD d'origine pour en avoir toujours sous la main un exemplaire en parfait état.

Vous pouvez utiliser n'importe quel disque de démarrage à la place du DVD original de Mac OS X. Par *disque de démarrage*, entendez un support quelconque (par exemple, un disque amovible) sur lequel se trouve un système d'exploitation opérationnel.

1. **Introduisez le DVD dans le lecteur correspondant.**
2. **Choisissez Pomme/Redémarrer.**
3. **Enfoncez immédiatement la touche C et maintenez-la dans cette position pendant la procédure de démarrage.**

   Cette activation contraint le Mac à démarrer depuis le CD.

   Si ça marche : Le problème se situe vraisemblablement au niveau du disque dur ou de Mac OS X lui-même. Dans le premier cas, faites tourner Utilitaire de disque (Chapitre 13) ; dans le second, réinstallez Mac OS X (Chapitre 1).

   Si ça ne marche pas : Essayez avec un autre disque de démarrage.

   Si ça ne marche toujours pas : Contactez votre service technique.

Appeler Utilitaire de disque à la rescousse

Après avoir redémarré depuis le CD d'installation de Mac OS X, lancez Utilitaire de disque dès que le Bureau s'affiche. Son volet S.O.S. est spécialement prévu pour ce genre de situations.

Ensuite, testez et réparez votre disque dur (comme nous vous l'avons expliqué dans la section "Utilitaire de disque" du Chapitre 13).

Zapper la PRAM

La PRAM est une zone de la mémoire de votre Macintosh dans laquelle celui-ci stocke toutes sortes d'informations relatives notamment aux réglages de l'écran et du son, de l'imprimante sélectionnée, etc.

Il n'est pas exclu que ce soient ces réglages qui fassent cafouiller la machine. Zapper la PRAM revient à effacer cette mémoire et à repartir de zéro.

Pour zapper la PRAM, faites redémarrer le Mac en maintenant enfoncées les touches ⌘ + Option + P + R. Le Mac doit redémarrer presque aussitôt.

Quand vous zappez la PRAM, le Mac oublie quel disque vous aviez institué disque de démarrage. Redésignez-le (voir la section "Démarrage" du Chapitre 14). Il n'est pas exclu qu'il oublie aussi d'autres réglages, la date et l'heure notamment ; rétablissez ces paramètres (voir la section "Date et heure" du même chapitre).

Réinstaller

Si aucune des mesures décrites ci-dessus ne produit d'effet, essayez de réinstaller Mac OS X, la solution la plus lourde, certes, mais la plus radicale aussi (Chapitre 1). Une fois de plus, vous devrez agir depuis le disque d'installation.

Pendant l'opération, veillez à ne pas valider l'option d'effacement de disque afin de conserver vos paramètres intacts.

La situation ne s'améliore toujours pas ? Il ne vous reste plus, hélas ! qu'à porter votre Mac chez le réparateur.

Mac OS X refuse de coopérer

Vous cherchez à ouvrir, copier ou déplacer un fichier et Mac OS X s'obstine à vous envoyer un message d'erreur.

Le problème est sans doute dû à votre identification et aux droits et privilèges qui y sont liés.

En d'autres termes, il est possible que vous ne soyez connu de Mac OS X que comme simple utilisateur, auquel cas votre mobilité est extrêmement réduite. Ainsi, les utilisateurs "non privilégiés" ne peuvent ajouter ni retirer des documents du dossier Applications.

La solution : vous faire déclarer administrateur.

1. **Choisissez Pomme/Préférences Système ou activez l'icône correspondante du Dock.**

   La fenêtre Préférences Système s'affiche.

2. **Dans la rubrique Système, cliquez une fois sur Comptes.**

   La fenêtre Comptes s'affiche.

3. **Relevez votre nom dans la liste de gauche.**

   Si la mention admin ne s'affiche pas sous votre nom, c'est que vous n'êtes pas administrateur.

4. **Demandez à un des administrateurs du Mac de vous accorder le même statut.**

   Voyez à ce sujet la section "Gérer les comptes utilisateurs" du Chapitre 15.

Mac OS X ne lance pas le bon logiciel

Il vous suffit d'ordinaire de double-cliquer sur l'icône d'un document pour que Mac OS X lance automatiquement l'application correspondante (à condition, bien sûr, qu'elle se trouve sur le disque).

Or, parfois, il se trompe de logiciel.

Ainsi, il n'est pas rare que les fichiers. dmg (images disques) téléchargés depuis le Web échouent dans Mac OS X sous forme de fichiers texte. Dans ces conditions, lorsque vous activez leur icône, c'est TextEdit qui démarre plutôt qu'Utilitaire de disque (qui, rappelez-vous, depuis Panther, se charge de ce type d'entités).

Vous pouvez également effectuer un Ctrl + clic sur l'icône, puis dans le menu contextuel sélectionner la commande Ouvrir avec pour sélectionner l'application que vous souhaitez.

Pour modifier définitivement le programme utilisé pour ouvrir un type de fichier, cliquez sur Lire les informations dans le menu contextuel. Dans la fenêtre qui s'affiche, sélectionnez l'application souhaitée dans la liste déroulante de la zone Ouvrir avec. Cliquez ensuite sur le bouton Tout modifier pour appliquer ce choix à tous les fichiers du même type.

Un programme se bloque

Il n'est pas impossible qu'un programme, subitement, se retrouve paralysé.

Normalement, sous Mac OS X, un plantage programme ne suppose pas automatiquement un plantage système grâce à deux caractéristiques de ce système d'exploitation : le multitâche et la gestion protégée de la mémoire.

D'ailleurs, pour vous en convaincre, cliquez dans la fenêtre d'une autre application et vous constaterez que le système répond parfaitement.

Pour vous sortir du pétrin, invoquez la commande Forcer à quitter, qui vous permet de clore sans dommage l'exécution d'une application en cours.

1. **Choisissez Pomme/Forcer à quitter ou enfoncez les touches ⌘ + Option + Échappement.**

   La fenêtre Forcer des applications à quitter s'affiche ; elle répertorie les applications ouvertes.

2. **Sélectionnez dans la liste le programme bloqué.**
3. **Cliquez sur Forcer à quitter.**

   Mac OS X vous prévient que les modifications que vous n'avez pas enregistrées seront perdues.

4. **Cliquez de nouveau sur Forcer à quitter.**
5. **Fermez la fenêtre.**

Il existe un chemin plus court :

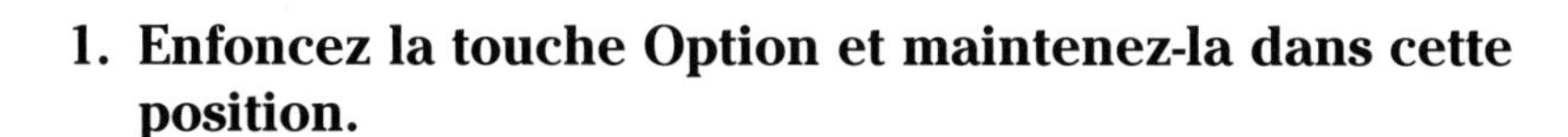

1. **Enfoncez la touche Option et maintenez-la dans cette position.**
2. **Cliquez dans le Dock sur l'icône de l'application fautive et maintenez enfoncé le bouton de votre souris.**
3. **Dans le menu contextuel que cette action déroule, choisissez Forcer à quitter.**
4. **Relâchez la touche Option.**

Il arrivera sans doute que ce "quitter impératif" ne produise pas d'effet. Dans ces conditions, commencez par enregistrer votre travail dans tous les programmes actifs en état de marche, puis fermez la session. Ouvrez ensuite une nouvelle session.

Si la situation ne s'améliore toujours pas, redémarrez. Toutefois, avant d'en arriver là, laissez votre Mac au repos pendant une ou deux minutes. Il aura ainsi une chance de sauvegarder sur le disque dur les données qui se trouvent dans sa mémoire vive.

Un kernel panic se produit

Késako ?

Normalement, Mac OS X est stable. Très stable.

S'il arrive à des programmes de se planter, le système, lui, s'en tire plutôt bien. En général. Mais…

Vous avez peut-être connu la fameuse bombe sur les systèmes précédents ? La même situation se produit ici, mais sous une autre forme.

Tout aussi ravageur que la bombe, le "kernel panic" ou plantage du système se produit quand une couche basse du noyau Unix est atteinte. Des lignes de texte blanc sur fond noir apparaissent en haut de l'écran.

Cette situation est extrêmement rare ; elle est le plus souvent provoquée par des bogues dans les programmes d'application ou par le branchement de périphériques non compatibles.

Dans la plupart des cas, un simple redémarrage suffit à rétablir l'ordre.

Pensez toutefois à supprimer la cause du problème : installez les versions à jour des logiciels ; intervenez si le problème se situe au niveau du hardware.

L'application n'est pas disponible

Parfois, un message s'affiche, vous signalant qu'aucune application ne peut ouvrir le document sélectionné.

Il se peut que vous ayez cherché à ouvrir un fichier qui appartient à Mac OS X. C'est notamment le cas de tous ceux qui sont stockés dans le dossier Système. Ces fichiers sont au Mac, pas à vous. Laissez-les tranquilles ! Cliquez sur OK pour accuser réception du message.

Sinon, il peut s'agir d'un fichier créé par une application qui ne se trouve pas sur votre disque. Un collègue de bureau vous a transmis un fichier Photoshop ou vous en avez glané un sur Internet ; or, ce programme n'est pas installé sur votre poste de travail. Impossible, dans ces conditions, d'ouvrir le fichier !

À ce stade, trois moyens d'action s'offrent à vous :

- **Cliquez sur OK, puis installez le programme et relancez l'ouverture.**
- **Cliquez sur OK, puis essayez d'ouvrir le fichier depuis un autre programme.**

  En effet :

  1. **Commencez par mettre en service un autre programme du même type (traitement de texte, logiciel graphique, metteur en page...) que vous supposez capable de reconnaître le format du fichier que vous cherchez à visualiser.**
  2. **Choisissez Fichier/Ouvrir.**
  3. **Localisez puis sélectionnez le document qui pose problème.**

  S'il apparaît dans la liste, vous avez peut-être gagné ; s'il n'apparaît pas, c'est foutu !

- **Cliquez sur Choisir une application.**

  Ce bouton provoque l'affichage d'une fenêtre vous laissant le choix d'un programme de remplacement ; pour la suite de la procédure, voyez la section du Chapitre 9 intitulée "Quand ça ne tourne pas rond".

Forcer l'ouverture d'un document

Vous faites glisser l'icône d'un document sur celle d'une application du Dock et cette dernière ne réagit pas. Or, vous êtes convaincu que l'application en question est capable de lire le fichier. Pour l'y contraindre, enfoncez les touches ⌘ + Option pendant le mouvement.

Impossible de renommer un fichier

Vous avez beau chercher à modifier le nom d'un fichier : rien n'y fait.

C'est sans doute parce que ce fichier a été verrouillé, auquel cas il ne peut être ni déplacé, ni modifié, ni supprimé.

La notion de verrouillage n'est pas propre au monde Unix ; en fait, elle représente un héritage de Mac OS ancienne version.

La solution : ouvrir le verrou !

1. **Sélectionnez l'icône du fichier à renommer.**
2. **Choisissez Fichier/Lire les informations ou enfoncez les touches ⌘ + I.**
3. **Ouvrez si nécessaire la section Général en cliquant sur le triangle noir placé à gauche de cette mention.**
4. **Désactivez l'option Verrouillé.**

Index

E

F

"Pensez-vous ma chère Irma qu'après Jaguar, Panther, Tiger et Leopard, ils vont nous faire le coup du rhynocéros ?"

"C'est signé, c'est la griffe de Leopard !"

"Tu l'a payé cher ton Leopard ?
Non, je l'ai eu dégriffé !"

Imprimé en France par I.M.E. - 25110 Baume-les-Dames